BESTSELLER

Para Lorena
Martínez con
un abrazo

Isabel Allende

Isabel Allende (1942), de nacionalidad chilena, nació en Lima. Ha trabajado infatigablemente como periodista y escritora desde los diecisiete años. *La casa de los espíritus* (1982) la situó en la cúspide de la narrativa latinoamericana e inauguró una brillante trayectoria literaria por la que ha recibido, entre otros galardones, el Premio Nacional de Literatura de Chile 2010. Entre sus obras, traducidas a treinta y cinco lenguas, cabe mencionar *Eva Luna, Cuentos de Eva Luna, El plan infinito, De amor y de sombra, Paula, Afrodita, Hija de la fortuna, Retrato en sepia, Mi país inventado, El Zorro, Inés del alma mía, La suma de los días, La isla bajo el mar, El cuaderno de Maya, El juego de Ripper, El amante japonés* y la trilogía Memorias del Águila y del Jaguar (integrada por *La Ciudad de las Bestias, El Reino del Dragón de Oro* y *El Bosque de los Pigmeos*), por la cual le fue otorgado el Premio Hans Christian Andersen de Literatura 2012.

Biblioteca

ISABEL ALLENDE

El amante japonés

DEBOLS!LLO

A mis padres, Panchita y Ramón,
ancianos sabios

Detente, sombra de mi amor esquivo,
imagen del hechizo que más quiero,
bella ilusión por quien alegre muero,
dulce ficción por quien penosa vivo.

SOR JUANA INÉS DE LA CRUZ

Lark House

Irina Bazili entró a trabajar en Lark House, en las afueras de Berkeley, en 2010, con veintitrés años cumplidos y pocas ilusiones, porque llevaba dando tumbos entre empleos, de una ciudad a otra, desde los quince. No podía imaginar que encontraría su acomodo perfecto en esa residencia de la tercera edad y que en los tres años siguientes llegaría a ser tan feliz como en su infancia, antes de que se le desordenara el destino. Lark House, fundada a mediados de 1900 para albergar dignamente a ancianos de bajos ingresos, atrajo desde el principio, por razones desconocidas, a intelectuales progresistas, esotéricos decididos y artistas de poco vuelo. Con el tiempo cambió en varios aspectos, pero seguía cobrando cuotas ajustadas a los ingresos de cada residente para fomentar, en teoría, cierta diversidad social y racial. En la práctica todos ellos resultaron ser blancos de clase media y la diversidad consistía en sutiles diferencias entre librepensadores, buscadores de caminos espirituales, activistas sociales y ecológicos, nihilistas y algunos de los pocos hippies que iban quedando vivos en el área de la bahía de San Francisco.

En la primera entrevista, el director de esa comunidad, Hans Voigt, le hizo ver a Irina que era demasiado joven para un puesto de tanta responsabilidad, pero como tenían que cubrir con urgencia una vacante en el departamento de administración y asistencia, ella podía ser suplente hasta que encontraran a la persona adecuada. Irina pensó que lo mismo que de ella se podía decir de él: parecía un chiquillo mofletudo con calvicie prematura a quien la tarea de dirigir ese establecimiento seguramente le quedaba grande. Con el tiempo la muchacha comprobaría que el aspecto de Voigt engañaba a cierta distancia y con mala luz, pues en realidad había cumplido cincuenta y cuatro años y había demostrado ser un excelente administrador. Irina le aseguró que su falta de estudios se compensaba con la experiencia en el trato con ancianos en Moldavia, su país natal.

La tímida sonrisa de la postulante ablandó al director, quien se olvidó de pedirle una carta de recomendación y pasó a enumerar las obligaciones del puesto; podían resumirse en pocas palabras: facilitar la vida a los huéspedes del segundo y tercer nivel. Los del primero no le incumbían, pues vivían de forma independiente, como inquilinos en un edificio de apartamentos, y tampoco los del cuarto, llamado apropiadamente Paraíso, porque estaban aguardando su tránsito al cielo, pasaban dormitando la mayor parte del tiempo y no requerían el tipo de servicio que ella debía ofrecer. A Irina le correspondería acompañar a los residentes a las consultas de médicos, abogados y contadores, ayudarlos con formularios sanitarios y de impuestos, llevarlos de compras y menesteres similares. Su única relación con los del Paraíso era organizar sus funerales, para lo que recibiría instrucciones detalladas según el caso, le dijo Hans Voigt, porque los deseos de los moribundos no siempre coincidían con los de sus familiares. Entre la gente de Lark House había diversas creencias y los funerales tendían a ser ceremonias ecuménicas algo complicadas.

Le explicó que sólo el personal doméstico, de cuidado y enfermería estaba obligado a llevar uniforme, pero existía un tácito código de vestimenta para el resto de los empleados; el respeto y el buen gusto eran los criterios en esa materia. Por ejemplo, la camiseta estampada con Malcolm X que lucía Irina resultaba inapropiada para la institución, dijo enfáticamente. En realidad la efigie no era de Malcolm X sino del Che Guevara, pero ella no se lo aclaró porque supuso que Hans Voigt no había oído hablar del guerrillero, quien medio siglo después de su epopeya seguía siendo venerado en Cuba y por un puñado de radicales de Berkeley, donde ella vivía. La camiseta le había costado dos dólares en una tienda de ropa usada y estaba casi nueva.

—Aquí está prohibido fumar —le advirtió el director.

—No fumo ni bebo, señor.

—¿Tiene buena salud? Eso es importante en el trato con ancianos.

—Sí.

—¿Hay alguna cuestión que yo deba saber?

—Soy adicta a videojuegos y novelas de fantasía. Ya sabe, Tolkien, Neil Gaiman, Philip Pullman. Además trabajo lavando perros, pero no me ocupa muchas horas.

—Lo que haga en su tiempo libre es cosa suya, señorita, pero en su trabajo no puede distraerse.

—Por supuesto. Mire, señor, si me da una oportunidad, verá que tengo muy buena mano con la gente mayor. No se arrepentirá —dijo la joven con fingido aplomo.

Una vez concluida la entrevista, el director le mostró las instalaciones, que albergaban a doscientas cincuenta personas con una edad media de ochenta y cinco años. Lark House había sido la magnífica propiedad de un magnate del chocolate, que la donó a la ciudad y dejó una generosa dotación para financiarla. Consistía en la mansión principal, un palacete pretencioso donde estaban las oficinas, así como las áreas comunes, biblioteca, comedor y talleres, y una serie de agradables edificios de tejuela de madera, que armonizaban con el parque, aparentemente salvaje, pero en realidad bien cuidado por una cuadrilla de jardineros. Los edificios de los apartamentos independientes y los que albergaban a los residentes de segundo y de tercer nivel se comunicaban entre sí por anchos corredores techados, para circular con sillas de ruedas a salvo de los rigores del clima, y con laterales de vidrio, para apreciar la naturaleza, el mejor bálsamo para las penas a cualquier edad. El Paraíso, una construcción de cemento aislada, habría desentonado con el resto si no hubiera estado cubierto por completo de hiedra trepadora. La biblioteca y sala de juegos estaban disponibles a todas horas; el salón de belleza tenía horario flexible y en los talleres ofrecían diversas clases, desde pintura hasta astrología, para aquellos que todavía anhelaban sorpresas del futuro. En la Tienda de Objetos Olvidados, como rezaba el letrero sobre la puerta, atendida por damas voluntarias, vendían ropa, muebles, joyas y otros tesoros descartados por los residentes o dejados atrás por los difuntos.

—Tenemos un excelente club de cine. Proyectamos películas tres veces por semana en la biblioteca —dijo Hans Voigt.

—¿Qué clase de películas? —le preguntó Irina, con la esperanza de que fueran de vampiros y ciencia ficción.

—Las selecciona un comité y dan preferencia a las de crímenes, les encantan las de Tarantino. Aquí hay cierta fascinación por la violencia, pero no se asuste, entienden que es ficción y que los actores reaparecerán en otras películas, sanos y buenos. Digamos que es una válvula de escape. Varios de nuestros huéspedes fantasean con asesinar a alguien, por lo general de su familia.

—Yo también —replicó Irina sin vacilar.

Creyendo que la joven bromeaba, Hans Voigt se rió complacido; apreciaba el sentido del humor casi tanto como la paciencia entre sus empleados.

En el parque de árboles antiguos correteaban confiadamente ardillas y un número poco usual de ciervos. Hans Voigt le explicó que las hembras llegaban a parir y criar allí a los cervatillos hasta que pudieran valerse por sí mismos, y que la propiedad también era un santuario de pájaros, especialmente alondras, de las que provenía el nombre: Lark House, casa de alondras. Había varias cámaras colocadas estratégicamente para espiar a los animales en la naturaleza y, de paso, a los ancianos que pudieran perderse o accidentarse, pero Lark House no contaba con medidas de seguridad. De día las puertas permanecían abiertas y sólo había un par de guardias desarmados que hacían ronda. Eran policías retirados de setenta y setenta y cuatro años respectivamente; no se requería más, porque ningún maleante iba a perder su tiempo asaltando a viejos sin ingresos. Se cruzaron con un par de mujeres en sillas de ruedas, con un grupo provisto de caballetes y cajas de pinturas para una clase al aire libre y con algunos huéspedes que paseaban a perros tan estropeados como ellos. La propiedad lindaba con la bahía y cuando subía la marea se podía salir en kayak, como hacían algunos de los residentes a quienes sus achaques no habían derrotado todavía. «Así me gustaría vivir», suspiró Irina, aspirando a bocanadas el dulce aroma de pinos y laureles y comparando esas agradables instalaciones con las guaridas insalubres por las que ella había deambulado desde los quince años.

—Por último, señorita Bazili, debo mencionarle los dos fantasmas, porque seguramente será lo primero que le advierta el personal haitiano.

—No creo en fantasmas, señor Voigt.

—La felicito. Yo tampoco. Los de Lark House son una mujer joven con un vestido de velos rosados y un niño de unos tres años. Es Emily, hija del magnate del chocolate. La pobre Emily se murió de pena cuando su hijo se ahogó en la piscina, a finales de los años cuarenta. Después de eso el magnate abandonó la casa y creó la fundación.

—¿El chico se ahogó en la piscina que me ha enseñado?

—La misma. Y nadie más ha muerto allí, que yo sepa.

Irina pronto iba a revisar su opinión sobre los fantasmas,

porque descubriría que muchos de los ancianos estaban permanentemente acompañados por sus muertos; Emily y su hijo no eran los únicos espíritus residentes.

Al día siguiente a primera hora, Irina se presentó al empleo con sus mejores vaqueros y una camiseta discreta. Comprobó que el ambiente de Lark House era relajado sin caer en la negligencia; parecía un colegio universitario más que un asilo de ancianos. La comida equivalía a la de cualquier restaurante respetable de California: orgánica dentro de lo posible. El servicio era eficiente y el de cuidado y enfermería era todo lo amable que se puede esperar en estos casos. En pocos días se aprendió los nombres y manías de sus colegas y de los residentes a su cargo. Las frases en español y francés que pudo memorizar le sirvieron para ganarse el aprecio del personal, proveniente casi exclusivamente de México, Guatemala y Haití. El salario no era muy elevado para el duro trabajo que hacían, pero muy pocos ponían mala cara. «A las abuelitas hay que mimarlas, pero sin faltarles el respeto. Lo mismo a los abuelitos, pero a ellos no hay que darles mucha confianza, porque se portan malucos», le recomendó Lupita Farías, una chaparrita con cara de escultura olmeca, jefa del equipo de limpieza. Como llevaba treinta y dos años en Lark House y tenía acceso a las habitaciones, Lupita conocía íntimamente a cada ocupante, sabía cómo eran sus vidas, adivinaba sus malestares y los acompañaba en sus penas.

—Ojo con la depresión, Irina. Aquí es muy común. Si notas que alguien está aislado, anda muy triste, se queda en cama sin motivo o deja de comer, vienes corriendo a avisarme, ¿entendido?

—¿Y qué haces en ese caso, Lupita?

—Depende. Los acaricio, eso siempre lo agradecen, porque los viejos no tienen quien los toque, y los engancho con un serial de televisión; nadie quiere morirse antes de ver el final. Algunos se alivian rezando, pero aquí hay muchos ateos y ésos no rezan. Lo más importante es no dejarlos solos. Si yo no estoy a mano, avisas a Cathy; ella sabe qué hacer.

La doctora Catherine Hope, residente del segundo nivel, había sido la primera en darle la bienvenida a Irina en nombre de la comunidad. A los sesenta y ocho años, era la más joven de los residentes. Desde que estaba en silla de ruedas había optado por la asistencia y compañía que le ofrecía Lark House, donde llevaba un par de años. En ese tiempo se había convertido en el alma de la institución.

—La gente mayor es la más divertida del mundo. Ha vivido mucho, dice lo que le da la gana y le importa un bledo la opinión ajena. Nunca te vas a aburrir aquí —le dijo a Irina—. Nuestros residentes son personas educadas y si tienen buena salud, siguen aprendiendo y experimentando. En esta comunidad hay estímulo y se puede evitar el peor flagelo de la vejez: la soledad.

Irina estaba al tanto del espíritu progresista de la gente de Lark House, conocido porque en más de una ocasión había sido noticia. Existía una lista de espera de varios años para ingresar y habría sido más larga si muchos de los postulantes no hubieran fallecido antes de que les tocara el turno. Esos viejos eran prueba contundente de que la edad, con sus limitaciones, no impedía divertirse y participar en el ruido de la existencia. Varios de ellos, miembros activos del movimiento Ancianos por la Paz, destinaban los viernes por la mañana a protestar en la calle contra las aberraciones e injusticias del mundo, especialmente del imperio norteamericano, del cual se sentían responsables. Los activistas, entre quienes figuraba una dama de ciento un años, se daban cita en una esquina de la plaza del barrio frente al cuartelillo de policía, con sus bastones, andadores y sillas de ruedas, enarbolando carteles contra la guerra o el calentamiento global, mientras el público los apoyaba a bocinazos desde los coches o firmando las peticiones que los furibundos bisabuelos les ponían delante. En más de una ocasión, los revoltosos habían aparecido en televisión mientras la policía hacía el ridículo tratando de dispersarlos con amenazas de gas lacrimógeno, que jamás se concretaban. Emocionado, Hans Voigt le había mostrado a Irina una placa colocada en el parque en honor a un músico de noventa y siete años, que murió en 2006 con las botas puestas y a pleno sol, tras sufrir un ataque cerebral fulminante mientras protestaba contra la guerra de Irak.

Irina se había criado en una aldea de Moldavia habitada por viejos y niños. A todos les faltaban dientes, a los primeros porque los habían perdido con el uso y a los segundos porque estaban cambiando los de leche. Pensó en sus abuelos y, como tantas veces en los últimos años, se arrepintió de haberlos abandonado. En Lark House se le presentaba la oportunidad de darles a otros lo que no pudo darles a ellos y, con ese propósito en mente, se dispuso a atender a las personas a su cargo. Pronto se los ganó a todos y también a varios del primer nivel, los independientes.

Desde el comienzo le llamó la atención Alma Belasco. Se distinguía entre las otras mujeres por su porte aristocrático y por el campo magnético que la aislaba del resto de los mortales. Lupita Farías aseguraba que la Belasco no calzaba en Lark House, que iba a durar muy poco y que en cualquier momento vendría a buscarla el mismo chofer que la había traído en un Mercedes Benz. Pero fueron pasando los meses sin que eso ocurriera. Irina se limitaba a observar a Alma Belasco de lejos, porque Hans Voigt le había ordenado concentrarse en sus obligaciones con las personas del segundo y tercer nivel, sin distraerse con los independientes. Bastante ocupada estaba atendiendo a sus clientes —no se llamaban pacientes— y aprendiendo los pormenores de su nuevo empleo. Como parte de sus entrenamientos, debía estudiar los vídeos de los funerales recientes: una judía budista y un agnóstico arrepentido. Por su parte, Alma Belasco no se habría fijado en Irina si las circunstancias no la hubieran convertido brevemente en la persona más polémica de la comunidad.

El francés

En Lark House, donde había una deprimente mayoría de mujeres, Jacques Devine era considerado la estrella, el único galán entre los veintiocho varones del establecimiento. Le llamaban el francés, no porque hubiera nacido en Francia, sino por su exquisita urbanidad —dejaba pasar primero a las damas, les apartaba la silla y nunca andaba con la bragueta abierta—, y porque podía bailar, a pesar de su espalda apuntalada. Andaba derecho a los noventa años gracias a varillas, tornillos y tuercas en la columna; algo le quedaba de su cabello ensortijado y sabía jugar a las cartas, haciendo trampa con desenvoltura. Era sano de cuerpo, salvo por la artritis común, la presión alta y la sordera ineludible de los años invernales, y bastante lúcido, pero no tanto como para recordar si había almorzado; por eso estaba en el segundo nivel, donde disponía de la asistencia necesaria. Había llegado a Lark House con su tercera esposa, quien alcanzó a vivir sólo tres semanas antes de morir atropellada en la calle por un ciclista distraído. El día del francés comenzaba temprano: se duchaba, se vestía y afeitaba con ayuda de Jean Daniel, un cuidador haitiano, cruzaba el estacionamiento apoyado en su bastón, fijándose bien en los ciclistas, y se iba al Starbucks de la esquina a tomar la primera de sus cinco tazas cotidianas de café. Se había divorciado una vez, enviudado dos y jamás le habían faltado enamoradas a quienes seducía con trucos de ilusionista. Una vez, hacía poco, calculó que se había enamorado sesenta y siete veces; lo anotó en su libreta para que no se le olvidara el número, ya que los rostros y los nombres de esas afortunadas se le estaban borrando. Tenía varios hijos reconocidos y otro de un percance clandestino con una mujer cuyo nombre no recordaba, además de sobrinos, todos unos ingratos que contaban los días para verlo partir al otro mundo y heredarlo. Se rumoreaba que tenía una pequeña fortuna hecha con mucho atrevimiento y pocos escrúpulos. Él mismo confesaba, sin asomo de arrepentimiento, que había pasado un tiempo en prisión, de donde sacó tatuajes de filibustero en los brazos, que la flacidez, las manchas y las arrugas habían desdibujado, y ganó sumas considerables especulando con los ahorros de los guardias.

A pesar de las atenciones de varias señoras de Lark House, que le dejaban poco campo para maniobras amorosas, Jacques Devine se prendó de Irina Bazili desde el primer momento en que la vio deambulando con su tablilla de anotar y su trasero respingón. La muchacha no tenía ni una gota de sangre caribeña, por lo que ese trasero de mulata era un prodigio de la naturaleza, aseguraba el hombre después de tomarse el primer martini, extrañado de que nadie más lo percibiera. Había pasado sus mejores años haciendo negocios entre Puerto Rico y Venezuela, donde se aficionó a apreciar a las mujeres por detrás. Esas posaderas épicas se le habían fijado para siempre en las retinas; soñaba con ellas, las veía por todas partes, incluso en un sitio tan poco propicio como Lark House y en una mujer tan flaca como Irina. Su vida de anciano, sin proyectos ni ambiciones, se llenó de súbito con ese amor tardío y totalitario, alterando la paz de sus rutinas. A poco de conocerla, le demostró su entusiasmo con un escarabajo de topacio y brillantes, una de las pocas joyas de sus difuntas esposas que salvó de la rapiña de sus descendientes. Irina no quiso aceptarlo, pero su rechazo mandó la presión arterial del enamorado a las nubes y ella misma tuvo que acompañarlo la noche entera en el servicio de urgencias. Conectado a una bolsa de suero en la vena, Jacques Devine, entre suspiros y reproches, le declaró su sentimiento desinteresado y platónico. Sólo deseaba su compañía, recrear la vista con su juventud y belleza, escuchar su voz diáfana, imaginar que ella también lo quería, aunque fuera como una hija. También podía quererlo como a un bisabuelo.

Al día siguiente en la tarde, de vuelta en Lark House, mientras Jacques Devine disfrutaba de su martini ritual, Irina, con los ojos enrojecidos y ojeras azules por la noche en blanco, le confesó el lío a Lupita Farías.

—Eso no es ninguna novedad, chamaca. A cada rato sorprendemos a los residentes en camas ajenas, no sólo a los abuelitos, también a las señoras. A falta de hombres, las pobres tienen que conformarse con lo que hay. Todo el mundo necesita compañía.

—En el caso del señor Devine se trata de amor platónico, Lupita.

—No sé lo que será eso, pero si es lo que me imagino, no le creas. El francés tiene un implante en el pito, una salchicha de plástico que se infla con una bombilla disimulada en las bolas.

—¡Qué dices, Lupita! —se rió Irina.

—Lo que oyes. Te lo juro. Yo no lo he visto, pero el francés le hizo una demostración a Jean Daniel. Impresionante.

La buena mujer agregó, para beneficio de Irina, lo que había observado en muchos años de trabajar en Lark House: que la edad, por sí sola, no hace a nadie mejor ni más sabio, sólo acentúa lo que cada uno ha sido siempre.

—El que es un miserable no se vuelve generoso con los años, Irina, se vuelve más miserable. Seguramente Devine fue siempre un calavera y por eso ahora es un viejo verde —concluyó.

En vista de que no pudo devolverle el broche de escarabajo a su pretendiente, Irina se lo llevó a Hans Voigt, quien le informó sobre la prohibición absoluta de aceptar propinas y regalos. La regla no se aplicaba a los bienes que recibía Lark House de los moribundos, ni a las donaciones hechas bajo la mesa para colocar a un familiar a la cabeza de la lista de postulantes para ingresar, pero de eso no hablaron. El director recibió el horrendo bicho de topacio para devolvérselo a su legítimo dueño, como dijo, y entretanto lo metió en un cajón de la mesa de su despacho.

Una semana más tarde Jacques Devine le pasó a Irina ciento sesenta dólares en billetes de a veinte y esta vez ella se dirigió directamente a Lupita Farías, quien era partidaria de las soluciones simples: los devolvió a la caja de cigarros donde el galán guardaba su dinero en efectivo, segura de que él no recordaría haberlo sacado ni cuánto tenía. Así resolvió Irina el problema de las propinas, pero no el de las apasionadas misivas de Jacques Devine, sus invitaciones a cenar en restaurantes caros, su rosario de pretextos para llamarla a su habitación y contarle los éxitos exagerados que nunca le ocurrieron, y finalmente su propuesta matrimonial. El francés, tan diestro en el vicio de la seducción, había revertido a la adolescencia, con su dolorosa carga de timidez, y en vez de declararse en persona, le pasó una carta perfectamente legible, porque la escribió en su computadora. El sobre contenía dos páginas plagadas de rodeos, metáforas y repeticiones, que podían resumirse en pocos puntos: Irina había renovado su energía y su deseo de vivir, podía ofrecerle gran bienestar, por ejemplo en Florida, donde siempre calentaba el sol, y cuando enviudara estaría económicamente asegurada. Mirara por donde mirase su proposición, ella saldría ganando, escribió, ya que la diferencia de edad constituía una ventaja a su favor. La firma era un garabato de mosquitos. La joven se abstuvo de informar al director, temiendo verse en la calle, y dejó la carta sin respuesta con la esperanza de que al novio se le eclipsara de la mente, pero por una vez a Jacques Devine le funcionó la memoria reciente. Rejuvenecido por la pasión, siguió mandándole misivas cada vez más urgentes, mientras ella procuraba evitarlo, rezándole a santa Parescheva para que el anciano desviara su atención hacia la docena de damas octogenarias que lo perseguían.

La situación fue subiendo de tono y habría llegado a ser imposible de disimular si un acontecimiento inesperado no hubiera puesto fin a Jacques Devine y, de paso, al dilema de Irina. Esa semana el francés había salido un par de veces en taxi sin dar explicaciones, algo inusual en su caso, porque se extraviaba en la calle. Entre los deberes de Irina estaba acompañarlo, pero él salió a hurtadillas, sin decir palabra de sus intenciones. El segundo viaje debió de poner a prueba su resistencia, porque regresó a Lark House tan perdido y frágil, que el chofer tuvo que bajarlo del taxi prácticamente en brazos y entregárselo como un bulto a la recepcionista.

—¿Qué le ha pasado, señor Devine? —le preguntó la mujer.

—No sé, yo no estaba allí —le contestó.

Después de examinarlo y comprobar que la presión arterial era normal, el médico de turno consideró que no valía la pena enviarlo de nuevo al hospital y le ordenó descansar en cama por un par de días, pero también notificó a Hans Voigt que Jacques Devine ya no estaba en condiciones mentales de seguir en el segundo nivel, había llegado la hora de transferirlo al tercero, donde dispondría de asistencia continua. Al día siguiente el director se dispuso a comunicar el cambio a Devine, tarea que siempre le dejaba un sabor a cobre en la lengua, porque nadie ignoraba que el tercer nivel era la antesala del Paraíso, el piso sin retorno, pero fue interrumpido por Jean Daniel, el empleado haitiano, que llegó demudado con la noticia de que había encontrado a Jacques Devine tieso y frío cuando fue a ayudarlo a vestirse. El médico propuso una autopsia, ya que al examinarlo el día anterior no había notado nada que justificara esa desagradable sorpresa, pero Hans Voigt se opuso; para qué sembrar sospechas sobre algo tan previsible como el fallecimiento de una persona de noventa años. Una autopsia podría manchar la impecable respetabilidad de Lark House. Al saber lo ocurrido, Irina lloró un buen rato, porque muy a pesar suyo le había tomado cariño a ese patético Romeo, pero no pudo evitar cierto alivio por verse libre de él y vergüenza por sentirse aliviada.

El fallecimiento del francés unió al club de sus admiradoras en un solo duelo de viuda, pero les faltó el consuelo de organizar una ceremonia porque los parientes del difunto optaron por el recurso expeditivo de incinerar sus restos a toda prisa.

El hombre habría sido olvidado pronto, incluso por sus enamoradas, si su familia no hubiera desencadenado una tormenta. Poco después de que sus cenizas fueran esparcidas sin aspavientos emocionales, los presuntos herederos comprobaron que todas las posesiones del anciano habían sido legadas a una tal Irina Bazili. Según la breve nota adjunta al testamento, Irina le había dado ternura en la última etapa de su larga vida y por eso merecía heredarlo. El abogado de Jacques Devine explicó que su cliente le había indicado por teléfono los cambios en el testamento y después se presentó dos veces en su oficina, primero para revisar los papeles y después para firmarlos ante notario, y que se había manifestado seguro de lo que quería. Los descendientes acusaron a la administración de Lark House de negligencia ante el estado mental del anciano y a esa Irina Bazili de robarle con alevosía. Anunciaron su decisión de impugnar el testamento, denunciar al abogado por incapaz, al notario por cómplice y a Lark House por daños y perjuicios. Hans Voigt recibió al tropel de parientes frustrados con la calma y cortesía adquiridas a lo largo de muchos años de dirigir la institución, mientras hervía de rabia por dentro. No esperaba semejante truhanería de Irina Bazili, a quien creía incapaz de matar a una mosca, pero uno nunca acaba de aprender, no se puede confiar en nadie. En un aparte le preguntó al abogado de cuánto dinero se trataba y resultó que eran unas tierras secas en Nuevo México y acciones de varias compañías, cuyo valor estaba por verse. La suma en dinero efectivo era insignificante.

El director pidió veinticuatro horas para negociar una salida menos costosa que querellarse y convocó perentoriamente a Irina. Pensaba manejar el embrollo con guantes de seda. No le convenía enemistarse con esa zorra, pero al verse frente a ella perdió los estribos.

—¡Quisiera saber cómo diablos lograste engatusar al viejo! —la increpó.

—¿De quién me está hablando, señor Voigt?

—¡De quién va a ser! ¡Del francés, claro! ¿Cómo pudo suceder esto ante mis propias narices?

—Perdone, no se lo dije para no preocuparlo, pensé que el asunto se iba a resolver solo.

—¡Y muy bien que se ha resuelto! ¿Qué explicación le voy a dar a su familia?

—No tienen para qué saberlo, señor Voigt. Los ancianos

se enamoran, usted lo sabe, pero a la gente de fuera eso le choca.

—¿Te acostaste con Devine?

—¡No! ¿Cómo se le ocurre?

—Entonces no entiendo nada. ¿Por qué te nombró su heredera universal?

—¿Cómo dice?

Abismado, Hans Voigt comprendió que Irina Bazili no sospechaba las intenciones del hombre y que era la más sorprendida con el testamento. Iba a advertirle que le costaría mucho cobrar algo, porque los herederos legítimos pelearían hasta el último centavo, pero ella le anunció a bocajarro que no quería nada, porque sería dinero mal habido y le traería desgracia. Jacques Devine estaba deschavetado, dijo, como cualquiera en Lark House podía atestiguar; lo mejor sería arreglar las cosas sin bulla. Bastaría un diagnóstico de demencia senil por parte del médico. Irina debió repetirlo para que el desconcertado director entendiera.

De poco sirvieron las precauciones para mantener la situación en secreto. Todo el mundo lo supo y de la noche a la mañana Irina Bazili pasó a ser la persona más polémica de la comunidad, admirada por los residentes y criticada por los latinos y haitianos del servicio, para quienes rechazar dinero era un pecado. «No escupas al cielo, que te cae en la cara», sentenció Lupita Farías e Irina no encontró traducción al rumano para ese críptico proverbio. El director, impresionado por el desprendimiento de esa modesta inmigrante de un país difícil de situar en el mapa, la hizo fija, con cuarenta horas a la semana y un sueldo superior al de su antecesora; además convenció a los descendientes de Jacques Devine de que le dieran dos mil dólares a Irina como prueba de agradecimiento. Irina no llegó a recibir la suma prometida, pero como era incapaz de imaginarla, pronto se la quitó de la cabeza.

Alma Belasco

La fantástica herencia de Jacques Devine logró que Alma Belasco se fijara en Irina y una vez que se calmó la tempestad de habladurías, la llamó. La recibió en su espartana vivienda, envarada con dignidad imperial en un pequeño sillón color albaricoque, con Neko, su gato atigrado, en la falda.

—Necesito una secretaria. Quiero que trabajes para mí —le planteó.

No era una propuesta, era una orden. Como Alma escasamente le devolvía el saludo si se cruzaban en un pasillo, a Irina la pilló por sorpresa. Además, como la mitad de los residentes de la comunidad vivían modestamente de su pensión, que a veces complementaban con ayuda de sus familiares, muchos debían ceñirse estrictamente a los servicios disponibles, porque incluso una comida extra podía desbaratarles el exiguo presupuesto; nadie podía darse el lujo de contratar una asistente personal. El espectro de la pobreza, como el de la soledad, rondaba siempre a los viejos. Irina le explicó que disponía de poco tiempo, porque después de su horario en Lark House trabajaba en una cafetería y además bañaba perros a domicilio.

—¿Cómo es eso de los perros? —le preguntó Alma.

—Tengo un socio que se llama Tim y es mi vecino en Berkeley. Tim tiene una ranchera en la que ha instalado dos bañeras y una manguera larga; vamos a las casas de los perros, quiero decir, de los dueños de los perros, enchufamos la manguera y bañamos a los clientes, o sea, los perros, en el patio o en la calle. También les limpiamos las orejas y les cortamos las uñas.

—¿A los perros? —preguntó Alma, disimulando la sonrisa.

—Sí.

—¿Cuánto ganas por hora?

—Veinticinco dólares por perro, pero lo divido con Tim, o sea, me tocan doce cincuenta.

—Te tomaré a prueba, trece dólares la hora, por tres meses. Si estoy conforme con tu trabajo, te subiré a quince. Trabajarás conmigo por las tardes, cuando termines en Lark House, dos horas diarias para comenzar. El horario puede ser flexible, dependiendo de mis necesidades y tu disponibilidad. ¿Estamos?

—Podría dejar la cafetería, señora Belasco, pero no puedo dejar a los perros, que ya me conocen y me esperan.

En eso quedaron y así comenzó una asociación que al poco tiempo iba a convertirse en amistad.

En las primeras semanas en su nuevo empleo, Irina andaba de puntillas y medio perdida, porque Alma Belasco demostró ser autoritaria en el trato, exigente en los detalles y vaga en sus instrucciones, pero pronto le perdió el miedo y se le hizo indispensable, como había llegado a serlo en Lark House. Irina observaba a Alma con fascinación de zoólogo, como a una salamandra inmortal. La mujer no se parecía a nadie que ella hubiera conocido y ciertamente a ninguno de los ancianos del segundo y tercer nivel. Era celosa de su independencia, carecía de sentimentalismo y apego a lo material, parecía liberada en sus afectos, con excepción de su nieto Seth, y se sentía tan segura de sí misma, que no buscaba apoyo en Dios ni en la azucarada beatitud de algunos huéspedes de Lark House, que se proclamaban espirituales y andaban pregonando métodos para alcanzar un estado superior de consciencia. Alma tenía los pies bien firmes en el suelo. Irina supuso que su altivez era una defensa contra la curiosidad ajena y su sencillez, una forma de elegancia que pocas mujeres podían imitar sin parecer descuidadas. Llevaba el cabello, blanco y duro, cortado en mechas desparejas, que peinaba con los dedos. Como únicas concesiones a la vanidad se pintaba los labios de rojo y usaba una fragancia masculina de bergamota y naranja; a su paso ese aroma fresco anulaba el vago olor a desinfectante, vejez y ocasionalmente a marihuana de Lark House. Era de nariz fuerte, boca orgullosa, huesos largos y manos sufridas de jornalero; tenía ojos castaños, gruesas cejas oscuras y ojeras violáceas, que le daban un aire insomne y que sus lentes de montura negra no ocultaban. Su aura enigmática imponía distancia; ninguno de los empleados se dirigía a ella en el tono paternalista que solían usar con los otros residentes y nadie podía jactarse de conocerla, hasta que Irina Bazili logró penetrar en la fortaleza de su intimidad.

Alma vivía con su gato en un apartamento con un mínimo de muebles y objetos personales, y se trasladaba en el automóvil más pequeño del mercado, sin respeto alguno por las leyes del tránsito, que consideraba optativas (entre los deberes de Irina estaba pagar las multas). Era cortés por hábito de buenos modales, pero los únicos amigos que había hecho en Lark House eran Víctor, el jardinero, con quien pasaba ratos largos trabajando en los cajones alzados donde plantaban vegetales y flores, y la doctora Catherine Hope, ante quien simplemente no pudo resistirse. Tenía alquilado un estudio en un galpón dividido por tabiques de madera, que compartía con otros artesanos. Pintaba en seda, como había hecho durante sesenta años, pero ahora no lo hacía por inspiración artística, sino para no morirse de aburrimiento antes de tiempo. Pasaba varias horas a la semana en su taller acompañada por Kirsten, su ayudante, a quien el síndrome de Down no impedía cumplir con sus tareas. Kirsten conocía las combinaciones de colores y los útiles que Alma empleaba, preparaba las telas, mantenía en orden el taller y limpiaba los pinceles. Ambas mujeres trabajaban en armonía sin necesidad de palabras, adivinándose las intenciones. Cuando a Alma comenzaron a temblarle las manos y fallarle el pulso, contrató a un par de estudiantes para que copiaran en seda los dibujos que ella hacía en papel, mientras su fiel asistente los vigilaba con suspicacia de carcelero. Kirsten era la única persona que se permitía saludar a Alma con abrazos o interrumpirla con besos y lengüetazos en la cara cuando sentía el impulso de la ternura.

Sin proponérselo en serio, Alma había obtenido fama con sus quimonos, túnicas, pañuelos y echarpes de diseños originales y colores atrevidos. Ella misma no los usaba, se vestía con pantalones amplios y blusas de lino en negro, blanco y gris, trapos de indigente, según Lupita Farías, quien no sospechaba el precio de aquellos trapos. Sus telas pintadas se vendían en galerías de arte a precios exorbitantes, que destinaba a la Fundación Belasco. Sus colecciones estaban inspiradas en sus viajes por el mundo —animales del Serengueti, cerámica otomana, escritura etíope, jeroglíficos incas, bajorrelieves griegos— y las renovaba en cuanto eran imitadas por sus competidores. Se había negado a vender su marca o colaborar con diseñadores de moda; cada original suyo se reproducía en número limitado, bajo su severa supervisión, y cada pieza salía firmada por ella. En su apogeo llegó a tener medio centenar de personas trabajando para ella y había manejado una producción considerable en un gran espacio industrial al sur de la calle Market en San Francisco. Nunca había hecho publicidad, porque no había tenido necesidad de vender algo para ganarse la vida, pero su nombre se había convertido en garantía de exclusividad y excelencia. Al cumplir los setenta años decidió reducir su producción, con grave detrimento para la Fundación Belasco, que contaba con esos ingresos.

Creada en 1955 por su suegro, el mítico Isaac Belasco, la fundación se dedicaba a crear zonas verdes en barrios conflictivos. Esa iniciativa, cuya finalidad había sido más que nada estética, ecológica y de recreación, produjo imprevistos beneficios sociales. Donde aparecía un jardín, un parque o una plaza, disminuía la delincuencia, porque los mismos pandilleros y adictos, que antes estaban dispuestos a matarse unos a otros por una papelina de heroína o treinta centímetros cuadrados de territorio, se juntaban para cuidar ese rincón de la ciudad que les pertenecía. En algunos habían pintado murales, en otros habían levantado esculturas y juegos infantiles, en todos se reunían artistas y músicos para entretener al público. La Fundación Belasco había sido dirigida en cada generación por el primer descendiente masculino de la familia, una regla tácita que la liberación femenina no cambió, porque ninguna de las hijas se tomó la molestia de cuestionarla; un día le tocaría a Seth, el bisnieto del fundador. Él no deseaba ese honor en absoluto, pero constituía parte de su legado.

Alma Belasco estaba tan acostumbrada a mandar y mantener distancias e Irina tan acostumbrada a recibir órdenes y ser discreta que nunca habrían llegado a estimarse sin la presencia de Seth Belasco, el nieto preferido de Alma, quien se propuso derribar las barreras entre ellas. Seth conoció a Irina Bazili al poco tiempo de que su abuela se instalara en Lark House y la joven lo atrapó de inmediato, aunque no habría podido decir por qué. A pesar de su nombre, no se parecía a esas bellezas de Europa del Este que en la última década habían tomado por asalto los clubes masculinos y agencias de modelos: nada de huesos de jirafa, pómulos de mongol ni languidez de odalisca; a Irina podían confundirla desde lejos con un chiquillo desaliñado. Era tan transparente y tal su tendencia a la invisibilidad, que se requería mucha atención para notarla. Su ropa holgada y su gorro de lana metido hasta las cejas no contribuían a destacarla. A Seth lo sedujo el misterio de su inteligencia, su rostro de duende en forma de corazón, con un hoyuelo profundo en la barbilla, sus ojos verdosos asustadizos, su cuello delgado, que acentuaba su aire de vulnerabilidad y su piel tan blanca, que refulgía en la oscuridad. Incluso sus manos infantiles de uñas mordidas lo conmovían. Sentía un deseo desconocido de protegerla y colmarla de atenciones, un sentimiento nuevo e inquietante. Irina usaba tantas capas sobrepuestas de ropa, que resultaba imposible juzgar el resto de su persona, pero meses más tarde, cuando el verano la obligó a desprenderse de los chalecos que la ocultaban, resultó ser bien proporcionada y atractiva, dentro de su estilo desaliñado. El gorro de lana fue reemplazado por pañuelos de gitana, que no le cubrían el pelo por completo, por lo que algunas mechas crespas de un rubio casi albino le enmarcaban la cara.

Al principio su abuela fue el único vínculo que Seth pudo establecer con la muchacha, ya que no le sirvió ninguno de sus métodos habituales, pero después descubrió el poder irresistible de la escritura. Le contó que con ayuda de su abuela estaba recreando un siglo y medio de la historia de los Belasco y de San Francisco, desde su fundación hasta el presente. Había tenido ese novelón en la mente desde los quince años, un ruidoso torrente de imágenes, anécdotas, ideas, palabras y más palabras que si no lograba volcar en el papel, lo ahogaría. La descripción era exagerada; el torrente era apenas un arroyo anémico, pero captó la imaginación de Irina de tal manera que a Seth no le quedó otra alternativa que ponerse a escribir. Aparte de visitar a su abuela, quien contribuía con la tradición oral, empezó a documentarse en libros y en internet, así como a coleccionar fotografías y cartas escritas en diferentes épocas. Se ganó la admiración de Irina, pero no la de Alma, quien lo acusaba de ser grandioso en ideas y desordenado en hábitos, combinación fatal para un escritor. Si Seth se hubiera dado tiempo para reflexionar, habría admitido que su abuela y la novela eran pretextos para ver a Irina, esa criatura arrancada de un cuento nórdico y aparecida donde menos se podía esperar: en una residencia geriátrica; pero por mucho que hubiera reflexionado, no habría logrado explicar la llamada irresistible que ella ejercía sobre él, con sus huesitos de huérfana y su palidez de tísica, lo opuesto a su ideal femenino. Le gustaban las chicas saludables, alegres, bronceadas y sin complicaciones, de esas que abundaban en California y en su pasado. Irina no parecía notar el efecto que ejercía sobre él y lo trataba con la simpatía distraída que normalmente se reserva para las mascotas ajenas. Esa gentil indiferencia de Irina, que en otros tiempos hubiera interpretado como un desafío, lo paralizaba en una condición de timidez perpetua.

La abuela se dedicó a escarbar entre sus reminiscencias para ayudar al nieto con el libro que, según su propia confesión, llevaba una década comenzando y abandonando. Era un proyecto ambicioso y nadie mejor cualificado para ayudarlo que Alma, quien disponía de tiempo y todavía no experimentaba síntomas de demencia senil. Alma iba con Irina a la residencia de los Belasco en Sea Cliff a revisar sus cajas, que nadie había tocado desde su partida. Su antigua habitación permanecía cerrada, sólo entraban en ella para limpiar. Alma había distribuido casi todas sus posesiones: a su nuera y a su nieta, las joyas, menos una pulsera de brillantes que tenía reservada para la futura esposa de Seth; a hospitales y escuelas, los libros; a obras de caridad, la ropa y las pieles, que nadie se atrevía a usar en California por temor a los defensores de los animales, los cuales en un arrebato podían atacar a cuchilladas; otras cosas se las dio a quienes las quisieran, pero se reservó lo único que le importaba: cartas, diarios de vida, recortes de prensa, documentos y fotografías. «Debo organizar este material, Irina, no quiero que cuando sea anciana alguien meta mano en mi intimidad.» Al principio trató de hacerlo sola, pero a medida que le tomó confianza a Irina, empezó a delegar en ella. La muchacha acabó haciéndose cargo de todo menos de las cartas en sobres amarillos que llegaban de vez en cuando y que Alma hacía desaparecer de inmediato. Tenía instrucciones de no tocarlas.

A su nieto le entregaba sus recuerdos uno a uno, con avaricia, para mantenerlo enganchado el mayor tiempo posible, porque temía que si se aburría de revolotear en torno a Irina, el tan mentado manuscrito volvería a un cajón olvidado y ella vería al joven mucho menos. La presencia de Irina era indispensable en las reuniones con Seth, porque, si no, él se distraía esperándola. Alma se reía entre dientes al pensar en la reacción de la familia si Seth, el delfín de los Belasco, se emparejara con una inmigrante que sobrevivía cuidando viejos y bañando perros. A ella esa posibilidad no le parecía mal, porque Irina era más lista que la mayoría de las atléticas novias temporales de Seth; pero era una gema en bruto, faltaba pulirla. Se propuso proporcionarle un barniz de cultura, llevarla a conciertos y museos, darle a leer libros para adultos en vez de esos novelones absurdos de mundos fantásticos y criaturas sobrenaturales que tanto le gustaban, y enseñarle modales, como el uso apropiado de los cubiertos en la mesa. Cosas que Irina no había recibido de sus rústicos abuelos en Moldavia ni de su madre alcohólica en Texas, pero era avispada y agradecida. Iba a ser fácil refinarla y sería una forma sutil de pagarle por atraer a Seth a Lark House.

El hombre invisible

Al año de trabajar para Alma Belasco, Irina tuvo la primera sospecha de que la mujer tenía un amante, pero no se atrevió a darle importancia hasta que se vio forzada a decírselo a Seth, tiempo después. Al comienzo, antes de que Seth la iniciara en el vicio del suspenso y la intriga, no había tenido intención de espiar a Alma. Fue accediendo a su intimidad de a poco, sin que ninguna de las dos se diera cuenta. La idea del amante fue tomando forma al organizar las cajas que iban trayendo de la casa de Sea Cliff y al examinar la fotografía de un hombre en un marco de plata en la habitación de Alma, que ella misma limpiaba regularmente con un paño de pulir. Aparte de otra más pequeña de su familia, que tenía en la sala, no había otras en el apartamento, lo cual llamaba la atención a Irina, porque el resto de los residentes de Lark House se rodeaba de fotos como una forma de compañía. Alma sólo le dijo que se trataba de un amigo de la infancia. Las pocas veces que Irina se atrevió a preguntar más, ella cambiaba el tema, pero logró sonsacarle que se llamaba Ichimei Fukuda, un nombre japonés, y era el artista del extraño cuadro de la sala, un paisaje desolado de nieve y cielo gris, edificios oscuros de un piso, postes y cables de electricidad y, como único vestigio de vida, un pájaro negro en vuelo. Irina no entendía por qué Alma había escogido, entre las numerosas obras de arte de los Belasco, ese cuadro deprimente para decorar su vivienda. En el retrato, Ichimei Fukuda era un hombre de edad indefinida, con la cabeza ladeada en actitud de preguntar, los ojos entornados, porque estaba de cara al sol, pero la mirada era franca y directa; tenía una insinuación de sonrisa en la boca de labios gruesos, sensuales, y el pelo rígido y abundante. Irina se sentía inexorablemente atraída por ese rostro que parecía estar llamándola o tratando de decirle algo importante. De tanto estudiarlo cuando estaba sola en el apartamento, comenzó a imaginar a Ichimei Fukuda de cuerpo entero, a atribuirle cualidades e inventarle una vida: era fuerte de espaldas, solitario de carácter, controlado en sus emociones y sufrido. La negativa de Alma a hablar de él avivaba su deseo de conocerlo. En las cajas encontró otra foto del mismo hombre con Alma en una playa, ambos con los pantalones arremangados, las zapatillas en la mano, los pies en el agua, riéndose, empujándose. La actitud de la pareja jugando en la arena indicaba amor, intimidad sexual. Supuso que se hallaban solos y le pidieron a alguien, un desconocido que pasaba, que tomara esa instantánea. Si Ichimei era más o menos de la edad de Alma, ya estaría en los ochenta, dedujo Irina, pero no le cupo duda de que lo reconocería si lo viera. Sólo Ichimei podía ser la causa de la errática conducta de Alma.

Irina podía predecir las desapariciones de su jefa por su silencio absorto y melancólico en los días previos, seguido de una euforia súbita y apenas contenida una vez que decidía irse. Había estado esperando algo y cuando ocurría, se ponía dichosa; echaba unas cuantas prendas de ropa en un pequeño maletín, avisaba a Kirsten de que no fuera al taller y dejaba a Neko en manos de Irina. El gato, ya viejo, padecía una sarta de manías y dolencias; la larga lista de recomendaciones y remedios estaba pegada en la puerta de la nevera. Era el cuarto de una serie de gatos similares, todos con el mismo nombre, que habían acompañado a Alma en diversas etapas de la vida. Alma partía con la prisa de una novia, sin indicar adónde iba ni cuándo pensaba volver. Pasaban dos o tres días sin noticias suyas y de pronto, tan inesperadamente como había desaparecido, regresaba radiante y con su automóvil de juguete sin gasolina. Irina llevaba sus cuentas y había visto los recibos de hoteles, también había descubierto que en esas escapadas Alma se llevaba sus únicas dos camisas de dormir de seda, en vez de los pijamas de franela que usaba habitualmente. La muchacha se preguntaba por qué Alma se escabullía como si fuera a pecar; era libre y podía recibir a quien quisiera en su apartamento de Lark House.

Inevitablemente, las sospechas de Irina sobre el hombre del retrato contagiaron a Seth. La joven se había cuidado de no mencionar sus dudas, pero en sus frecuentes visitas él empezó a tomar nota de las repetidas ausencias de su abuela. Si la interrogaba, Alma replicaba que se iba a entrenar con terroristas, experimentar con ayahuasca o cualquier explicación descabellada en el tono sarcástico que usaban entre ellos. Seth decidió que necesitaba la ayuda de Irina para desentrañar aquella incógnita, nada fácil de obtener, porque la lealtad de la joven con

Alma era monolítica. Pudo convencerla de que su abuela corría peligro. Alma parecía fuerte para su edad, le dijo, pero en realidad estaba delicada, tenía la presión alta, le fallaba el corazón y sufría un principio de Parkinson, por eso le temblaban las manos. No podía darle detalles, porque Alma se había negado a someterse a los exámenes médicos pertinentes, pero debían vigilarla y evitarle riesgos.

—Uno quiere seguridad para los seres queridos, Seth. Pero lo que uno quiere para sí mismo es autonomía. Tu abuela no aceptaría jamás que nos inmiscuyéramos en su vida privada, aunque fuera para protegerla.

—Por lo mismo tenemos que hacerlo sin que lo sepa —argumentó Seth.

Según Seth, a comienzos del 2010, de repente, en cosa de dos horas, algo trastocó la personalidad de su abuela. Siendo una artista de éxito y un modelo de cumplimiento del deber, se alejó del mundo, de la familia y de sus amistades, se recluyó en una residencia geriátrica que no iba con ella y optó por vestirse de refugiada tibetana, como opinaba su nuera Doris. Un cortocircuito en el cerebro, qué otra cosa podía ser la causa, agregó. Lo último que vieron de la antigua Alma fue cuando anunció, después de un almuerzo normal, que se iba a dormir la siesta. A las cinco de la tarde, Doris llamó a la puerta de la habitación para recordarle a su suegra la fiesta de la noche; la encontró de pie junto a la ventana, con la vista perdida en la niebla, descalza y en ropa interior. Sobre una silla yacía desmayado su espléndido vestido largo. «Dile a Larry que no asistiré a la gala y que no cuente conmigo para nada más el resto de mi vida.» La firmeza de la voz no admitía réplica. Su nuera cerró silenciosamente la puerta y fue a darle el mensaje a su marido. Era la noche en que recaudaban fondos para la Fundación Belasco, la más importante del año, cuando se ponía a prueba el poder de convocatoria de la familia. Ya estaban los camareros terminando de poner las mesas, los cocineros afanados con el banquete y los músicos de la orquesta de cámara instalando sus instrumentos. Todos los años Alma daba un breve discurso, siempre más o menos el mismo, posaba para unas cuantas fotografías con los donantes más destacados y hablaba con la prensa; sólo se le exigía eso, pues el resto quedaba en manos de su hijo Larry. Tuvieron que arreglarse sin ella.

Al día siguiente comenzaron los cambios definitivos. Alma empezó a hacer maletas y decidió que muy poco de lo que tenía le iba a servir en su nueva vida. Debía simplificarse. Primero se fue de compras y después se reunió con su contador y su abogado. Se asignó una pensión prudente, le entregó el resto a Larry sin instrucciones respecto a cómo distribuirlo y anunció que se iría a vivir a Lark House. Para saltarse la lista de espera le había comprado su turno a una antropóloga, quien por la suma adecuada estuvo dispuesta a esperar unos años más. Ningún Belasco había oído hablar de ese lugar.

—Es una casa de reposo en Berkeley —explicó Alma vagamente.

—¿Un asilo de viejos? —preguntó Larry, alarmado.

—Más o menos. Voy a vivir los años que me quedan sin complicaciones ni lastres.

—¿Lastres? ¡Supongo que no se refiere a nosotros!

—¿Y qué vamos a decirle a la gente? —preguntó Doris en un exabrupto.

—Que estoy vieja y loca. No faltarían a la verdad —contestó Alma.

El chofer la trasladó con el gato y dos maletas. Una semana más tarde, Alma renovó su carnet de conducir, que no había necesitado en varias décadas, y compró un Smartcar verde limón, tan pequeño y liviano, que en una ocasión tres muchachos traviesos le dieron la vuelta a pulso cuando estaba estacionado en la calle y lo dejaron con las ruedas al aire, como una tortuga patas arriba. La razón de Alma para escoger ese automóvil fue que el color estridente lo hacía visible para otros conductores y que el tamaño garantizaba que si por desgracia atropellaba a alguien, no lo mataría. Era como conducir un cruce entre bicicleta y silla de ruedas.

—Creo que mi abuela tiene problemas serios de salud, Irina, y por soberbia se encerró en Lark House, para que nadie se entere —le dijo Seth.

—Si fuera cierto ya estaría muerta, Seth. Además, nadie se encierra en Lark House. Es una comunidad abierta donde la gente entra y sale a su antojo. Por eso no se admiten pacientes con Alzheimer, que pueden escaparse y perderse.

—Es justamente lo que me temo. En una de sus excursiones a mi abuela puede pasarle eso.

—Siempre ha vuelto. Sabe dónde va y no creo que vaya sola.

—¿Con quién, entonces? ¿Con un galán? ¡No estarás pensando que mi abuela anda en hoteles con un amante! —se burló Seth, pero la expresión seria de Irina le cortó la risa.

—¿Por qué no?

—¡Es una anciana!

—Todo es relativo. Es vieja, no anciana. En Lark House, Alma puede ser considerada joven. Además, el amor se da a cualquier edad. Según Hans Voigt, en la vejez conviene enamorarse; hace bien a la salud y contra la depresión.

—¿Cómo lo hacen los viejos? En la cama, quiero decir —preguntó Seth.

—Sin apuro, supongo. Tendrías que preguntarle a tu abuela —replicó ella.

Seth logró convertir a Irina en su aliada y juntos fueron atando cabos. Una vez por semana le llegaba a Alma una caja con tres gardenias, que un mensajero dejaba en la recepción. No traía el nombre de quién la enviaba o de la floristería, pero Alma no manifestaba sorpresa ni curiosidad. También solía recibir en Lark House un sobre amarillo, sin remitente, que ella descartaba después de sacar de su interior un sobre más pequeño, también a su nombre, pero con la dirección de Sea Cliff escrita a mano. Nadie de la familia o los empleados de los Belasco habían recibido esos sobres ni los habían enviado a Lark House. No sabían de esas cartas antes de que Seth las mencionara. Los jóvenes no pudieron averiguar quién era el remitente, por qué hacían falta dos sobres y dos direcciones para la misma carta, ni dónde iba a parar esa correspondencia insólita. Como ni Irina halló rastros en el apartamento ni Seth en Sea Cliff, imaginaron que Alma las guardaba en una caja de seguridad de su banco.

12 de abril de 1996

¡Otra luna de miel memorable contigo, Alma! Hacía tiempo que no te veía tan feliz y relajada. El espectáculo mágico de mil setecientos cerezos en flor nos recibió en Washington. Vi algo semejante en Kioto, hace muchos años. ¿Todavía florece así el cerezo de Sea Cliff que plantó mi padre?

Acariciaste los nombres en la piedra oscura del Memorial de Vietnam y me dijiste que las piedras hablan, que se pueden oír sus voces, que los muertos están atrapados en ese muro y nos llaman, indignados por su sacrificio. Me quedé pensando en eso. Hay espíritus por todas partes, Alma, pero creo que son libres y no guardan rencor.

Ichi

La niña polaca

Para satisfacer la curiosidad de Irina y Seth, Alma Belasco empezó evocando, con la lucidez con que se preservan los momentos fundamentales, la primera vez que vio a Ichimei Fukuda, y después siguió poco a poco con el resto de su vida. Lo conoció en el espléndido jardín de la mansión de Sea Cliff, en la primavera de 1939. Entonces ella era una niña con menos apetito que un canario, que andaba callada de día y lloraba de noche, escondida en las entrañas de un armario de tres espejos en la habitación que sus tíos le habían preparado, una sinfonía en azul: azules las cortinas, los velos de la cama con baldaquino, la alfombra belga, los pajaritos del papel de la pared y las reproducciones de Renoir con marcos dorados; azul era la vista de la ventana, mar y cielo, cuando se despejaba la niebla. Alma Mendel lloraba por todo lo que había perdido para siempre, aunque sus tíos insistían con tal vehemencia en que la separación de sus padres y su hermano sería temporal, que una chiquilla menos intuitiva les habría creído. La última imagen que ella guardaba de sus padres era la de un hombre mayor, barbudo y severo, vestido de negro, con abrigo largo y sombrero, y una mujer mucho más joven encogida de llanto, de pie en el muelle de Danzig, despidiéndola con pañuelos blancos. Se volvían más y más pequeños y difusos a medida que el barco se alejaba hacia Londres con un bramido lastimero, mientras ella, aferrada a la borda, era incapaz de devolverles el adiós. Temblando en su ropa de viaje, confundida entre los otros pasajeros aglomerados en la popa para ver desaparecer su país, Alma procuraba mantener la compostura que le habían inculcado desde que nació. A través de la creciente distancia que los separaba, percibía la desolación de sus padres, lo que reforzaba su presentimiento de que no volvería a verlos. En un gesto muy raro en él, su padre le había puesto un brazo sobre los hombros a su madre, como para impedir que se lanzara al agua, mientras ella se sujetaba el sombrero con una mano, defendiéndolo del viento, y con la otra agitaba su pañuelo frenéticamente.

Tres meses antes Alma había estado con ellos en ese mismo muelle para despedir a su hermano Samuel, diez años mayor que ella. A su madre le costó muchas lágrimas resignarse a la decisión de su marido de mandarlo a Inglaterra, como medida de precaución para el caso improbable de que los rumores de guerra se convirtieran en realidad. Allí el muchacho estaría a salvo de ser reclutado en el ejército o de la bravuconada de alistarse como voluntario. Los Mendel no imaginaban que dos años más tarde Samuel estaría en la Real Fuerza Aérea luchando contra Alemania. Al ver embarcarse a su hermano con la actitud fanfarrona de quien emprende una primera aventura, Alma tuvo un atisbo de la amenaza que pendía sobre su familia. Ese hermano era el faro de su existencia, había iluminado sus momentos oscuros y espantado sus temores con su risa triunfante, sus bromas amables y sus canciones en el piano. Por su parte, Samuel se entusiasmó con Alma desde que la tomó en brazos recién nacida, un bulto rosado con olor a polvos de talco que maullaba como un gato; esa pasión por su hermana no hizo más que aumentar en los siete años siguientes, hasta que debieron separarse. Al saber que Samuel se iría de su lado, Alma tuvo la única pataleta de su vida. Empezó con llanto y gritos, siguió con estertores en el suelo y terminó en el baño de agua helada en que su madre y su institutriz la sumergieron sin piedad. La partida del muchacho la dejó desconsolada y en ascuas, porque sospechaba que era el prólogo de cambios drásticos. Había escuchado a sus padres hablar de Lillian, una hermana de su madre que vivía en Estados Unidos, casada con Isaac Belasco, alguien importante, como agregaban cada vez que su nombre se mencionaba. Hasta ese momento, la niña desconocía la existencia de aquella tía lejana y aquel hombre importante y le extrañó que de pronto la obligaran a escribirles tarjetas postales con su mejor caligrafía. También le pareció de mal agüero que su institutriz incluyera California en sus clases de historia y geografía, una mancha color naranja en el mapa, al otro lado del globo terráqueo. Sus padres esperaron que pasaran las fiestas de fin de año para anunciarle que ella también se iría a estudiar al extranjero por un tiempo, pero a diferencia de su hermano, seguiría viviendo dentro de los confines de la familia, con sus tíos Isaac y Lillian y sus tres primos, en San Francisco.

La navegación desde Danzig a Londres y de allí en un transatlántico a San Francisco duró diecisiete días. Los Mendel asignaron a miss Honeycomb, la institutriz inglesa, la responsabilidad de conducir a Alma sana y salva a la casa de los Belasco. Miss Honeycomb era una mujer soltera, de pronunciación afectada, modales relamidos y expresión agria, que trataba con desdén a quienes consideraba inferiores socialmente y desplegaba un servilismo pegajoso con sus superiores, pero en el año y medio que trabajaba con los Mendel se había ganado su confianza. A nadie le caía bien y menos a Alma, pero la opinión de la niña no contaba en la elección de las institutrices o de los tutores que la habían educado en casa en sus primeros años. Para asegurarse de que la mujer haría el viaje de buena gana, sus patrones le prometieron una bonificación sustanciosa, que recibiría en San Francisco una vez que Alma estuviera instalada con sus tíos. Miss Honeycomb y Alma viajaron en uno de los mejores camarotes del barco, mareadas al principio y aburridas después. La inglesa no pegaba entre los pasajeros de primera clase, pero hubiera preferido saltar por la borda antes que mezclarse con la gente de su propio nivel social, de modo que pasó más de dos semanas sin hablar más que con su joven pupila. Había otros niños a bordo, pero Alma no se interesó en ninguna de las actividades infantiles programadas y no hizo amigos; estuvo enfurruñada con su institutriz, lloriqueando a escondidas porque era la primera vez que se separaba de su madre, leyendo cuentos de hadas y escribiendo cartas melodramáticas, que le entregaba directamente al capitán para que las pusiera en el correo de algún puerto, porque temía que si se las daba a miss Honeycomb acabarían alimentando a los peces. Los únicos momentos memorables de aquella lenta travesía fueron el cruce del canal de Panamá y una fiesta de disfraces en la que un indio apache empujó a la piscina a miss Honeycomb, convertida en vestal griega con una sábana.

Los tíos y primos Belasco esperaban a Alma en el bullicioso puerto de San Francisco, entre una multitud tan densa de estibadores asiáticos afanados en torno a las embarcaciones, que miss Honeycomb temió que hubieran arribado a Shangai por error. La tía Lillian, ataviada con abrigo de astracán gris y turbante de turco, estrechó a su sobrina en un abrazo sofocante, mientras Isaac Belasco y su chofer procuraban reunir los catorce baúles y bultos de las viajeras. Las dos primas, Martha y Sarah, saludaron a la recién llegada con un beso frío en la mejilla y enseguida se olvidaron de su existencia, no por malicia, sino porque estaban en edad de buscar novio y ese objetivo las cegaba al resto del mundo. No les resultaría fácil conseguir los maridos deseados, a pesar de la fortuna y el prestigio de los Belasco, porque habían sacado la nariz del padre y la figura rechoncha de la madre, pero muy poco de la inteligencia del primero o la simpatía de la segunda. El primo Nathaniel, único varón, nacido seis años después que su hermana Sarah, se asomaba titubeante a la pubertad con aspecto de garza. Era pálido, flaco, largo, incómodo en un cuerpo al que le sobraban codos y rodillas, pero tenía los ojos pensativos de un perro grande. Le tendió la mano a Alma con la vista fija en el suelo y masculló la bienvenida que sus padres le habían ordenado. Ella se colgó de esa mano como de un salvavidas y los intentos del chico por desprenderse fueron inútiles.

Así comenzó la estancia de Alma en la gran casa de Sea Cliff, donde habría de pasar setenta años con pocos paréntesis. En los primeros meses de 1939 vertió la reserva casi completa de sus lágrimas y sólo volvió a llorar en muy raras ocasiones. Aprendió a masticar sus penas sola y con dignidad, convencida de que a nadie le importan los problemas ajenos y que los dolores callados acaban por diluirse. Había adoptado las lecciones filosóficas de su padre, hombre de principios rígidos e inapelables, que tenía a honor haberse formado solo y no deberle nada a nadie, lo cual no era del todo cierto. La fórmula simplificada del éxito, que Mendel les había machacado a sus hijos desde la cuna, consistía en no quejarse nunca, no pedir nada, esforzarse por ser los primeros en todo y no confiar en nadie. Alma habría de cargar durante varias décadas con ese tremendo saco de piedras, hasta que el amor la ayudó a desprenderse de algunas de ellas. Su actitud estoica contribuyó al aire de misterio que tuvo desde niña, mucho antes de que existieran los secretos que hubo de guardar.

En la Depresión de los años treinta, Isaac Belasco pudo evitar los peores efectos de la debacle económica y hasta incrementó su patrimonio. Mientras otros perdían todo, él trabajaba dieciocho horas al día en su bufete de abogado e invertía en aventuras comerciales, que parecieron arriesgadas en su momento y a largo plazo resultaron espléndidas. Era formal, parco de palabras y de corazón blando. Para él, esa blandura lindaba con debilidad de carácter, por eso se empeñaba en dar una impresión de autoridad intransigente, pero bastaba tratarlo un par de veces para adivinar su vocación de bondad. Lo precedía una reputación de compasivo que llegó a ser un impedimento en su carrera de abogado. Después, cuando fue candidato a juez de la Corte Suprema de California, perdió la elección porque sus opositores lo acusaron de perdonar con demasiada generosidad, en desmedro de la justicia y la seguridad pública.

Isaac recibió a Alma en su casa con la mejor voluntad, pero pronto el llanto nocturno de la chiquilla empezó a afectarle los nervios. Eran sollozos ahogados, contenidos, apenas audibles a través de las gruesas puertas de caoba tallada del armario, pero que llegaban hasta su dormitorio, al otro lado del pasillo, donde él procuraba leer. Suponía que los niños, como los animales, poseen la capacidad natural de adaptarse y que la chica se consolaría pronto de la separación de sus padres o bien ellos emigrarían a América. Se sentía incapaz de ayudarla, frenado por el pudor que le inspiraban los asuntos femeninos. Si no entendía las reacciones habituales de su mujer y sus hijas, menos podía entender las de esa niña polaca que aún no había cumplido ocho años. Le entró la sospecha supersticiosa de que las lágrimas de la sobrina anunciaban un desastre catastrófico. Las cicatrices de la Gran Guerra todavía eran visibles en Europa; estaba fresco el recuerdo de la tierra mutilada por las trincheras, los millones de muertos, las viudas y huérfanos, la podredumbre de caballos destrozados, los gases mortales, las moscas y el hambre. Nadie quería otra conflagración como ésa, pero Hitler ya había anexionado Austria, controlaba parte de Checoslovaquia y sus incendiarias llamadas a establecer el imperio de la raza superior no podían descartarse como desvaríos de un loco. A fines de enero, Hitler había planteado su propósito de librar al mundo de la amenaza judía; no bastaba con expulsarlos, debían ser exterminados. Algunos niños tienen poderes psíquicos; no sería raro que Alma viera en sus pesadillas algo horroroso y estuviera pasando un terrible duelo por adelantado, pensaba Isaac Belasco. ¿Qué esperaban sus cuñados para salir de Polonia? Llevaba un año presionándolos inútilmente para que lo hicieran, como tantos otros judíos que estaban huyendo de Europa; les había ofrecido su hospitalidad, aunque los Mendel tenían recursos sobrados y no necesitaban su ayuda. Baruj Mendel le respondió que la integridad de Polonia estaba garantizada por Gran Bretaña y Francia. Se creía seguro, protegido por su dinero y sus conexiones comerciales; ante el acoso de la propaganda nazi, la única concesión que hizo fue sacar a sus hijos del país. Isaac Belasco no conocía a Mendel, pero a través de cartas y telegramas resultaba obvio que el marido de su cuñada era tan arrogante y antipático como testarudo.

Tuvo que pasar casi un mes antes de que Isaac decidiera intervenir en la situación de Alma e incluso entonces no estaba preparado para hacerlo personalmente, así que pensó que el problema le correspondía a su mujer. Sólo una puerta, siempre entreabierta, separaba a los esposos de noche, pero Lillian era dura de oreja y usaba tintura de opio para dormir, de modo que nunca se habría enterado del llanto en el armario si su marido no se lo hubiera hecho notar. Para entonces miss Honeycomb ya no estaba con ellos: al llegar a San Francisco la mujer cobró la bonificación prometida y doce días después se volvió a su país natal, asqueada de los modales rudos, el acento incomprensible y la democracia de los estadounidenses, como dijo sin parar en mientes en lo ofensivo que resultaba ese comentario para los Belasco, gente distinguida que la había tratado con gran consideración. Por otra parte, cuando Lillian, advertida por una carta de su hermana, buscó en el forro del abrigo de viaje de Alma unos diamantes que los Mendel habían puesto, más por cumplir con una tradición que para asegurar a su hija, ya que no se trataba de piedras de extraordinario valor, éstos no estaban. La sospecha recayó de inmediato en miss Honeycomb y Lillian propuso mandar a uno de los investigadores del bufete de su marido en persecución de la inglesa, pero Isaac determinó que no valía la pena. El mundo y la familia estaban bastante convulsionados como para andar cazando institutrices a través de mares y continentes; unos diamantes más o menos no pesarían para nada en la vida de Alma.

—Mis amigas del bridge me comentaron que hay un estupendo psicólogo infantil en San Francisco —le anunció Lillian a su marido, cuando se enteró del estado de su sobrina.

—¿Qué es eso? —preguntó el patriarca, quitando los ojos del periódico por un momento.

—El nombre lo dice, Isaac, no te hagas el tonto.

—¿Alguna de tus amigas conoce a alguien que tenga un crío tan desequilibrado como para ponerlo en manos de un psicólogo?

—Seguramente, Isaac, pero no lo admitirían ni muertas.

—La infancia es una etapa naturalmente desgraciada de la

existencia, Lillian. El cuento de que los niños merecen felicidad lo inventó Walt Disney para ganar plata.

—¡Eres tan terco! No podemos dejar que Alma llore sin consuelo perpetuamente. Hay que hacer algo.

—Bueno, Lillian. Recurriremos a esa medida extrema cuando todo lo demás nos falle. Por el momento podrías darle a Alma unas gotas de tu jarabe.

—No sé, Isaac, eso me parece un arma de doble filo. No nos conviene convertir a la niña en adicta al opio tan tempranamente.

En eso estaban, debatiendo los pros y los contras del psicólogo y el opio, cuando se dieron cuenta de que el armario había permanecido en silencio durante tres noches. Prestaron oído un par de noches más y comprobaron que inexplicablemente la chiquilla se había tranquilizado y no sólo dormía de corrido, sino que había empezado a comer como cualquier niño normal. Alma no había olvidado a sus padres ni a su hermano y seguía deseando que su familia se reuniera pronto, pero se le estaban acabando las lágrimas y empezaba a distraerse con su naciente amistad con las dos personas que serían los únicos amores de su vida: Nathaniel Belasco e Ichimei Fukuda. El primero, a punto de cumplir trece años, era el hijo menor de los Belasco y el segundo, que iba a cumplir ocho, como ella, era el hijo menor del jardinero.

Martha y Sarah, las hijas de los Belasco, vivían en un mundo tan distinto al de Alma, sólo preocupadas por la moda, las fiestas y los posibles novios, que cuando se topaban con ella en los vericuetos de la mansión de Sea Cliff o en las raras cenas formales en el comedor, se sobresaltaban sin poder recordar quién era esa chiquilla y por qué estaba allí. Nathaniel, en cambio, no pudo dejarla de lado, porque Alma se le pegó a los talones desde el primer día, determinada a reemplazar a su adorado hermano Samuel con ese primo timorato. Era el miembro del clan Belasco más cercano a ella en edad, aunque los separaban cinco años, y el más accesible por su temperamento tímido y dulce. La niña provocaba en Nathaniel una mezcla de fascinación y susto. Alma parecía arrancada de un daguerrotipo, con su pulcro acento británico, que había aprendido de la institutriz ratera, y su seriedad de enterrador, rígida y angulosa como una tabla, oliendo a la naftalina de sus baúles de viaje y con un desafiante mechón blanco sobre la frente, que contrastaba con el negro profundo del cabello y con su piel olivácea. Al principio, Nathaniel trató de escapar, pero nada desalentaba los torpes avances amistosos de Alma y él acabó cediendo, porque había heredado el buen corazón de su padre. Adivinaba la pena silenciosa de su prima, que ella disimulaba con orgullo, pero evitaba con diversos pretextos la obligación de ayudarla. Alma era una mocosa, sólo tenía en común con ella un tenue lazo de sangre, estaba de paso en San Francisco y sería un desperdicio de sentimientos iniciar una amistad con ella. Cuando hubieron transcurrido tres semanas sin señales de que la visita de la prima fuera a terminar, se le agotó ese pretexto y fue a preguntarle a su madre si acaso pensaban adoptarla. «Espero que no tengamos que llegar a eso», le contestó

Lillian con un escalofrío. Las noticias de Europa eran muy inquietantes y la posibilidad de que su sobrina quedara huérfana empezaba a tomar forma en su imaginación. Por el tono de esa respuesta, Nathaniel dedujo que Alma se quedaría por tiempo indefinido y se sometió al instinto de quererla. Dormía en otra ala de la casa y nadie le había dicho que Alma lloraba en el armario, pero de alguna manera se enteró y muchas noches iba de puntillas a acompañarla.

Fue Nathaniel quien presentó los Fukuda a Alma. Ella los había visto desde las ventanas, pero no salió al jardín hasta comienzos de la primavera, cuando mejoró el clima. Un sábado Nathaniel le vendó los ojos, con la promesa de que iba a darle una sorpresa, y la llevó de la mano a través de la cocina y el lavadero hasta el jardín. Cuando le quitó la venda y ella levantó la vista, se encontró bajo un frondoso cerezo en flor, una nube de algodón rosado. Junto al árbol había un hombre con mono de trabajo y sombrero de paja, de rostro asiático, piel curtida, bajo de estatura y ancho de hombros, apoyado en una pala. En un inglés entrecortado y difícil de comprender, le dijo a Alma que ese momento era hermoso, pero duraría apenas unos días y pronto las flores caerían como lluvia sobre la tierra; mejor sería el recuerdo del cerezo en flor, porque duraría todo el año, hasta la primavera siguiente. Ese hombre era Takao Fukuda, el jardinero japonés que trabajaba en la propiedad desde hacía muchos años y era la única persona ante quien Isaac Belasco se quitaba el sombrero por respeto.

Nathaniel se volvió a la casa y dejó a su prima en compañía de Takao, quien le mostró todo el jardín. La condujo a las diferentes terrazas escalonadas en la ladera, desde la cima de la colina, donde se erguía la casa, hasta la playa. Recorrieron estrechos senderos salpicados de estatuas clásicas manchadas por la pátina verde de la humedad, fuentes, árboles exóticos y plantas suculentas; le explicó de dónde procedían y los cuidados que requerían, hasta que llegaron a una pérgola cubierta de rosas trepadoras con una vista panorámica del mar, la entrada de la bahía a la izquierda y el puente del Golden Gate, inaugurado un par de años antes, a la derecha. Desde allí se distinguían colonias de lobos de mar descansando sobre las rocas y, oteando el horizonte con paciencia y buena suerte, se podían ver las ballenas que venían del norte a parir en las aguas de California. Después Takao la llevó al invernadero, réplica en miniatura de una clásica estación de trenes victoriana, hierro forjado y cristal. Dentro, en la luz tamizada y bajo el calor húmedo de la calefacción y los vaporizadores, las plantas delicadas empezaban su vida en bandejas, cada una con una etiqueta con su nombre y la fecha en que debía ser trasplantada. Entre dos mesas largas de madera rústica, Alma distinguió a un chico concentrado en unos almácigos, quien al oírlos entrar soltó las tijeras y se cuadró como un soldado. Takao se le acercó, murmuró algo en una lengua desconocida para Alma y le revolvió el pelo. «Mi hijo más pequeño», dijo. Alma estudió sin disimulo al padre y al hijo como a seres de otra especie; no se parecían a los orientales de las ilustraciones de la Enciclopedia Británica.

El chico la saludó con una inclinación del torso y mantuvo la cabeza gacha al presentarse.

—Soy Ichimei, cuarto hijo de Takao y Heideko Fukuda, honrado de conocerla, señorita.

—Soy Alma, sobrina de Isaac y Lillian Belasco, honrada de conocerlo, señor —explicó ella, desconcertada y divertida.

Esa formalidad inicial, que más tarde el cariño habría de teñir con humor, marcó el tono de su larga relación. Alma, más alta y fuerte, parecía mayor. El aspecto menudo de Ichimei engañaba, porque podía levantar sin esfuerzo las pesadas bolsas de tierra y empujar cuesta arriba una carretilla cargada. Tenía la cabeza grande con relación al cuerpo, la piel color miel, los ojos negros separados y el cabello tieso e indómito. Todavía le estaban saliendo los dientes definitivos y al sonreír, los ojos se convertían en dos rayas.

Durante el resto de aquella mañana Alma siguió a Ichimei, mientras él colocaba las plantas en los huecos cavados por su padre y le revelaba la vida secreta del jardín, los filamentos entrelazados en el subsuelo, los insectos casi invisibles, los brotes minúsculos en la tierra, que en una semana alcanzarían un palmo de altura. Le habló de los crisantemos, que sacaba del invernadero en ese momento, de cómo se trasplantan en primavera y florecen a comienzos del otoño, dándole color y alegría al jardín cuando las flores estivales ya se han secado. Le mostró los rosales sofocados de botones y cómo se deben eliminar casi todos, dejando sólo algunos para que las rosas crezcan grandes y sanas. Le hizo notar la diferencia entre las plantas de semilla y las de bulbo, entre las de sol y las de sombra, entre las autóctonas y las traídas de lejos. Takao Fukuda, que los observaba de reojo, se acercó para decirle a Alma que las tareas más delicadas le correspondían a Ichimei, porque había nacido con dedos verdes. El niño enrojeció con el halago.

A partir de ese día Alma aguardaba impaciente a los jardineros, que acudían puntualmente los fines de semana. Takao Fukuda siempre llevaba a Ichimei y a veces, si había más trabajo, se hacía acompañar también por Charles y James, sus hijos mayores, o por Megumi, su única hija, varios años mayor que Ichimei, a quien sólo le interesaba la ciencia y le hacía muy poca gracia ensuciarse las manos con tierra. Ichimei, paciente y disciplinado, cumplía sus tareas sin distraerse con la presencia de Alma, confiado en que su padre le dejaría media hora libre al final del día para jugar con ella.

Alma, Nathaniel e Ichimei

Tan grande era la casa de Sea Cliff y tan ocupados estaban siempre sus habitantes, que los juegos de los niños pasaban inadvertidos. Si a alguien le llamaba la atención que Nathaniel se entretuviera tantas horas con una chica mucho menor, la curiosidad se esfumaba al momento porque había otros asuntos a los cuales atender. Alma había superado el poco amor que le tuvo a las muñecas y aprendió a jugar al scrabble con un diccionario y al ajedrez con pura determinación, ya que la estrategia nunca fue su fuerte. Por su parte, Nathaniel se había aburrido de coleccionar sellos y acampar con los boy scouts. Ambos participaban en las obras teatrales de sólo dos o tres personajes, que él escribía e inmediatamente montaban en el desván. La falta de público nunca fue un inconveniente, porque el proceso era mucho más entretenido que el resultado y no buscaban aplausos: el placer consistía en pelear por el guión y ensayar los papeles. Ropa vieja, cortinas descartadas, muebles desvencijados y bártulos en varios estados de desintegración constituían la materia prima de disfraces, accesorios y efectos especiales, el resto lo suplían con imaginación. Ichimei, que entraba en la casa de los Belasco sin necesidad de invitación, también formaba parte de la compañía teatral en papeles secundarios, porque era pésimo actor. Compensaba la falta de talento con su portentosa memoria y su facilidad para el dibujo; podía recitar sin tropiezos largos parlamentos inspirados en las novelas predilectas de Nathaniel, desde *Drácula* hasta *El conde de Montecristo*, y era el encargado de pintar los telones. Esa camaradería, que logró sacar a Alma del estado de orfandad y abandono en que se sumergió al principio, no duró mucho.

Al año siguiente, Nathaniel ingresó en la secundaria en un colegio de chicos copiado del modelo británico. De un día a otro le cambió la vida. Junto con ponerse pantalón largo debió enfrentarse a la infinita brutalidad de los muchachos que se inician en la tarea de ser hombres. No estaba listo para eso: parecía un chiquillo de diez años, en vez de los catorce que había cumplido, aún no sufría el bombardeo despiadado de las hormonas, era introvertido, cauteloso y, para su desgracia, dado a la lectura y pésimo para los deportes. Nunca llegaría a tener la jactancia, la crueldad y la chabacanería de los otros chicos, y como no era así por naturaleza, procuraba en vano fingirlo; sudaba con olor a miedo. El primer miércoles de clase volvió a casa con un ojo amoratado y la camisa manchada de sangre de la nariz. Se negó a responder a las preguntas de su madre y a Alma le dijo que había chocado contra el asta de la bandera. Esa noche se orinó en la cama, por primera vez desde que podía recordar. Horrorizado, escondió las sábanas mojadas en el tiro de la chimenea y no fueron descubiertas hasta fines de septiembre, cuando al encender fuego se llenó la casa de humo. Lillian tampoco había logrado que su hijo explicara la desaparición de las sábanas, pero imaginó la causa y decidió cortar por lo sano. Se presentó ante el director de la escuela, un escocés de pelo colorado y nariz de bebedor, quien la recibió detrás de una mesa propia de un regimiento, rodeado de paredes cubiertas por paneles de madera oscura, vigilado por el retrato del rey Jorge VI. El pelirrojo informó a Lillian de que la violencia en su justa medida se consideraba parte esencial del método didáctico de la escuela; por eso se fomentaban los deportes rudos, las peleas de los estudiantes se resolvían con guantes de boxeo en un ring y la indisciplina se corregía con varillazos en el trasero, impartidos por él mismo. Los hombres se formaban a golpes. Así había sido siempre, y cuanto antes aprendiera Nathaniel Belasco a hacerse respetar, mejor para él. Agregó que la intervención de Lillian ponía en ridículo a su hijo, pero por tratarse de un alumno nuevo, él haría una excepción y lo olvidaría. Lillian se fue resoplando a la oficina de su marido, en la calle Montgomery, donde irrumpió con brusquedad, pero tampoco allí encontró apoyo.

—No te metas en esto, Lillian. Todos los muchachos pasan por esos ritos de iniciación y casi todos sobreviven —le dijo Isaac.

—¿A ti también te pegaban?

—Por supuesto. Y ya ves que el resultado no es tan malo.

Los cuatro años de la escuela secundaria habrían sido un tormento interminable para Nathaniel si no hubiera contado con la ayuda de quien menos esperaba: ese fin de semana, al verlo cubierto de arañazos y golpes, Ichimei se lo llevó a la pérgola del jardín y le hizo una eficaz demostración de las artes marciales, que había practicado desde que pudo mantenerse sobre las dos piernas. Le puso una pala en las manos y le ordenó que intentara partirle la cabeza. Nathaniel creyó que bromeaba y enarboló la pala en el aire como un paraguas. Fueron necesarios varios intentos para que entendiera las instrucciones y se lanzara en serio contra Ichimei. No supo cómo perdió la pala, pero salió volando y aterrizó de espaldas en el piso de baldosas italianas de la pérgola, ante la mirada atónita de Alma, que observaba de cerca. Así se enteró Nathaniel de que el impasible Takao Fukuda les enseñaba una mezcla de judo y karate a sus hijos y a otros chicos de la colonia japonesa, en un garaje alquilado de la calle Pine. Se lo contó a su padre, quien había oído hablar vagamente sobre esos deportes, que empezaban a conocerse en California. Isaac Belasco fue a la calle Pine sin muchas esperanzas de que Fukuda pudiera ayudar a su hijo, pero el jardinero le explicó que justamente la belleza de las artes marciales era que no se requería fuerza física, sino concentración y destreza para utilizar el peso y el impulso del contrincante para derribarlo. Nathaniel empezó sus clases. El chofer lo llevaba tres noches por semana al garaje, donde se batía primero con Ichimei y los niños pequeños y después con Charles, James y otros muchachos mayores. Anduvo varios meses con el esqueleto desarticulado hasta que aprendió a caer sin lastimarse. Le perdió el miedo a las peleas. Nunca llegaría a pasar del nivel de principiante, pero eso era más de lo que sabían los mayores de la escuela. Pronto dejaron de zurrarle, porque al primero que se le acercaba con mala cara lo disuadía con cuatro gritos guturales y una exagerada coreografía de posturas marciales. Isaac Belasco nunca preguntó sobre el resultado de las clases, igual que antes no se había dado por enterado de las palizas que recibía su hijo, pero algo debía de haber averiguado, porque un día se presentó en la calle Pine con un camión y cuatro obreros para instalar suelo de madera en el garaje. Takao Fukuda lo recibió con una serie de reverencias formales y tampoco hizo comentarios.

La marcha de Nathaniel al colegio puso término a las representaciones teatrales en el desván. Además de las tareas académicas y del esfuerzo sostenido de defenderse, el muchacho andaba ocupado con angustias metafísicas y una estudiada pesadumbre, que su madre procuraba remediar con cucharadas de aceite de hígado de bacalao. Apenas había tiempo para algunas partidas de scrabble y ajedrez si Alma lograba atraparlo al vuelo antes de que se encerrara en su cuarto a aporrear una guitarra. Estaba descubriendo el jazz y los blues, pero despreciaba los bailes de moda, porque se habría paralizado de vergüenza en una pista, donde quedaría en evidencia su ineptitud para el ritmo, herencia de todos los Belasco. Presenciaba, con una mezcla de sarcasmo y envidia, las demostraciones de *lindy hop* con que Alma e Ichimei pretendían animarlo. Los niños poseían dos discos rayados y un fonógrafo que Lillian había dado de baja por inservible, Alma había rescatado de la basura e Ichimei había desmontado y compuesto con sus delicados dedos verdes y su paciente intuición.

La escuela secundaria, que tan malos comienzos tuvo para Nathaniel, siguió siendo un martirio en los años siguientes. Sus compañeros se cansaron de hacerle encerronas para pegarle, pero lo sometieron a cuatro años de burlas y aislamiento; no le perdonaban su curiosidad intelectual, sus buenas notas y su torpeza física. Nunca superó la sensación de haber nacido en el lugar y el tiempo equivocados. Tenía que participar en deportes, pilar de la educación inglesa, y sufría la repetida humillación de ser el último en llegar a la meta corriendo y de que nadie lo quisiera en su equipo. A los quince años pegó un estirón desde los pies hasta las orejas; tuvieron que comprarle zapatos nuevos y alargar la vuelta de los pantalones cada dos meses. De ser el más petiso de su clase alcanzó una estatura normal, le crecieron las piernas, los brazos y la nariz, se le adivinaban las costillas bajo la camisa y en su cuello flaco la manzana de Adán parecía un tumor; le dio por andar con bufanda hasta en verano. Odiaba su perfil de buitre desplumado y procuraba colocarse en los rincones para ser visto de frente. Se salvó de las espinillas en la cara, que plagaban a sus enemigos, pero no de los complejos propios de la edad. No podía imaginar que en menos de tres años tendría un cuerpo proporcionado, se le habrían ordenado las facciones y llegaría a ser tan guapo como un actor de cine romántico. Se sentía feo, desgraciado y solo; empezó a darle vueltas a la idea de suicidarse, como le confesó a Alma en uno de sus peores momentos de autocrítica. «Eso sería un desperdicio, Nat. Es mejor que termines la escuela, estudies medicina y te vayas a la India a cuidar leprosos. Yo te acompaño», replicó ella, sin mucha simpatía, porque comparados con la situación de su familia, los problemas existenciales de su primo eran de risa.

La diferencia de edad entre ambos se notaba poco, porque Alma se había desarrollado temprano y su tendencia a la soledad la había hecho parecer de más edad. Mientras él vivía en el limbo de una adolescencia que parecía eterna, a ella se le había acentuado la seriedad y la fortaleza que le impuso su padre y que ella cultivaba como virtudes esenciales. Se sentía abandonada por su primo y por la vida. Podía adivinar la intensa repulsión contra sí mismo que Nathaniel había desarrollado al entrar al colegio, porque en menor medida ella también la sufría, pero a diferencia del muchacho, ella no se permitía el vicio de estudiarse en el espejo buscando defectos ni de lamentarse por su suerte. Tenía otras preocupaciones.

En Europa la guerra se había desatado como un huracán apocalíptico, que ella sólo veía en difuso blanco y negro en los noticiarios del cine: escenas entrecortadas de batallas, rostros de soldados cubiertos del hollín imborrable de la pólvora y la muerte, aviones regando la tierra con bombas que caían con absurda elegancia, explosiones de fuego y humo, rugientes multitudes dando vivas a Hitler en Alemania. Ya no recordaba bien su país, la casa donde creció ni el idioma de su infancia, pero su familia estaba siempre presente en sus añoranzas. Mantenía sobre su mesita de noche un retrato de su hermano y la última fotografía de sus padres, en el muelle de Danzig, y los besaba antes de dormirse. Las imágenes de la guerra la perseguían de día, se le aparecían en sueños y no le daban derecho a comportarse como la chiquilla que era. Cuando Nathaniel cedió al engaño de creerse un genio incomprendido, Ichimei se convirtió en su único confidente. El niño había crecido poco en estatura y ella lo sobrepasaba media cabeza, pero era sabio y siempre encontraba la manera de distraerla cuando la asaltaban las imágenes horripilantes de la guerra. Ichimei se las arreglaba para llegar a casa de los Belasco en tranvía, en bicicleta o en la camioneta de la jardinería, si conseguía que su padre o sus hermanos lo llevaran; después Lillian lo devolvía a su casa con su chofer. Si pasaban dos o tres días sin verse, los niños se escabullían de noche para hablar por teléfono en susurros. Hasta los comentarios más triviales adquirían una profundidad trascendental en esas llamadas a hurtadillas. A ninguno de los dos se le ocurrió pedir permiso para hacerlas; creían que el aparato se gastaba con el uso y lógicamente no podía estar a disposición de ellos.

Los Belasco vivían pendientes de las noticias de Europa, cada vez más confusas y alarmantes. En Varsovia, ocupada por los alemanes, había cuatrocientos mil judíos hacinados en un gueto de tres kilómetros cuadrados y medio. Sabían, porque Samuel Mendel les había informado por telegrama desde Londres, que los padres de Alma estaban entre ellos. De nada les sirvió a los Mendel su dinero; en los primeros tiempos de la ocupación perdieron sus bienes en Polonia y el acceso a sus cuentas en Suiza, tuvieron que abandonar la mansión familiar, confiscada y convertida en oficinas de los nazis y sus colaboradores, y quedaron reducidos a la misma condición de inconcebible miseria del resto de los habitantes del gueto. Entonces descubrieron que no tenían un solo amigo entre su propia gente. Fue todo lo que Isaac Belasco logró averiguar. Resultaba imposible comunicarse con ellos y ninguna de sus gestiones para rescatarlos dio resultados. Isaac usó sus conexiones con políticos influyentes, incluyendo un par de senadores en Washington y el secretario de Guerra, de quien había sido compañero en Harvard, pero le respondieron con vagas promesas que no cumplieron, porque tenían entre manos asuntos mucho más urgentes que una misión de socorro en el infierno de Varsovia. Los americanos observaban los acontecimientos en un compás de espera; todavía imaginaban que esa guerra al otro lado del Atlántico no les incumbía, a pesar de la sutil propaganda del gobierno de Roosevelt para influir en el público en contra de los alemanes. Tras el alto muro que marcaba la frontera del gueto de Varsovia, los judíos sobrevivían en extremos de hambre y terror. Se hablaba de deportaciones masivas, de hombres, mujeres y niños arreados hacia trenes de carga que desaparecían en la noche, de la voluntad de los nazis de exterminar a los judíos y a otros indeseables, las cámaras de gas, los hornos crematorios y otras atrocidades imposibles de confirmar y, por lo tanto, difíciles de creer para los americanos.

Irina Bazili

En 2013 Irina Bazili celebró en privado con una panzada de pasteles de crema y dos tazas de cacao caliente el tercer aniversario de su empleo con Alma Belasco. En ese tiempo había llegado a conocerla a fondo, aunque había misterios en la vida de esa mujer que ni ella ni Seth habían descifrado, en parte porque todavía no se lo habían propuesto en serio. En el contenido de las cajas de Alma, que ella debía ordenar, se fueron revelando los Belasco. Así conoció Irina a Isaac, con su severa nariz aguileña y sus ojos bondadosos; a Lillian, baja de estatura, amplia de pechuga y bella de cara; a sus hijas Sarah y Martha, feas y muy bien vestidas; a Nathaniel de chico, flaco y con aire desamparado; más tarde, cuando era un joven esbelto y muy guapo, y al final, esculpido a cincel por los estragos de la enfermedad. Vio a la niña Alma recién llegada a América; a la joven de veintiún años, en Boston, cuando estudiaba arte, con boina negra e impermeable de detective, el estilo masculino que adoptó después de deshacerse del ajuar de su tía Lillian, que nunca aprobó; como madre, sentada en la pérgola del jardín de Sea Cliff, con su hijo Larry de tres meses en el

73

regazo y su marido de pie detrás, con una mano en su hombro, posando como para un retrato de la realeza. Desde niña, se adivinaba la mujer que Alma iba a ser, imponente, con su mechón blanco, su boca ligeramente torcida y sus ojeras depravadas. Irina debía colocar las fotos cronológicamente en los álbumes, de acuerdo con las instrucciones de Alma, quien no siempre recordaba dónde o cuándo habían sido tomadas. Aparte del retrato de Ichimei Fukuda, en su apartamento había sólo otra foto enmarcada: la familia en el salón de Sea Cliff, cuando Alma celebró sus cincuenta años. Los hombres vestían de esmoquin y las mujeres de largo, Alma de raso negro, altiva como una emperatriz viuda, y su nuera Doris, pálida y cansada, con un vestido de seda gris con pliegues por delante para disimular su segundo embarazo; esperaba a su hija Pauline. Seth, de año y medio, se mantenía de pie, agarrado con una mano al vestido de su abuela y con la otra a la oreja de un cocker spaniel.

Durante el tiempo que llevaban juntas, el vínculo entre las dos mujeres fue pareciéndose al de una tía y su sobrina. Habían afinado sus rutinas y podían compartir durante horas el reducido espacio del apartamento sin hablarse ni mirarse, cada una enfrascada en lo suyo. Se necesitaban mutuamente. Irina se consideraba privilegiada por contar con la confianza y el apoyo de Alma y a su vez ésta agradecía la fidelidad de la muchacha. Le halagaba el interés de Irina por su pasado. Dependía de ella para fines prácticos y para mantener su independencia. Seth le había recomendado que, cuando llegara el momento en que necesitara cuidados, regresara a la casa familiar de Sea Cliff o contratara ayuda permanente en su apartamento; dinero no le faltaba para eso. Alma iba a cumplir ochenta y dos años y planeaba vivir diez más sin ese tipo de ayuda y sin que nadie se atribuyera el derecho a decidir por ella.

—Yo también tenía terror de la dependencia, Alma, pero me he dado cuenta de que no es tan grave. Una se acostumbra y agradece la ayuda. Yo no puedo vestirme ni ducharme sola, me cuesta cepillarme los dientes y cortar el pollo en mi plato, pero nunca he estado más contenta que ahora —le dijo Catherine Hope, quien había conseguido ser su amiga.

—¿Por qué, Cathy? —le preguntó Alma.

—Porque me sobra tiempo y por primera vez en mi vida nadie espera nada de mí. No tengo que demostrar nada, no ando corriendo, cada día es un regalo y lo aprovecho a fondo.

Catherine Hope estaba en este mundo sólo por su feroz voluntad y los prodigios de la cirugía; sabía lo que significa quedar incapacitada y vivir con dolor permanente. A ella la dependencia no le llegó paulatinamente, como sería habitual, sino de la noche a la mañana con una pisada en falso. Escalando una montaña se cayó y quedó aprisionada entre dos rocas, con las piernas y la pelvis destrozadas. El rescate fue una faena heroica, que salió completa en el noticiario de televisión, porque la filmaron desde el aire. El helicóptero sirvió para captar desde lejos las escenas dramáticas, pero no pudo acercarse al tajo profundo, donde ella yacía con un shock y una fuerte hemorragia. Un día y una noche más tarde, dos montañeros lograron descender en una maniobra atrevida, que casi les cuesta la vida, y la izaron en un arnés. Se la llevaron a un hospital especializado en traumas de guerra, donde comenzaron la tarea de componerle los innumerables huesos rotos. Despertó del coma dos meses más tarde y, después de preguntar por su hija, anunció que se sentía feliz de estar viva. Ese mismo día el Dalāi Lama le había enviado desde la India una *kata*, la bufanda blanca con su bendición. Después de catorce operaciones truculentas y años de esforzada rehabilitación, Cathy debió aceptar que no volvería a caminar. «Mi primera vida terminó, ahora comienza la segunda. A veces me verás deprimida o exasperada, pero no me hagas caso, porque no me va a durar», le dijo a su hija. El budismo zen y el hábito de meditar durante toda una vida le daban una gran ventaja en sus circunstancias, porque soportaba la inmovilidad, que habría enloquecido a otra persona tan atlética y enérgica como ella, y pudo reponerse con buen ánimo de la pérdida de su compañero de muchos años, quien tuvo menos entereza que ella ante la tragedia y la dejó. También descubrió que podría practicar medicina como consultora de cirugía, desde un estudio con cámaras de televisión conectadas al quirófano, pero su ambición era trabajar con pacientes, cara a cara, como había hecho siempre. Cuando optó por vivir en el segundo nivel de Lark House, dio un par de vueltas conversando con la gente que sería su nueva familia y vio que sobraban oportunidades para ejercer su oficio. A la semana de ingresar ya tenía planes para montar una clínica gratuita del dolor destinada a las personas con enfermedades crónicas, así como un consultorio para atender males menores. En Lark House había médicos externos; Catherine Hope los convenció de que no competiría con ellos, sino que se complementarían. Hans Voigt le facilitó una sala para la clínica y propuso al directorio de

Lark House que le pagaran un sueldo, pero ella prefirió que no le cobraran las mensualidades, un acuerdo conveniente para ambas partes. Rápidamente Cathy, como la llamaban, se convirtió en la madre que acogía a los recién llegados, recibía las confidencias, consolaba a los tristes, guiaba a los moribundos y repartía la marihuana. La mitad de los residentes tenía receta médica para usarla y Cathy, que la distribuía en su clínica, era generosa con aquellos que no disponían de carnet ni de dinero para comprarla de contrabando; no era raro ver una cola de clientes frente a su puerta para obtener la hierba en varias formas, incluso como deliciosos bizcochos y caramelos. Hans Voigt no intervenía —para qué privar a su gente de un alivio inocuo—; sólo exigía que no se fumara en los pasillos y áreas comunes, ya que si fumar tabaco estaba prohibido, no sería justo que la marihuana no lo estuviera; pero algo de humo escapaba por los conductos de la calefacción o del aire acondicionado y a veces las mascotas andaban como despistadas.

En Lark House Irina se sentía segura por primera vez en catorce años. Desde que llegó a Estados Unidos nunca había permanecido tanto tiempo en un lugar; sabía que la tranquilidad no iba a durar y saboreaba esa tregua en su vida. No todo era idílico, pero comparados con los problemas del pasado, los del presente resultaban ínfimos. Debía sacarse las muelas del juicio, pero su seguro no cubría tratamientos dentales. Sabía que Seth Belasco estaba enamorado de ella y sería cada vez más difícil mantenerlo a raya sin perder su valiosa amistad. Hans

Voigt, que siempre se había mostrado relajado y cordial, en los últimos meses se había vuelto tan cascarrabias que algunos residentes se reunían subrepticiamente para ver la forma de echarlo sin ofenderlo; Catherine Hope pensaba que debían darle tiempo y su opinión aún prevalecía. El director había sido operado dos veces de hemorroides con resultados irregulares y eso le había agriado el carácter. La preocupación más inmediata de Irina era una invasión de ratones en la vieja casona de Berkeley donde vivía. Se los oía rascando entre las paredes resquebrajadas y bajo el parqué. Los otros inquilinos, instigados por Tim, su socio, decidieron poner trampas, porque envenenarlos les pareció inhumano. Irina defendió que las trampas eran igualmente crueles, con el agravante de que alguien debía recoger los cadáveres, pero no le hicieron caso. Un pequeño roedor quedó vivo en una de las trampas y fue rescatado por Tim, quien, compadecido, se lo entregó a Irina. Era una de esas personas que se alimentan de verdura y nueces, porque no toleran hacerle daño a un animal y menos cometer la maldad de cocinarlo. A Irina le tocó vendar la pata al ratón, acomodarlo en una caja entre algodones y cuidarlo hasta que se le pasó el susto, pudo caminar y regresar con los suyos.

Algunas de sus obligaciones en Lark House le fastidiaban, como la burocracia de las compañías de seguros, lidiar con parientes de los huéspedes que reclamaban por tonterías para aliviar la culpa de haberlos abandonado, y las clases obligatorias de computación, porque apenas había aprendido algo, la tecnología daba otro salto adelante y volvía a quedar rezagada. De las personas a su cargo, no tenía quejas. Como le había dicho Cathy el día que entró en Lark House, nunca se aburría. «Hay diferencia entre vejez y ancianidad. No es cosa de edad, sino de estado de salud física y mental —le explicó Cathy—. Los viejos pueden mantener su independencia, pero los ancianos necesitan asistencia y vigilancia hasta que llega un momento en que son como niños.» Irina aprendía mucho tanto de los viejos como de los ancianos, casi todos sentimentales, divertidos y sin miedo al ridículo; se reía con ellos y a veces lloraba por ellos. Casi todos habían tenido vidas interesantes o se las inventaban. Si parecían muy perdidos, en general era porque oían poco y mal. Irina andaba pendiente de que no les fallaran las baterías de los audífonos. «¿Qué es lo peor de envejecer?», les preguntaba. No pensaban en la edad, respondían; antes fueron adolescentes, después cumplieron treinta, cincuenta, sesenta, sin pensar en los años; ¿por qué iban a hacerlo ahora? Algunos estaban muy limitados, les costaba caminar y moverse, pero no deseaban ir a ninguna parte. Otros estaban distraídos, confusos y desmemoriados, pero eso perturbaba más a los cuidadores y familiares que a ellos mismos. Catherine Hope insistía en que los residentes del segundo y tercer nivel estuvieran activos y a Irina le correspondía mantenerlos interesados, entretenidos, conectados. «A cualquier edad es preciso un propósito en la vida. Es la mejor cura contra muchos males», sostenía Cathy. En su caso, el propósito siempre había sido ayudar a otros y no cambió después del accidente.

Los viernes en la mañana, Irina acompañaba a los residentes más apasionados a protestar en la calle, para cuidar que no se les fuera la mano. También participaba en las vigilias por causas nobles y en el club de tejido; todas las mujeres capaces de manejar agujas, menos Alma Belasco, estaban tejiendo chalecos para los refugiados de Siria. El motivo recurrente era la paz; se podía discrepar sobre cualquier tema menos sobre la paz. En Lark House había doscientos cuarenta y cuatro demócratas desencantados: habían votado a favor de la reelección de Barak Obama pero lo criticaban por indeciso, por no haber cerrado la prisión de Guantánamo, por deportar a los inmigrantes latinos, por los drones... en fin, sobraban motivos para mandar cartas al presidente y al Congreso. La media docena de republicanos se cuidaba de no opinar en voz alta.

Facilitar la práctica espiritual también era responsabilidad de Irina. Muchos viejos provenientes de una tradición religiosa se refugiaban en ella, aunque hubieran pasado sesenta años renegando de Dios, pero otros buscaban consuelo en alternativas esotéricas y psicológicas de la Era de Acuario. Irina les conseguía sucesivamente guías y maestros para meditación trascendental, curso de milagros, I Ching, desarrollo de la intuición, cábala, tarot místico, animismo, reencarnación, percepción psíquica, energía universal y vida extraterrestre. Ella era la encargada de organizar la celebración de fiestas religiosas, un popurrí de rituales de varias creencias, para que nadie se sintiera excluido. En el solsticio de verano llevaba a un grupo de ancianas a los bosques cercanos y bailaban en círculo al son de panderetas, descalzas y coronadas de flores. Los guardabosques las conocían y se prestaban para tomarles fotos abrazadas a los árboles hablando con Gaia, la madre tierra, y con sus muertos. Irina dejó de burlarse para sus adentros cuando pudo oír a sus abuelos en el tronco de una secoya, uno de esos gigantes milenarios que unen a nuestro mundo con el mundo de los espíritus, como le hicieron saber las danzarinas octogenarias. Costea y Petruta no fueron buenos conversadores en vida y tampoco lo eran dentro de la secoya, pero lo poco que dijeron convenció a su nieta de que velaban por ella. En el solsticio de invierno, Irina improvisaba ceremonias puertas adentro, porque Cathy la había prevenido contra las pulmonías si lo celebraban entre la humedad y la ventisca del bosque.

El sueldo de Lark House apenas le habría alcanzado para vivir a una persona normal, pero eran tan humildes las ambiciones y tan módicas las necesidades de Irina que a veces le sobraba dinero. Los ingresos del lavado de perros y como asistente de Alma, que siempre buscaba razones para pagarle de más, hacían que se sintiera rica. Lark House se había convertido en su hogar y los residentes, con quienes convivía a diario, reemplazaban a sus abuelos. La conmovían esos ancianos lentos, torpes, achacosos, macilentos…, tenía un buen humor infinito con sus problemas, no le importaba repetir mil veces la misma respuesta a la misma pregunta, le gustaba empujar una silla de ruedas, alentar, ayudar, consolar. Aprendió a desviar los impulsos de violencia, que a veces se apoderaban de ellos como tormentas pasajeras, y no la asustaban la avaricia o las manías persecutorias que algunos sufrían como consecuencia de la soledad. Trataba de comprender lo que significa llevar el invierno en las espaldas, la inseguridad de cada paso, la confusión ante las palabras que no se escuchan bien, la impresión de que el resto de la humanidad anda muy apurado y habla muy rápido, el vacío, la fragilidad, la fatiga y la indiferencia por lo que no les atañe personalmente, incluso hijos y nietos, cuya ausencia ya no pesa como antes y hay que hacer un esfuerzo para recordarlos. Sentía ternura por las arrugas, los dedos deformados y la mala vista. Imaginaba cómo iba a ser ella de vieja, de anciana.

Alma Belasco no entraba en esa categoría; a ella no debía cuidarla, al contrario, se sentía cuidada por ella y agradecía el papel de sobrina desamparada que la mujer le había asignado. Alma era pragmática, agnóstica y básicamente incrédula, nada de cristales, zodíaco o árboles parlantes; con ella Irina hallaba alivio para sus incertidumbres. Deseaba ser como Alma y vivir en una realidad manejable, donde los problemas tenían causa, efecto y solución, donde no existían seres terroríficos agazapados en los sueños ni enemigos lujuriosos espiando en cada esquina. Las horas con ella eran preciosas y de buena gana habría trabajado gratis. Una vez se lo propuso. «A mí me sobra dinero y a ti te falta. No se hable más de esto», respondió Alma en el tono imperioso que casi nunca usaba con ella.

Seth Belasco

Alma Belasco disfrutaba su desayuno sin prisa, veía las noticias en la televisión y después se iba a clase de yoga o a caminar una hora. Al regresar se duchaba, se vestía y cuando calculaba que iba a llegar la encargada de la limpieza escapaba a la clínica a ayudar a su amiga Cathy. El mejor tratamiento para el dolor era mantener a los pacientes entretenidos y moviéndose. Cathy siempre necesitaba voluntarios en la clínica y le había pedido a Alma que diera clases de pintura en seda, pero eso requería espacio y materiales que allí nadie podía costear. Cathy se negó a aceptar que Alma corriera con todos los gastos, porque no sería bueno para la moral de los participantes, a nadie le gusta ser objeto de caridad, como dijo. En vista de eso, Alma echaba mano de su antigua experiencia en el desván de Sea Cliff con Nathaniel e Ichimei, para improvisar obras teatrales que no costaban dinero y provocaban tempestades de risa. Tres veces por semana iba a su taller a pintar con Kirsten. Rara vez usaba el comedor de Lark House, prefería cenar en los restaurantes del barrio, donde la conocían, o en su apartamento, cuando su nuera le enviaba con el chofer alguno de sus platos preferidos.

Irina mantenía lo indispensable en la cocina: fruta fresca, avena, leche, pan integral, miel. A ella le tocaba también clasificar papeles, tomar dictado, ir de compras o a la lavandería, acompañar a Alma a sus diligencias, ocuparse del gato, del calendario y de organizar la escasa vida social. Con frecuencia, Alma y Seth la invitaban al almuerzo dominical obligatorio de Sea Cliff, cuando la familia rendía pleitesía a la matriarca. Para Seth, que antes recurría a toda suerte de pretextos para llegar a la hora del postre, ya que la idea de faltar ni siquiera se le ocurría a él, la presencia de Irina pintaba la ocasión de brillantes colores. Seguía persiguiéndola con tenacidad, pero como los resultados dejaban mucho que desear, también salía con amigas del pasado dispuestas a soportar sus veleidades. Se aburría con ellas y no lograba provocar celos a Irina. Como decía su abuela, para qué perder municiones en buitres; ése era otro de los dichos enigmáticos que circulaban entre los Belasco. Para Alma esas reuniones familiares comenzaban con la alegre ilusión de ver a los suyos, especialmente a su nieta Pauline, ya que a Seth lo veía a menudo, pero muchas veces terminaban por ser un plomazo, porque cualquier tema servía de pretexto para enojarse, no por falta de cariño, sino por el mal hábito de discutir por tonterías. Seth buscaba motivos para desafiar o escandalizar a sus padres; Pauline aparecía entregada a alguna causa, que explicaba en detalle, como la mutilación genital o los mataderos de animales; Doris se esmeraba en ofrecer sus mejores experimentos culinarios, verdaderos banquetes, y solía acabar llorando en su pieza, porque nadie los apreciaba, mientras el bueno de Larry hacía malabarismos para evitar roces. La abuela usaba a Irina para mitigar las tensiones, ya que los Belasco se comportaban civilizadamente delante de extraños, aunque se tratara de una insignificante empleada de Lark House. A la muchacha la mansión de Sea Cliff le parecía de un lujo extravagante, con sus seis dormitorios, dos salones, biblioteca tapizada de libros, escalera doble de mármol y un jardín palaciego. No percibía el lento deterioro de casi un siglo de existencia, que la militante vigilancia de Doris apenas lograba mantener bajo control el óxido en las rejas ornamentales, las ondulaciones del piso y las paredes, que habían soportado un par de terremotos, las baldosas resquebrajadas y las huellas de termitas en las maderas. La casa se erguía en un sitio privilegiado sobre un promontorio entre el océano Pacífico y la bahía de San Francisco. Al amanecer, la espesa niebla que llegaba rodando desde el mar, como una avalancha de algodón, solía ocultar por completo el puente del Golden Gate, pero se disipaba en el transcurso de la mañana y entonces aparecía la esbelta estructura de hierro rojo contra el cielo salpicado de gaviotas, tan cerca del jardín de los Belasco, que cabía la ilusión de tocarla con la mano.

Del mismo modo que Alma se convirtió en la tía adoptiva de Irina, Seth hizo el papel de primo, porque no le resultó el papel de amante que deseaba. En los tres años que llevaban juntos, la relación de los jóvenes, fundada en la soledad de Irina, la pasión mal disimulada de Seth y la curiosidad de ambos por Alma Belasco, se solidificó. Otro hombre menos tozudo y enamorado que Seth se habría dado por vencido hacía tiempo, pero él aprendió a dominar su vehemencia y se adaptó al paso de tortuga impuesto por Irina. De nada le servía apresurarse, porque al menor signo de intrusión, ella retrocedía, y después pasaban semanas antes de que él recuperara el terreno perdido. Si se rozaban de forma casual, ella escamoteaba el cuerpo, y si él lo hacía a propósito, ella se alarmaba. Seth buscó en vano algo que justificara esa desconfianza, pero ella había sellado su pasado. A primera vista, nadie podía imaginar el verdadero carácter de Irina, que se había ganado el título de la empleada más querida de Lark House con su actitud abierta y amable, pero él sabía que tras esa fachada se agazapaba una ardilla recelosa.

En esos años el libro de Seth fue adquiriendo forma sin gran esfuerzo por su parte, gracias al material que aportaba su abuela y la majadería de Irina. En Alma recayó la tarea de recopilar la historia de los Belasco, los únicos parientes que le quedaron después de que la guerra barriera a los Mendel de Polonia y antes de que su hermano Samuel resucitase. Los Belasco no se contaban entre las familias más encumbradas de San Francisco, aunque sí entre las más pudientes, pero podían trazar sus orígenes hasta la fiebre del oro. Entre ellos, destacaba David Belasco, director y productor teatral, empresario y autor de más de cien obras, que abandonó la ciudad en 1882 y triunfó en Broadway. El bisabuelo Isaac pertenecía a la rama que se quedó en San Francisco, donde echó raíces e hizo fortuna con un sólido bufete de abogados y buen ojo para invertir.

Como todos los varones de su estirpe, a Seth le tocó ser

socio del bufete, aunque carecía del instinto combativo de las generaciones anteriores. Se había graduado por obligación y ejercía el derecho porque los clientes le daban lástima y no por confianza en el sistema judicial o por codicia. Su hermana Pauline, dos años menor, estaba mejor cualificada para aquel ingrato oficio, pero eso no lo eximía a él de sus deberes con la firma. Había cumplido treinta y dos años sin sentar cabeza, como le reprochaba su padre; seguía dejando a su hermana los casos difíciles, divirtiéndose sin fijarse en gastos y mariposeando con media docena de enamoradas transitorias. Pregonaba su vocación de poeta y corredor de motos para impresionar a las amigas y asustar a sus padres, pero no pensaba renunciar a los ingresos seguros del bufete. No era cínico, sino perezoso para el trabajo y alborotado para casi todo lo demás. Fue el primer sorprendido cuando descubrió que se acumulaban páginas de un manuscrito en el maletín donde debía llevar documentos a los tribunales. Ese pesado maletín de cuero color caramelo, con las iniciales de su abuelo grabadas en oro, era un anacronismo en plena época digital, pero Seth lo usaba suponiendo que tenía poderes sobrenaturales, única explicación posible para la multiplicación espontánea de su manuscrito. Las palabras surgían solas en el vientre fértil del maletín y paseaban tranquilamente por la geografía de su imaginación. Eran doscientas quince páginas escritas a borbotones, que no se había molestado en corregir porque su plan consistía en contar lo que pudiera sonsacarle a su abuela, agregar aportes de su propia cosecha y después pagar a un escritor anónimo y a un editor concienzudo para que dieran forma al libro y lo pulieran. Esas hojas no hubieran existido sin la insistencia de Irina en leerlas y su descaro para criticarlas, que lo obligaban a producir regularmente hornadas de diez o quince folios; así se iban sumando y así también, sin proponérselo, él se iba convirtiendo en novelista.

Seth era el único miembro de su familia que Alma echaba de menos, aunque no lo habría admitido. Si pasaban algunos días sin que él llamara o la visitara, empezaba a ponerse de mal humor y pronto inventaba una excusa para convocarlo. El nieto no se hacía esperar. Llegaba como un ventarrón, con el casco de la moto bajo el brazo, los pelos disparados, las mejillas rojas y algún regalito para ella y para Irina: alfajores de dulce de leche, jabón de almendras, papel de dibujo, un vídeo de zombis en otra galaxia. Si no encontraba a la muchacha, su desilusión era visible, pero Alma fingía no darse cuenta. Saludaba a su abuela con una palmada en el hombro y ella respondía con un gruñido, como habían hecho siempre; se trataban como camaradas de aventura, con franqueza y complicidad, sin muestras de afecto, que consideraban kitsch. Conversaban largo y con la soltura de comadres chismosas: primero pasaban revista rápidamente a las noticias del presente, incluyendo a la familia, y enseguida entraban de lleno en lo que realmente les atañía. Estaban eternizados en un pasado mitológico de episodios y anécdotas improbables, épocas y personajes anteriores al nacimiento de Seth. Con su nieto, Alma se revelaba como una narradora fantasiosa, evocaba intacta la mansión de Varsovia, donde transcurrieron los primeros años de su existencia, con las sombrías habitaciones de muebles monumentales y las empleadas de uniforme deslizándose a lo largo de las paredes sin levantar la vista, pero le agregaba un imaginario poni color trigo de crines largas que acabó convertido en estofado en los tiempos del hambre. Alma rescataba a los bisabuelos Mendel y les devolvía todo lo que se llevaron los nazis, los sentaba a la mesa de Pascua con los candelabros y cubiertos de plata, las copas francesas, la porcelana de Baviera y los manteles bordados por monjas de un convento español. Era tal su elocuencia en los episodios más trágicos que Seth e Irina creían estar con los Mendel camino a Treblinka; iban con ellos dentro del vagón de carga entre cientos de infelices, desesperados y sedientos, sin aire ni luz, vomitando, defecando, agonizando; entraban con ellos, desnudos, en la cámara del espanto, y desaparecían con ellos en el humo de las chimeneas. Alma les hablaba también del bisabuelo Isaac Belasco, de cómo murió en un mes de primavera, una noche en que cayó una tormenta de hielo que destruyó por completo su jardín, y de cómo tuvo dos funerales, porque en el primero no cupo toda la gente que quiso presentarle sus respetos, centenares de blancos, negros, asiáticos, latinos y otros que le debían favores desfilaron en el cementerio y el rabino tuvo que repetir la ceremonia; y de la bisabuela Lillian, eternamente enamorada de su marido, que el mismo día en que se quedó viuda perdió la vista y anduvo en tinieblas los años que le quedaban, sin que los médicos atinaran a dar con la causa. También hablaba de los Fukuda y la evacuación de los japoneses como de algo que la traumatizó en la infancia, sin destacar demasiado su relación con Ichimei Fukuda.

Los Fukuda

Takao Fukuda había vivido en Estados Unidos desde los veinte años sin deseos de adaptarse. Como muchos *Isei*, inmigrantes japoneses de primera generación, no deseaba fundirse en el crisol americano, como hacían otras razas llegadas de los cuatro puntos cardinales. Estaba orgulloso de su cultura y su lengua, que mantenía intactas y procuraba inútilmente transmitirlas a sus descendientes, seducidos por la grandiosidad de América. Admiraba muchos aspectos de esa tierra inmensa donde el horizonte se confundía con el cielo, pero no podía evitar un sentimiento de superioridad, que jamás dejaba traslucir fuera de su hogar, porque habría sido una imperdonable falta de cortesía hacia el país que lo había acogido. Con los años iba cayendo inexorablemente en los engaños de la nostalgia, se le iban desdibujando las razones por las cuales abandonó Japón y terminó idealizando las mismas enmohecidas costumbres que lo impulsaron a emigrar. Le chocaban la prepotencia y el materialismo de los americanos, que a sus ojos no eran expansión de carácter y sentido práctico, sino vulgaridad; sufría al constatar cómo sus hijos imitaban los valores individualistas y la conducta ruda de los blancos. Sus cuatro hijos habían nacido en California, pero tenían sangre japonesa por parte de padre y madre, nada justificaba la indiferencia hacia sus antepasados y falta de respeto por las jerarquías. Ignoraban el lugar que a cada uno le correspondía por destino; se habían contagiado de la ambición insensata de los americanos, para quienes nada parecía imposible. Takao sabía que también en los detalles prosaicos sus hijos lo traicionaban: bebían cerveza hasta perder la cabeza, mascaban goma como rumiantes y bailaban los agitados ritmos de moda con el cabello engrasado y zapatos de dos colores. Seguramente Charles y James buscaban rincones oscuros donde manosear a muchachas de moral dudosa, pero confiaba en que Megumi no cometería semejantes indecencias. Su hija copiaba la moda ridícula de las chicas americanas y leía a escondidas las revistas de romances y gentuza del cine, que él le había prohibido, pero era buena alumna y, al menos en apariencia, era respetuosa. Takao sólo podía controlar a Ichimei, pero pronto el chiquillo se le escaparía de las manos y se transformaría en un extraño, como sus hermanos. Ése era el precio de vivir en América.

En 1912, Takao Fukuda había dejado a su familia y emigrado por razones metafísicas, pero ese factor había ido perdiendo importancia en sus evocaciones y a menudo se preguntaba por qué había tomado esa decisión tan drástica. Japón se había abierto a la influencia extranjera y ya había muchos hombres jóvenes que se iban a otras partes buscando oportunidades, pero entre los Fukuda se consideraba el abandono de la patria como una traición irreparable. Provenían de una tradición militar, habían vertido su sangre por el emperador durante siglos. Takao, por ser el único varón entre los cuatro niños que sobrevivieron a las pestes y accidentes de la infancia, era depositario del honor de la familia, responsable de sus padres y hermanas, y encargado de venerar a sus antepasados en el altar doméstico y en cada festividad religiosa. Sin embargo, a los quince años descubrió el Oomoto, el camino de los dioses, una nueva religión derivada del sintoísmo, que estaba tomando vuelo en Japón, y sintió que por fin había encontrado un mapa que guiara sus pasos en la vida. Según sus líderes espirituales, casi siempre mujeres, puede haber muchos dioses, pero todos son esencialmente el mismo y no importa con qué nombres o rituales se les honre; dioses, religiones, profetas y mensajeros a lo largo de la historia provienen de la misma fuente: el Dios Supremo del Universo, el Espíritu Único, que impregna todo lo existente. Con ayuda de los seres humanos, Dios intenta purificar y reconstruir la armonía del universo y cuando esa tarea concluya, Dios, la humanidad y la naturaleza coexistirán amablemente en la tierra y en el ámbito espiritual. Takao se entregó de lleno a su fe. Oomoto predicaba la paz, alcanzable sólo a través de la virtud personal, y el joven comprendió que su destino no podía ser una carrera militar, como correspondía a los hombres de su estirpe. Irse lejos le pareció la única salida, porque quedarse y renunciar a las armas sería visto como imperdonable cobardía, la peor afrenta que podía hacerle a su familia. Trató de explicárselo a su padre y sólo consiguió romperle el corazón, pero expuso sus razones con tal fervor, que éste terminó por aceptar que perdería a su hijo. Los jóvenes que se iban no regresaban más. El deshonor se lava con sangre. La muerte por la propia mano sería preferible, le dijo su padre, pero esa alternativa contradecía los principios de Oomoto.

Takao llegó a la costa de California con dos mudas de ropa, un retrato de sus padres coloreado a mano y la espada de samurái que había estado en su familia por siete generaciones. Su padre se la entregó en el momento de la despedida, porque no podía dársela a ninguna de sus hijas, y aunque el joven nunca fuera a usarla, le pertenecía según el orden natural de las cosas. Esa katana era el único tesoro que poseían los Fukuda, del mejor acero plegado y vuelto a plegar dieciséis veces por antiguos artesanos, con mango labrado de plata y bronce, en una vaina de madera decorada con laca roja y lámina de oro. Takao viajó con su katana envuelta en sacos para protegerla, pero su forma alargada y curva era inconfundible. Los hombres que convivieron con él en la cala del barco durante la fatigosa travesía lo trataron con la debida deferencia, porque el arma probaba que provenía de un linaje glorioso.

Al desembarcar recibió ayuda inmediata de la minúscula comunidad Oomoto de San Francisco y a los pocos días obtuvo empleo de jardinero con un compatriota. Lejos de la mirada reprobatoria de su padre, para quien un soldado no se ensucia las manos con tierra, sólo con sangre, se dedicó a aprender el oficio con determinación y en poco tiempo se hizo un buen nombre entre los *Isei* que vivían de la agricultura. Era incansable en el trabajo, vivía frugal y virtuosamente, como exigía su religión, y en diez años ahorró los ochocientos dólares reglamentarios para encargar una esposa a Japón. La casamentera le ofreció tres candidatas y él se quedó con la primera, porque le gustó el nombre. Se llamaba Heideko. Takao fue a esperarla al muelle con su único traje, de tercera mano y con brillos en los codos y en las posaderas, pero de buena factura, con los zapatos lustrados y un sombrero panamá, que compró en Chinatown. La novia migratoria resultó ser una campesina diez años menor que él, sólida de cuerpo, plácida de rostro, firme de temperamento y atrevida de lengua, mucho menos sumisa de lo que la casamentera le había anunciado, como comprobó desde el primer momento. Una vez recuperado de la sorpresa, a Takao esa fortaleza de carácter le pareció una ventaja.

Heideko llegó a California con muy pocas ilusiones. En el barco, donde compartió el reducido espacio que le asignaron con una docena de muchachas de su misma condición, había escuchado historias desgarradoras de vírgenes inocentes como ella, que desafiaban los peligros del océano para casarse con jóvenes pudientes en América, pero en el muelle las esperaban viejos pobretones, o en el peor de los casos, chulos que las vendían a los prostíbulos o como esclavas en fábricas clandestinas. No fue su caso, porque Takao Fukuda le había enviado un retrato reciente y no la engañó sobre su situación; le hizo saber que sólo podía ofrecerle una vida de esfuerzo y trabajo, pero honorable y menos penosa que la de su aldea de Japón. Tuvieron cuatro hijos, Charles, Megumi y James; años más tarde, cuando Heideko creía que había perdido la fertilidad, les llegó Ichimei en 1932, prematuro y tan débil, que lo dieron por perdido y no tuvo nombre en sus primeros meses. Su madre lo fortaleció como pudo con infusiones de hierbas, sesiones de acupuntura y agua fría, hasta que milagrosamente empezó a dar muestras de que iba a sobrevivir. Entonces le dieron un nombre japonés, a diferencia de sus hermanos, que recibieron nombres anglos, fáciles de pronunciar en América. Lo llamaron Ichimei, que quiere decir: vida, luz, brillo o estrella, según el *kanji* o ideograma que se use para escribirlo. Desde los tres años el niño nadaba como congrio, primero en piscinas locales y después en las aguas heladas de la bahía de San Francisco. Su padre le templó el carácter con el trabajo físico, el amor a las plantas y las artes marciales.

En la época en que nació Ichimei, la familia Fukuda sorteaba a duras penas los peores años de la Depresión. Arrendaban tierra en los alrededores de San Francisco, donde cultivaban vegetales y árboles frutales para abastecer mercados locales. Takao redondeaba sus ingresos trabajando para los Belasco, la primera familia que le dio empleo cuando él se independizó del compatriota que lo inició en la jardinería. Su buena reputación le sirvió para que Isaac Belasco lo llamara para hacer el jardín de una propiedad que había adquirido en Sea Cliff, donde pensaba construir una casa para albergar a sus descendientes por cien años, como dijo en broma al arquitecto, sin imaginar que iba a resultar cierto. A su bufete de abogado nunca le faltaban ingresos, porque representaba a la Compañía Occidental de Trenes y Navegación de California; Isaac era de los pocos hombres de empresa que no sufrió durante la crisis económica. Tenía su dinero en oro y lo invirtió en botes de pesca, un aserradero, talleres mecánicos, una lavandería y otros negocios similares. Lo hizo pensando en emplear a algunos de los desesperados que hacían cola por un plato de sopa en los comedores de caridad, para aliviarles la miseria, pero su propósito altruista le aportó inesperados beneficios. Mientras edificaban la casa de acuerdo a los caprichos desordenados de su mujer, Isaac compartía con Takao su sueño de reproducir la naturaleza de otras latitudes en una colina de peñascos expuesta a la niebla y el viento. En el proceso de trasladar al papel esa visión desquiciada, Isaac Belasco y Takao Fukuda desarrollaron una respetuosa relación. Juntos leyeron los catálogos, seleccionaron y encargaron a otros continentes los árboles y las plantas, que llegaron envueltos en sacos mojados con su tierra original adherida a las raíces; juntos descifraron las instrucciones del manual y armaron el invernadero de cristal traído de Londres, pieza a pieza, como un rompecabezas; y juntos habrían de mantener vivo aquel ecléctico jardín del Edén.

La indiferencia de Isaac Belasco por la vida social y por la mayoría de los asuntos familiares, que delegaba por completo en manos de Lillian, se compensaba con una pasión irrefrenable por la botánica. No fumaba ni bebía, carecía de vicios conocidos o tentaciones irresistibles; era incapaz de apreciar la música o la buena mesa y si Lillian se lo hubiera permitido, se habría alimentado con el mismo pan grueso y sopa de pobre de los desempleados de la Depresión, de pie en la cocina. Un hombre así resultaba inmune a la corrupción y la vanidad. Lo suyo eran la inquietud intelectual, la pasión para defender a sus clientes mediante artilugios de litigante y la debilidad secreta de ayudar a los necesitados; pero ninguno de esos placeres se comparaban con el de la jardinería. Un tercio de su biblioteca estaba destinado a la botánica. Su ceremoniosa amistad con Takao Fukuda, basada en mutua admiración y amor por la naturaleza, llegó a ser fundamental para su tranquilidad de espíritu, el bálsamo necesario para sus frustraciones con la ley. En su jardín, Isaac Belasco se transformaba en humilde aprendiz del maestro japonés, quien le revelaba los secretos del mundo vegetal, que a menudo los libros de botánica no aclaraban. Lillian adoraba a su marido y lo cuidaba con diligencia de enamorada, pero nunca lo deseaba tanto como al verlo desde el balcón, trabajando codo a codo con el jardinero. Con mono de trabajo, botas y sombrero de paja, sudando a pleno sol o mojado por la llovizna, Isaac rejuvenecía y a los ojos de Lillian volvía a ser el novio apasionado que la había seducido a los diecinueve años o el recién casado que la asaltaba en la escalera, antes de llegar a la cama.

Dos años después de que Alma llegara a vivir a su casa, Isaac Belasco se asoció con Takao Fukuda para establecer un vivero de flores y plantas decorativas, con el sueño de convertirlo en el mejor de California. Lo primero sería comprar unas parcelas a nombre de Isaac, como una forma de hacerle el quite a la ley promulgada en 1913, que impedía a los *Isei* obtener ciudadanía, poseer tierra o comprar propiedades. Para Fukuda se trataba de una oportunidad única y para Belasco de una inversión prudente, como otras que había hecho durante los años dramáticos de la Depresión. Nunca le interesaron los vaivenes de la Bolsa de Valores, prefería invertir en fuentes de trabajo. Ambos hombres se asociaron en el entendido de que cuando Charles, el hijo mayor de Takao, alcanzara la mayoría de edad y los Fukuda pudieran comprarle su parte a Belasco, al precio del momento, traspasarían el criadero a nombre de Charles y darían por terminada la sociedad. Charles, por ser nacido en Estados Unidos, era ciudadano americano. Fue un acuerdo de caballeros sellado con un simple apretón de manos.

Al jardín de los Belasco no llegaban ecos de la campaña de difamación contra los japoneses, a quienes la propaganda acusaba de competir deslealmente con los agricultores y pescadores americanos, amenazar la virtud de las mujeres blancas con su insaciable lujuria y corromper a la sociedad con sus costumbres orientales y anticristianas. Alma no supo de esos prejuicios hasta dos años más tarde de su llegada a San Francisco, cuando de la noche a la mañana los Fukuda se convirtieron en peligro amarillo. Para entonces ella e Ichimei eran amigos inseparables.

El ataque por sorpresa del Imperio del Japón a Pearl Harbor, en diciembre de 1941, destruyó dieciocho buques de la flota, dejó un saldo de dos mil quinientos muertos y mil heridos y cambió en menos de veinticuatro horas la mentalidad aislacionista de los estadounidenses. El presidente Roosevelt declaró la guerra a Japón y pocos días después Hitler y Mussolini, aliados con el Imperio del Sol Naciente, se la declararon a Estados Unidos. El país se movilizó para participar en esa guerra, que ensangrentaba a Europa desde hacía dieciocho meses. La reacción masiva de terror que provocó el ataque de Japón entre los americanos fue avivada por una campaña histérica de prensa, advirtiendo sobre la inminente invasión de los «amarillos» en la costa del Pacífico. Se exacerbó un odio que ya existía desde hacía más de un siglo hacia los asiáticos. Japoneses que habían vivido muchos años en el país, sus hijos y nietos, pasaron a ser sospechosos de espionaje y de colaborar con el enemigo. Las redadas y detenciones comenzaron pronto. Bastaba un radio de onda corta en un bote, único medio de comunicación de los pescadores con tierra, para detener al dueño. La dinamita empleada por los campesinos para arrancar troncos y rocas de los potreros de sembradío se consideraba prueba de terrorismo. Confiscaron desde escopetas de perdigones hasta cuchillos de cocina y herramientas de trabajo; también binoculares, cámaras fotográficas, estatuillas religiosas, quimonos ceremoniales o documentos en otra lengua. Dos meses después Roosevelt firmó la orden de evacuar por razones de seguridad militar, a toda persona de origen japonés de la costa del Pacífico —California, Oregón, Washington—, donde las tropas amarillas podían llevar a cabo la temida invasión. También se declararon zonas militares Arizona, Idaho, Montana, Nevada y Utah. El ejército contaba con tres semanas para construir los refugios necesarios.

En marzo San Francisco amaneció tapizado con avisos de evacuación de la población japonesa, cuyo significado Takao y

Heideko no comprendieron, pero su hijo Charles se lo explicó. De partida, no podían salir de un radio de ocho kilómetros de sus casas sin un permiso especial y debían ceñirse al toque de queda nocturno, desde las ocho de la tarde hasta las seis de la mañana. Las autoridades comenzaron a allanar casas y confiscar bienes, arrestaron a los hombres influyentes que podrían incitar a la traición, jefes de comunidades, directores de empresas, profesores, pastores religiosos, y se los llevaron con destino desconocido; atrás quedaron mujeres y niños despavoridos. Los japoneses tuvieron que vender deprisa y a precio de ganga lo que poseían y cerrar sus locales comerciales. Pronto descubrieron que sus cuentas bancarias habían sido bloqueadas; estaban arruinados. El vivero de Takao Fukuda e Isaac Belasco no alcanzó a hacerse realidad.

En agosto habían desplazado a más de ciento veinte mil hombres, mujeres y niños; estaban arrancando a ancianos de hospitales, bebés de orfanatos y enfermos mentales de asilos para internarlos en diez campos de concentración en zonas aisladas del interior, mientras en las ciudades quedaban barrios fantasmagóricos de calles desoladas y casas vacías, donde vagaban las mascotas abandonadas y los espíritus confusos de los antepasados llegados a América con los inmigrantes. La medida estaba destinada a proteger la costa del Pacífico, tanto como a los japoneses, que podían ser víctimas de la ira del resto de la población; era una solución temporal y se cumpliría de forma humanitaria. Ése era el discurso oficial, pero el lenguaje del odio ya se había extendido. «Una víbora es siempre una víbora, dondequiera que ponga sus huevos. Un japonés americano nacido de padres japoneses, formado en las tradiciones japonesas, viviendo en un ambiente trasplantado de Japón, inevitablemente y con las más raras excepciones crece como japonés y no como americano. Todos son enemigos.» Bastaba tener un bisabuelo nacido en Japón para entrar en la categoría de víbora.

Apenas Isaac Belasco supo de la evacuación, se presentó donde Takao a ofrecerle ayuda y asegurarle que su ausencia sería breve; porque la evacuación era anticonstitucional y violaba los principios de la democracia. El socio japonés respondió con una inclinación desde la cintura, profundamente conmovido por la amistad de ese hombre, porque en esas semanas su familia había sufrido insultos, desprecios y agresiones de otros blancos. *Shikata ga nai*, qué le vamos a hacer, respondió Takao. Era el lema de su gente en la adversidad. Ante la insistencia de Belasco se atrevió a pedirle un favor particular: que le permitiera enterrar la espada de los Fukuda en el jardín de Sea Cliff. Había logrado esconderla de los agentes que le allanaron la casa, pero no estaba en lugar seguro. La espada representaba el coraje de sus antepasados y la sangre vertida por el Emperador, no podía quedar expuesta a ninguna forma de deshonor.

Esa misma noche los Fukuda, vestidos con quimonos blancos de la religión Oomoto, fueron a Sea Cliff, donde Isaac y su hijo Nathaniel los recibieron de traje oscuro, con los *yarmulkes* que usaban en las raras ocasiones en que iban a la sinagoga. Ichimei traía a su gato en un canasto tapado con un paño y se lo entregó a Alma para que se lo cuidara por un tiempo.

—¿Cómo se llama? —le preguntó la niña.

—Neko. En japonés quiere decir gato.

Lillian, acompañada de sus hijas, sirvió té a Heideko y Megumi en uno de los salones del primer piso, mientras Alma, sin comprender lo que sucedía, pero consciente de la solemnidad del momento, seguía a los hombres escabulléndose entre las sombras de los árboles, con el canasto del gato en los brazos. Desfilaron cerro abajo por las terrazas del jardín, alumbrándose con lámparas de parafina, hasta el sitio frente al mar, donde habían preparado una zanja. Delante iba Takao con la espada en los brazos, envuelta en seda blanca, seguido por su primogénito, Charles, con el estuche metálico que habían mandado hacer para protegerla; James e Ichimei iban detrás y cerraban el cortejo Isaac y Nathaniel Belasco. Takao, con lágrimas que no intentaba disimular, rezó durante varios minutos, enseguida colocó el arma en el estuche sostenido por su hijo mayor y se postró de rodillas, con la frente en la tierra, mientras Charles y James bajaban la katana al hueco e Ichimei le esparcía encima puñados de tierra. Después cubrieron el enterramiento y allanaron el suelo con palas. «Mañana plantaré crisantemos blancos para marcar el sitio», dijo Isaac Belasco con la voz ronca de emoción, ayudando a Takao a ponerse de pie.

Alma no se atrevió a correr hasta Ichimei porque adivinó que existía una razón imperiosa para excluir a las mujeres de esa ceremonia. Esperó a que los hombres volvieran a la casa para atrapar a Ichimei y arrastrarlo a un rincón encubierto. El chico le explicó que no volvería el sábado siguiente ni ningún otro día por algún tiempo, tal vez varias semanas o meses, y que tampoco podrían hablar por teléfono. «¿Por qué? ¿Por qué?», le gritó Alma, sacudiéndolo, pero Ichimei no pudo responderle. Él tampoco sabía por qué debían partir ni adónde.

El peligro amarillo

Los Fukuda tapiaron las ventanas y pusieron un candado en la puerta de la calle. Habían pagado el alquiler de todo el año, más una cuota destinada a comprar la casa tan pronto pudieran ponerla a nombre de Charles. Regalaron lo que no pudieron o no quisieron vender, porque los especuladores les ofrecían dos o tres dólares por objetos que valían veinte veces más. Tuvieron muy pocos días para disponer de sus bienes, hacer una maleta por persona y lo que pudieran cargar, y presentarse a los buses de la vergüenza. Debían internarse voluntariamente, de lo contrario serían arrestados y se enfrentarían a los cargos de espionaje y traición en tiempo de guerra. Se unieron a otros cientos de familias, que se dirigían a paso lento, vestidos con sus mejores ropas, las mujeres con sombrero, los hombres de corbata, los niños con botines de charol, hacia el Centro de Control Civil, donde habían sido convocados. Se entregaban porque no había alternativa y porque así demostraban su lealtad a Estados Unidos y su repudio al ataque de Japón. Era su contribución al esfuerzo de la guerra, como decían los dirigentes de la comunidad japonesa, y muy pocas voces se alzaron para contradecirlos. A los Fukuda les tocó el campo de Topaz, en una zona desértica de Utah, pero eso no lo sabrían hasta septiembre; pasarían seis meses esperando en un hipódromo.

Los *Isei*, habituados a la discreción, obedecieron las órdenes sin chistar, pero no pudieron impedir que algunos jóvenes de la segunda generación, *Nisei*, se rebelaran abiertamente; ésos fueron separados de sus familias y enviados a Tule Lake, el campo de concentración más riguroso, donde sobrevivirían como criminales durante los años de la guerra. A lo largo de las calles los blancos eran testigos de esa desgarradora procesión de personas que conocían: los dueños del almacén donde hacían sus compras diarias, los pescadores, jardineros y carpinteros con quienes trataban, los compañeros de escuela de sus hijos, los vecinos. La mayoría observaba en turbado silencio, pero no faltaron algunos insultos racistas y burlas malévolas. Dos tercios de los evacuados en esos días habían nacido en el país, eran ciudadanos estadounidenses. Los japoneses esperaron horas en largas filas frente a las mesas de los agentes, que los inscribían y les entregaban etiquetas para colgarse al cuello con el número de identificación, el mismo de sus bultos. Un grupo de cuáqueros, opuestos a esa medida por considerarla racista y anticristiana, les ofrecían agua, sándwiches y fruta.

Takao Fukuda iba a subir con su familia al bus cuando llegó Isaac Belasco con Alma de la mano. Había recurrido al peso de su autoridad para intimidar a los agentes y a los soldados que quisieron detenerle. Estaba hondamente alterado, porque no podía menos que comparar lo que estaba sucediendo a pocas cuadras de su casa con lo que tal vez les había ocurrido a sus cuñados en Varsovia. Se abrió paso a empujones para abrazar estrechamente a su amigo y entregarle un sobre con dinero, que Takao intentó inútilmente rechazar, mientras Alma se despedía de Ichimei. «Escríbeme, escríbeme», fue lo último que se dijeron los niños antes de que la triste culebra de autobuses emprendiera la marcha.

Al cabo de un trayecto que les pareció muy largo, aunque duró poco más de una hora, los Fukuda llegaron al hipódromo de Tanforan, en la ciudad de San Bruno. Las autoridades habían cercado el recinto con alambre de espino, acondicionado a toda prisa los establos y construido barracas para albergar a ocho mil personas. La orden de evacuación había sido tan precipitada que no hubo tiempo de terminar las instalaciones ni proveer a los campamentos con lo necesario. Se apagaron los motores de los vehículos y los prisioneros comenzaron a descender, cargando niños y bultos, ayudando a los abuelos. Avanzaban mudos, en apretados grupos, vacilantes, sin entender los chillidos de los destemplados altoparlantes. La lluvia había convertido el suelo en un lodazal y empapaba a la gente y al equipaje.

Unos guardias armados separaron a los hombres de las mujeres para el control médico. Más tarde fueron vacunados contra el tifus y el sarampión. En las horas siguientes los Fukuda trataron de recuperar sus pertenencias entre montañas de bultos en total confusión y se instalaron en el establo vacío que les asignaron. Telas de araña colgaban del techo, había cucarachas, ratones y un palmo de polvo y paja en el suelo; el olor a los animales perduraba en el aire, mezclado con la creosota con que habían intentado desinfectar. Contaban con un catre, un saco y dos frazadas del ejército por persona. Takao, aturdido de fatiga y humillado hasta el último resquicio del alma, se sentó en el suelo con los codos en las rodillas y la cabeza entre las manos. Heideko se quitó el sombrero y los zapatos, se colocó sus chancletas, se arremangó y se dispuso a sacarle el mejor partido posible a la desgracia. No les dio tiempo a los hijos de lamentarse; primero los puso a montar los catres de campaña y a barrer, después mandó a Charles y a James a recoger pedazos de tablas y palos, que había visto al llegar, restos de la improvisada construcción, para fabricar unas repisas donde poner los escasos trastos de cocina que habían llevado. A Megumi e Ichimei les encargó llenar los sacos con paja para hacer colchones, según las instrucciones recibidas, y ella se fue a recorrer las instalaciones, saludar a las otras mujeres y tomarles el pulso a los guardias y agentes del campo, que estaban tan desconcertados como los detenidos a su cargo, preguntándose cuánto tiempo tendrían que permanecer allí. Los únicos enemigos evidentes que Heideko detectó en su primera inspección fueron los traductores coreanos, que calificó de odiosos con los evacuados y zalameros con los oficiales americanos. Comprobó que las letrinas y duchas eran insuficientes y no tenían puertas; había cuatro bañeras para las mujeres y el agua caliente no alcanzaba para todos. Se había abolido el derecho a la privacidad. Pero supuso que no pasarían hambre, porque vio los camiones de provisiones y se enteró de que en los comedores servirían tres comidas diarias a partir de esa misma tarde.

La cena consistió en papas, salchichas y pan, pero las salchichas se acabaron antes de que les llegara el turno a los Fukuda. «Vuelvan más tarde», les sopló uno de los japoneses que servía. Heideko y Megumi esperaron a que el comedor se desocupara y consiguieron una lata de picadillo de carne y más papas, que se llevaron al cuarto de su familia. Esa noche, Heideko comenzó una lista mental de los pasos que había que seguir para que la estadía en el hipódromo fuera llevadera. En la lista figuraban en primer lugar la dieta y en el último, entre paréntesis, porque dudaba seriamente de que lo lograría, cambiar a los intérpretes. No pegó ojo en toda la noche y con el primer rayo del amanecer que se coló por las rendijas del establo sacudió a su marido, que tampoco había dormido y seguía inmóvil. «Aquí hay mucho que hacer, Takao. Necesitamos representantes para negociar con las autoridades. Ponte la chaqueta y ve a reunir a los hombres.»

Los problemas empezaron de inmediato en Tanforan, pero antes de terminar la semana los evacuados se habían organizado, habían elegido por votación democrática a sus representantes, entre los cuales se contaba Heideko Fukuda, que era la única mujer, habían registrado a los adultos por oficio y habilidad —maestros, agricultores, carpinteros, herreros, contadores, médicos…—, inaugurado una escuela sin lápices ni cuadernos, y programado deportes y otras actividades para mantener ocupados a los jóvenes, que se consumían de frustración y ocio. Se vivía en cola de día y de noche, cola para todo: la ducha, el hospital, la lavandería, los servicios religiosos, el correo y los tres turnos del comedor; siempre debían echar mano de mucha paciencia para evitar tumultos y peleas. Había toque de queda, se pasaba lista de la gente dos veces al día y se prohibía el uso de la lengua japonesa, algo imposible para los *Isei*. Para impedir que intervinieran los guardias, los mismos detenidos se encargaban de mantener el orden y controlar a los revoltosos, pero nadie podía evitar los rumores que circulaban como torbellinos y a veces provocaban pánico. La gente procuraba mantener la cortesía, para que la estrechez, la promiscuidad y la humillación fueran más tolerables.

Seis meses más tarde, el 11 de septiembre, comenzaron a trasladar a los detenidos en trenes. Nadie sabía adónde irían. Después de un día y dos noches en trenes destartalados, sofocantes, con insuficientes excusados, sin luz en la noche, atravesando paisajes desolados que no reconocían y que varios viajeros confundían con México, se detuvieron en la estación de Delta, en Utah. De allí siguieron en camiones y buses a Topaz, la Joya del Desierto, como habían nombrado al campo de concentración, posiblemente sin intención de ironía. Los evacuados estaban medio muertos de fatiga, sucios y temblorosos, pero no habían pasado hambre ni sed, porque les distribuyeron sándwiches y en cada vagón había canastos con naranjas.

Topaz, a casi mil cuatrocientos metros de altura, era una horrenda ciudad de construcciones idénticas y chatas, como una improvisada base militar, cercada de alambre de espino, con altas torres de control y soldados armados, en un paraje árido y desamparado, azotado por el viento y atravesado por remolinos de polvo. Los otros campos de concentración para japoneses, en el oeste del país, eran similares y siempre situados en zonas desérticas, para desalentar cualquier intento de huida. No se vislumbraba un árbol, ni un matorral, nada verde por ningún lado. Sólo hileras de barracones oscuros extendiéndose hacia el horizonte hasta donde se perdía la vista. Las familias se mantenían juntas, sin soltarse de las manos, para no perderse en la confusión. Todos necesitaban usar las letrinas y nadie sabía dónde estaban. A los guardias les costó varias horas organizar a la gente, porque tampoco ellos entendían las instrucciones, pero finalmente distribuyeron los alojamientos.

Los Fukuda, desafiando la polvareda que nublaba el aire y hacía difícil respirar, encontraron su lugar. Cada barraca estaba dividida en seis unidades de cuatro por siete metros, una por familia, separadas por delgados tabiques de papel de alquitrán; había doce barracas por bloque, cuarenta y dos bloques en total, cada uno de los cuales contaba con comedor, lavandería, duchas y excusados. El campo ocupaba un área enorme, pero los ocho mil evacuados vivían en poco más de dos kilómetros cuadrados. Pronto los prisioneros descubrirían que la temperatura oscilaba entre un calor de hoguera en verano y varios grados bajo cero en invierno. En verano, además del calor terrible, debían soportar el ataque sostenido de los mosquitos y las tormentas de polvo, que oscurecían el cielo y abrasaban los pulmones. El viento soplaba por igual en cualquier época del año, arrastrando la fetidez de las aguas fecales que formaban un pantano a un kilómetro del campamento.

Tal como habían hecho en el hipódromo de Tanforan, los japoneses se organizaron rápidamente en Topaz. En pocas semanas había escuelas, guarderías infantiles, centros deportivos y un periódico. Con pedazos de madera, piedras y restos de la construcción creaban arte: hacían bisutería con conchas fosilizadas y huesos de durazno, rellenaban con trapos muñecas, hacían juguetes con palos. Formaron una biblioteca con libros donados, crearon compañías de teatro y bandas de música. Ichimei convenció a su padre de que podían plantar vegetales en cajones, a pesar del clima despiadado y la tierra alcalina. Eso animó a Takao y pronto otros lo imitaron. Varios *Isei* decidieron formar un jardín decorativo y cavaron un hoyo, lo llenaron de agua y obtuvieron un estanque para deleite de los niños. Ichimei, con sus dedos mágicos, construyó un velero de madera que puso a flotar en el estanque y en menos de cuatro días había docenas de botecitos haciendo carreras. Las cocinas de cada sector estaban a cargo de los detenidos, que hacían prodigios con provisiones secas y en conserva, traídas de los pueblos más cercanos, y más tarde con los vegetales que lograron cosechar al año siguiente, regando las matas a cucharadas. No estaban acostumbrados a ingerir grasa ni azúcar y muchos enfermaron, como Heideko había previsto. Las colas del retrete se extendían por cuadras; era tanta la urgencia y la angustia, que ya nadie esperaba las sombras de la noche para paliar la falta de privacidad. Se taparon las letrinas con las heces de miles de pacientes y el rudimentario hospital, atendido por personal blanco y por médicos y enfermeras japoneses, no daba abasto.

Una vez que se terminaron los restos de madera para hacer muebles y se hubieron asignado tareas a quienes la impaciencia roía los intestinos, la mayoría de los evacuados se hundió en el tedio. Los días se hacían eternos en esa ciudad de pesadilla vigilada de cerca por aburridos centinelas en las torres y de lejos por las magníficas montañas de Utah, todos los días iguales, nada que hacer, colas y más colas, esperar el correo, gastar las horas jugando a las cartas, inventar tareas de hormiga, repetir las mismas conversaciones, que iban perdiendo sentido a medida que se gastaban las palabras. Las costumbres ancestrales fueron desapareciendo, los padres y abuelos vieron diluirse su autoridad, los cónyuges estaban atrapados en una convivencia sin intimidad y las familias empezaron a desmigajarse. Ni siquiera podían reunirse en torno a la mesa de la cena, se comía en el bochinche de los comedores comunes. Por mucho que Takao insistiera en que los Fukuda se sentaran juntos, sus hijos preferían hacerlo con otros muchachos de su edad y costaba sujetar a Megumi, quien se había transformado en una belleza de mejillas arreboladas y ojos centelleantes. Los únicos inmunes a los estragos de la desesperación eran los niños, que andaban en manadas, ocupados en travesuras mínimas y aventuras imaginarias fingiendo que estaban de vacaciones.

El invierno llegó pronto. Cuando comenzó a nevar, se entregó una estufa de carbón a cada familia, que se convirtió en el centro de la vida social, y se distribuyó ropa militar en desuso.

Esos uniformes verdes, desteñidos y demasiado grandes, eran tan deprimentes como el paisaje helado y las barracas negras. Las mujeres empezaron a hacer flores de papel para sus viviendas. En las noches no había forma de combatir el viento, que arrastraba laminillas de hielo, se colaba silbando por las rendijas de las barracas y levantaba los tejados. Los Fukuda, como el resto, dormían vestidos con todas sus prendas de ropa, envueltos en el par de frazadas que les habían asignado y abrazados en los catres de campaña para impartirse tibieza y consuelo. Meses después, en verano, dormirían casi desnudos y amanecerían cubiertos de arena color ceniza, fina como talco. Pero se sentían afortunados, porque estaban juntos. Otras familias habían sido separadas; primero se habían llevado a los hombres a un campo de reubicación, como los llamaron, y después les tocó a las mujeres y a los niños en otro; en algunos casos habrían de pasar dos o tres años antes de que pudieran reunirse.

La correspondencia entre Alma e Ichimei sufrió tropiezos desde el comienzo. Las cartas se retrasaban semanas, no por culpa del correo sino por la demora de los funcionarios de Topaz, que no daban abasto para leer los centenares de cartas que se apilaban diariamente en sus mesas. Las de Alma, cuyo contenido no ponía en peligro la seguridad de Estados Unidos, pasaban íntegras, pero las de Ichimei padecían tales mordiscos de la censura, que ella debía adivinar el sentido de las frases entre las barras de tinta negra. Las descripciones de las barracas, la comida, las letrinas, el trato de los guardias y hasta del clima, resultaban sospechosas. Por consejo de otros más avezados en el arte de la decepción, Ichimei salpicaba sus cartas de alabanzas a los americanos y exclamaciones patrióticas, hasta que las náuseas lo hicieron desistir de esa táctica. Entonces optó por dibujar. Le había costado más de lo normal aprender a leer y escribir, a los diez años no dominaba completamente las letras, que se le mezclaban sin consideración por la ortografía, pero siempre tuvo ojo certero y pulso firme para el dibujo. Sus ilustraciones pasaban la censura sin tropiezos y así se enteraba Alma de los pormenores de su existencia en Topaz como si los viera en fotografías.

Ayer hablamos de Topaz y no te mencioné lo más importante, Alma: no todo fue negativo. Teníamos fiestas, deporte, arte. Comíamos pavo el Día de Acción de Gracias, decorábamos las barracas por Navidad. De afuera nos mandaban paquetes con golosinas, juguetes y libros. Mi madre andaba siempre ocupada con nuevos planes, era respetada por todos, también por los blancos. Megumi estaba enamorada y eufórica con su trabajo en el hospital. Yo pintaba, plantaba en el huerto, arreglaba cosas descompuestas. Las clases eran tan cortas y fáciles, que hasta yo sacaba buenas notas. Jugaba casi todo el día; había muchos niños y centenares de perros sin dueño, todos parecidos, de patas cortas y pelo duro. Los que sufrieron más fueron mi padre y James.

Después de la guerra, la gente de los campos se distribuyó por el país. Los jóvenes se independizaron, se acabó eso de vivir aislados en una mala imitación de Japón. Nos incorporamos a América.

Estoy pensando en ti. Cuando nos veamos te prepararé té y conversaremos.

Ichi

Irina, Alma y Lenny

L as dos mujeres estaban almorzando en la rotonda de Neiman Marcus, en la plaza de la Unión, en la luz dorada de la antigua cúpula de vitrales, donde iban más que nada por los *popovers*, un pan tibio, esponjoso y ligero que servían recién salido del horno, y el champán rosado, que Alma prefería. Irina pedía limonada y ambas brindaban por la buena vida. En silencio, para no ofender a Alma, Irina brindaba también por el dinero de los Belasco, que le permitía el lujo de ese momento, con música suave, entre compradoras elegantes, modelos espigadas desfilando con ropa de los grandes modistos para tentar a la clientela, y camareros obsequiosos de corbata verde. Era un mundo refinado, lo opuesto de su aldea de Moldavia, de la escasez de su infancia y del terror de su adolescencia. Comían con calma, saboreando los platos de influencia asiática y repitiéndose los *popovers*. Con la segunda copa de champán las evocaciones de Alma se desataban; en esa ocasión volvió a referirse a Nathaniel, su marido, que estaba presente en muchas de sus historias; se las había arreglado para mantenerlo vivo en la memoria durante tres décadas. Seth recordaba vagamente a ese abuelo como un esqueleto exangüe de ojos ardientes entre almohadones de plumas. Tenía apenas cuatro años cuando finalmente se apagó la mirada dolida de su abuelo, pero nunca se le olvidó el olor a medicamentos y vapor de eucalipto de su habitación. Alma le contó a Irina que Nathaniel fue tan bondadoso como su padre, Isaac Belasco, y que cuando murió, ella encontró entre sus papeles cientos de pagarés vencidos por préstamos que nunca cobró e instrucciones precisas de perdonar a sus muchos deudores. Ella no estaba preparada para hacerse cargo de los asuntos que él descuidó durante su devastadora enfermedad.

—En toda mi vida nunca me he ocupado de cuestiones de dinero. Curioso, ¿verdad?

—Ha tenido suerte. Casi toda la gente que conozco tiene preocupaciones de dinero. Los residentes de Lark House viven con lo justo, algunos no pueden comprar medicamentos.

—¿No tienen seguro médico? —preguntó Alma, extrañada.

—El seguro cubre una parte, no todo. Si la familia no los ayuda, el señor Voigt tiene que recurrir a unos fondos especiales de Lark House.

—Voy a hablar con él. ¿Por qué no me lo habías dicho, Irina?

—Usted no puede resolver todos los casos, Alma.

—No, pero la Fundación Belasco puede hacerse cargo del parque de Lark House. Voigt se ahorraría un montón de dinero que podría emplear en ayudar a los residentes más necesitados.

—El señor Voigt se va a desmayar en sus brazos cuando se lo proponga, Alma.

—¡Qué horror! Espero que no.

—Siga contándome. ¿Qué hizo cuando murió su marido?

—Estaba a punto de ahogarme entre papeles cuando me fijé en Larry. Mi hijo había vivido juiciosamente en la sombra y se había convertido en un señor circunspecto y responsable sin que nadie lo advirtiera.

Larry Belasco se había casado joven, con prisas y sin festejos, por la enfermedad de su padre y porque su novia, Doris, estaba visiblemente encinta. Alma admitía que en esa época estaba absorta en el cuidado de su marido y apenas se dio tiempo para conocer mejor a su nuera, aunque vivían bajo el mismo techo, pero la quería mucho, porque aparte de sus virtudes, adoraba a Larry y era la madre de Seth, ese mocoso travieso que andaba con brincos de canguro espantando la tristeza de la casa, y de Pauline, una niña reposada, que se entretenía sola y parecía no necesitar nada.

—Igual que nunca tuve que ocuparme del dinero, tampoco tuve el fastidio de las labores domésticas. Mi suegra se hizo cargo de la casa de Sea Cliff hasta su último suspiro, a pesar de su ceguera, y después tuvimos un mayordomo. Parecía una caricatura de esos personajes de las películas inglesas. El tipo era tan estirado, que en la familia siempre sospechamos que se burlaba de nosotros.

Le contó que el mayordomo estuvo once años en Sea Cliff y se fue cuando Doris se atrevió a darle consejos sobre su trabajo. «Ella o yo», le planteó el hombre a Nathaniel, quien ya no se levantaba de la cama y tenía muy poca fuerza para lidiar con esos problemas, pero era quien contrataba a los empleados. Ante semejante ultimátum, Nathaniel escogió a su flamante nuera, quien a pesar de su juventud y su panza de siete meses, demostró ser un ama de casa competente. En tiempos de Lillian la mansión se llevaba con buena voluntad e improvisación y con el mayordomo los únicos cambios notables fueron el retraso para servir cada plato en la mesa y la mala cara del cocinero, que no lo tragaba. Bajo la implacable batuta de Doris, se convirtió en un ejemplo de preciosismo en el que nadie se sentía particularmente cómodo. Irina había visto el resultado de su eficacia: la cocina era un laboratorio impoluto, en los salones no entraban los niños, los armarios olían a lavanda, las sábanas se almidonaban, la comida de diario consistía en platos de fantasía en porciones minúsculas y los ramos de flores eran renovados una vez a la semana por una florista profesional, pero no le daban un aire festivo a la casa, sino que imponían solemnidad de pompas fúnebres. Lo único que la varilla mágica de la domesticidad había respetado era la habitación vacía de Alma, por quien Doris sentía un temor reverente.

—Cuando Nathaniel enfermó, Larry se puso a la cabeza del bufete de los Belasco —continuó Alma—. Desde el principio lo hizo muy bien. Y cuando Nathaniel murió yo pude delegar en él las finanzas de la familia y dedicarme a resucitar la Fundación Belasco, que estaba moribunda. Los parques públicos se habían ido secando, llenos de basura, agujas y condones desechados. Se habían instalado los mendigos, con sus carritos atiborrados de bultos inmundos y sus techumbres de cartón. No sé nada de plantas, pero me volqué en los jardines por cariño a mi suegro y a mi marido. Para ellos eso era una misión sagrada.

—Parece que todos los hombres de su familia han sido de buen corazón, Alma. Hay poca gente así en este mundo.

—Hay mucha gente buena, Irina, pero es discreta. Los malos, en cambio, hacen mucho ruido, por eso se notan más. Tú conoces poco a Larry, pero si alguna vez necesitas algo y yo no estoy a mano, no vaciles en recurrir a él. Mi hijo es muy buen tipo y no te va a fallar.

—Es muy serio, creo que no me atrevería a molestarlo.

—Siempre fue serio. A los veinte años parecía de cincuenta, pero se congeló en esa edad y ha envejecido igual. Fíjate que en todas las fotografías tiene la misma expresión preocupada y los hombros caídos.

Hans Voigt había establecido un sistema simple para que los residentes de Lark House calificaran el trabajo del personal y le intrigaba que Irina siempre obtuviera nota de excelencia. Supuso que su secreto consistía en escuchar el mismo cuento mil veces como si lo oyera por primera vez, esas historias que los ancianos repetían para acomodar el pasado y crear una imagen aceptable de sí mismos, borrando sus remordimientos y exaltando sus virtudes reales o inventadas. Nadie desea terminar la vida con un pasado banal. Pero la fórmula de Irina era más compleja; para ella cada uno de los ancianos de Lark House era una réplica de sus abuelos, Costea y Petruta, a quienes invocaba por la noche antes de dormirse, pidiéndoles que la acompañaran en la oscuridad, tal como habían hecho en su infancia. Se había criado con ellos, cultivando un pedazo de tierra desagradecida en un villorrio remoto de Moldavia, donde no llegaban las llamas del progreso. La mayor parte de la población todavía vivía del campo y seguía labrando la tierra como hicieron sus antepasados un siglo atrás. Irina tenía dos años cuando cayó el Muro de Berlín en 1989 y cuatro cuando acabó de desmoronarse la Unión Soviética y su país se convirtió en república independiente, dos acontecimientos que nada significaban para ella, pero que sus abuelos lamentaban en coro con sus vecinos. Todos coincidían en que bajo el comunismo la pobreza era la misma, pero había alimento y seguridad, mientras que la independencia sólo les había traído ruina y abandono. Quienes pudieron irse lejos lo hicieron, entre ellos Radmila, la madre de Irina, y sólo quedaron atrás los viejos y los niños que sus padres no pudieron llevarse. Irina recordaba a sus abuelos encorvados por el esfuerzo de cultivar papas, arrugados por el sol de agosto y las heladas de enero, cansados hasta el tuétano, con pocas fuerzas y ninguna esperanza. Concluyó que el campo era fatal para la salud. Ella era la razón de los abuelos para seguir luchando, su única alegría, aparte del vino tinto hecho en casa, un brebaje áspero como disolvente de pintura, que les permitía sobreponerse por un rato a la soledad y el tedio.

Al amanecer, antes de irse a pie a la escuela, Irina acarreaba los baldes de agua del pozo y por la tarde, antes de la sopa y el pan de la cena, cortaba leña para la estufa. Pesaba cincuenta kilos vestida de invierno y con botas, pero tenía fuerza de soldado y podía levantar a Cathy, la favorita entre sus clientes, como a un recién nacido para trasladarla de la silla de ruedas a un sofá o a la cama. Debía sus músculos a los baldes de agua y al hacha y le debía la buena suerte de estar viva a santa Parescheva, patrona de Moldavia, intermediaria entre la tierra y los seres benéficos del cielo. En las noches de su infancia rezaba con sus abuelos de rodillas ante el icono de la santa; rezaban por la cosecha de papas y la salud de las gallinas, rezaban pidiendo protección contra maleantes y militares, rezaban por su frágil república y por Radmila. Para la niña, la santa de manto azul, con aureola de oro y una cruz en la mano, resultaba más humana que la silueta de su madre en una fotografía desteñida. Irina no la echaba de menos, pero se entretenía imaginando que un día Radmila volvería con una bolsa llena de regalos. Nada supo de ella hasta los ocho años, cuando los abuelos recibieron algo de dinero enviado por la hija distante y lo gastaron con prudencia, para no provocar envidia. Irina se sintió estafada, porque su madre no le mandó nada especial, ni tan siquiera una nota; el sobre sólo contenía el dinero y un par de fotografías de una mujer desconocida de cabello oxigenado y expresión dura, muy diferente a la joven de la foto que los abuelos mantenían junto al icono de santa Parescheva. Después siguieron llegando remesas de dinero dos o tres veces al año, que aliviaban la miseria de los abuelos.

El drama de Radmila difería poco del de miles de otras jóvenes de Moldavia. Había quedado encinta a los dieciséis años de un soldado ruso que estaba de paso con su regimiento y de quien no volvió a saber, tuvo a Irina, porque le fallaron los intentos de abortar, y apenas pudo se escapó lejos. Años más tarde, para prevenirla contra los peligros del mundo, Radmila le contaría a su hija los detalles de su odisea, con un vaso de vodka en la mano y otros dos entre pecho y espalda.

Un día llegó a la aldea una mujer proveniente de la ciudad a reclutar chicas de los campos para trabajar de camareras en otro país. Ofreció a Radmila la deslumbrante oportunidad que se presenta una vez en la vida: pasaporte y pasaje, trabajo fácil y buen sueldo. Le aseguró que sólo con las propinas podría ahorrar lo suficiente para comprarse una casa en menos de tres años. Ignorando las advertencias desesperadas de sus padres, Radmila se encaramó al tren con la alcahueta sin sospechar que terminaría en las garras de rufianes turcos en un burdel de Aksaray, en Estambul. Durante dos años la tuvieron prisionera, sirviendo a entre treinta y cuarenta hombres al día para pagar la deuda de su pasaje, que nunca disminuía, porque le cobraban el alojamiento, la comida, la ducha y los condones. Las chicas que se resistían eran marcadas a golpes y cuchillo, quemadas o amanecían muertas en un callejón. Escapar sin dinero ni documentos resultaba imposible, vivían encerradas, sin conocer el idioma, el barrio y mucho menos la ciudad; si lograban eludir a los chulos se enfrentaban a los policías, que eran también los más asiduos clientes, a quienes debían complacer gratis. «Una muchacha saltó por la ventana desde un tercer piso y quedó con medio cuerpo paralizado, pero no se libró de seguir trabajando», le contó

Radmila a Irina en ese tono entre melodramático y didáctico con que se refería a esa etapa miserable de su vida. «Como no podía controlar los esfínteres y se ensuciaba entera, los hombres la usaban por la mitad del precio. Otra se quedó embarazada y servía sobre un colchón con un hueco en el centro para acomodar la barriga; en su caso los clientes pagaban más, porque cogerse a una mujer preñada cura la gonorrea, eso creían. Cuando los chulos querían caras nuevas, nos vendían a otros burdeles, y así íbamos bajando de nivel hasta llegar al fondo del infierno. A mí me salvó el fuego y un hombre que se compadeció de mí. Una noche se produjo un incendio, que se extendió por varias casas del barrio. Acudieron los periodistas con sus cámaras, y entonces la policía no pudo hacer la vista gorda; arrestaron a las chicas que estábamos tiritando en la calle, pero no arrestaron a ninguno de los malditos alcahuetes ni a los clientes. Salimos en la televisión, nos tildaron de viciosas; éramos las culpables de las porquerías que ocurrían en Aksaray. Nos iban a deportar, pero un policía que yo conocía me ayudó a escapar y me consiguió un pasaporte.» De tumbo en tumbo, Radmila llegó a Italia, donde trabajó limpiando oficinas y después de obrera en una fábrica. Estaba enferma de los riñones, gastada por la mala vida, las drogas y el alcohol, pero aún era joven y algo quedaba de la piel translúcida de su juventud, la misma que caracterizaría a su hija. Un técnico americano se prendó de ella, se casaron y él se la llevó a Texas, donde a su debido tiempo también iría a parar su hija.

La última vez que Irina vio a sus abuelos, aquella mañana

de 1999 en que la dejaron en el tren que la conduciría a Chisinau, la primera etapa del largo viaje a Texas, Costea tenía sesenta y dos años y Petruta uno menos que él. Estaban mucho más deteriorados que cualquiera de los huéspedes de noventa y tantos años de Lark House, que envejecían de a poco, con dignidad y dentaduras completas, propias o postizas, pero Irina había comprobado que el proceso era el mismo: se avanza paso a paso hacia el final, unos más rápidamente que otros, y por el camino se va perdiendo todo. No se puede llevar nada al otro lado de la muerte. Meses más tarde Petruta inclinó la cabeza sobre el plato de papas con cebolla que acababa de servir y ya no despertó más. Costea había vivido con ella cuarenta años y sacó la cuenta de que no valía la pena seguir solo. Se colgó de la viga del granero, donde lo encontraron los vecinos tres días más tarde, atraídos por los ladridos de su perro y los balidos de la cabra, que no había sido ordeñada. Irina lo supo años después por boca de un juez en el Tribunal de Menores de Dallas. Pero de eso ella no hablaba.

A principios del otoño ingresó Lenny Beal en uno de los apartamentos independientes de Lark House. El nuevo huésped llegó acompañado de Sofía, una perra blanca con una mancha negra en un ojo, que le daba aire de pirata. Su aparición fue un acontecimiento memorable, porque ninguno de los escasos varones podía compararse con él. Unos vivían en pareja, otros estaban en pañales en el tercer nivel, a punto de pasar al Paraíso, y los escasos viudos disponibles no les interesaban mayormente a ninguna de las mujeres. Lenny Beal tenía ochenta años, pero nadie le hubiera atribuido más de setenta; era el ejemplar más deseable que se había visto por allí en décadas, con su melena gris, que alcanzaba para una breve cola en la nuca, sus inverosímiles ojos de lapislázuli y su estilo juvenil de pantalones de lino arrugados y zapatillas de lona sin calcetines. Estuvo a punto de provocar un motín entre las señoras; llenaba el espacio, como si hubieran soltado un tigre en esa atmósfera femenina de añoranza. Hasta el mismo Hans Voigt, con su vasta experiencia de administrador, se preguntó qué estaba haciendo Lenny Beal allí. Los hombres maduros y tan bien conservados como él siempre disponían de una mujer más joven —segunda o tercera esposa— que los cuidara. Lo recibió con todo el entusiasmo que pudo reunir entre punzadas de sus hemorroides, que seguían torturándolo. Catherine Hope intentaba ayudarlo con acupuntura en su clínica del dolor, donde acudía un médico chino tres veces por semana, pero la mejoría era lenta. El director calculó que hasta las damas más agobiadas, aquellas que pasaban el día sentadas con la mirada perdida en el vacío recordando el pasado, porque el presente se les escapaba o transcurría tan deprisa que no lo entendían, iban a despertar a la vida por Lenny Beal. No se equivocó. De la noche a la mañana se vieron pelucas celestes, perlas y uñas pintadas, una novedad entre esas señoras con tendencia al budismo y la ecología, que despreciaban el artificio. «¡Vaya! Parecemos una residencia geriátrica de Miami», le comentó a Cathy. Se cruzaban apuestas para adivinar a qué se dedicaba antes el recién llegado: actor, diseñador de moda, importador de arte oriental, tenista profesional. Alma Belasco le puso término a las especulaciones al informarle a Irina, para que lo divulgara, de que Lenny Beal había sido dentista, pero nadie quiso creer que se hubiera ganado la vida escarbando muelas.

Lenny Beal y Alma Belasco se habían conocido treinta años antes. Cuando se vieron, se abrazaron largamente en plena recepción y cuando por fin se separaron, ambos tenían los ojos húmedos. Irina no había visto semejante despliegue de emoción en Alma y si sus sospechas sobre el amante japonés no hubieran sido tan firmes, habría creído que Lenny era el hombre de los encuentros clandestinos. Llamó de inmediato a Seth para contarle la noticia.

—¿Dices que es amigo de mi abuela? Nunca se lo he oído nombrar. Voy a averiguar quién es.

—¿Cómo?

—Para eso tengo investigadores.

Los investigadores de Seth Belasco eran dos forajidos rehabilitados, uno blanco y otro negro, ambos de mala catadura, que se dedicaban a recoger información sobre los casos antes de presentarlos en los tribunales. Seth se lo explicó a Irina con el ejemplo más reciente. Se trataba de un marinero que le puso juicio a la Compañía Naviera por un accidente del trabajo que lo dejó paralizado, según aseguraba, pero Seth no le creía. Sus rufianes invitaron al inválido a un club de dudosa reputación, lo embriagaron y le tomaron un vídeo bailando salsa con una mujer de alquiler. Con esa prueba, Seth le cerró la boca al abogado de la otra parte, llegaron a un acuerdo y se ahorraron el fastidio de un juicio. Seth le confesó a Irina que esa tarea había sido honorable en la escala moral de sus investigadores; otras podían considerarse bastante más turbias.

Dos días más tarde Seth la llamó para darle cita en una pizzería a la que iban con frecuencia, pero Irina había bañado a cinco perros durante el fin de semana y se sentía magnánima. Le propuso que esa vez fueran a un restaurante decente; Alma le había metido en la cabeza el prurito del mantel blanco. «Yo pago», le dijo. Seth la recogió en su moto y la llevó zigzagueando entre el tráfico a velocidad ilegal al barrio italiano, donde llegaron con el pelo aplastado por el casco y la nariz goteando. Irina comprendió que no estaba vestida a la altura del local —nunca lo estaba—, y la mirada altanera del *maître* se lo confirmó. Al ver la lista de precios del menú estuvo a punto de desplomarse.

—No te asustes, pagará mi oficina —la tranquilizó Seth.

—¡Esto nos va a costar más que una silla de ruedas!

—¿Para qué quieres una silla de ruedas?

—Es una referencia, Seth. Hay un par de viejitas en Lark House que no pueden comprarse la silla que necesitan.

—Eso es muy triste, Irina. Te recomiendo los ostiones con trufas. Con un buen vino blanco, claro.

—Coca-Cola para mí.

—Para los ostiones tiene que ser Chablis. Aquí no tienen Coca-Cola.

—Entonces agua mineral con una cáscara de limón.

—¿Eres una alcohólica rehabilitada, Irina? Puedes decírmelo, no tienes que avergonzarte, es una enfermedad, como la diabetes.

—No soy alcohólica, pero el vino me da dolor de cabeza —replicó Irina, que no pensaba compartir con él sus peores recuerdos.

Antes del primer plato les sirvieron una cucharada de espuma negruzca, como vómito de dragón, gentileza del chef, que ella se echó a la boca con desconfianza, mientras Seth le explicaba que Lenny Beal era soltero, sin hijos, y se había especializado en ortodoncia en una clínica dental de Santa Bárbara. No había nada relevante en su vida, fuera de que era un gran deportista y había hecho varias veces el Ironman, una competencia desatada de natación, bicicleta y carrera que, francamente, no parecía placentera. Seth había mencionado su nombre a su padre, quien tenía la impresión de que había sido amigo de Alma y Nathaniel, pero no estaba seguro; recordaba vagamente haberlo visto en Sea Cliff cuando Nathaniel estaba enfermo. Muchos amigos fieles desfilaron por Sea Cliff para acompañar a su padre en esa época y Lenny Beal pudo haber sido uno de ellos, dijo Larry. Por el momento Seth carecía de más información sobre él, pero había descubierto algo sobre Ichimei.

—La familia Fukuda estuvo tres años y medio en un campo de concentración durante la Segunda Guerra Mundial —le dijo.

—¿Dónde?

—En Topaz, en pleno desierto de Utah.

Irina sólo había oído hablar de los campos de concentración de los alemanes en Europa, pero Seth la puso al día y le mostró una fotografía del Museo Nacional Japonés Americano. La leyenda al pie de la foto original indicaba que eran los Fukuda. Le dijo que su asistente estaba buscando los nombres y la edad de cada uno de ellos en las listas de los evacuados de Topaz.

Los prisioneros

Durante el primer año en Topaz, Ichimei mandaba a menudo dibujos a Alma, pero después se fueron espaciando, porque los censores no daban abasto y tuvieron que poner límites a la correspondencia de los evacuados. Esos croquis, que Alma guardaba celosamente, fueron los mejores testimonios de esa etapa de la vida de los Fukuda: la familia apretada en el interior de una barraca; niños haciendo tareas escolares, de rodillas en el suelo con bancos por mesas; colas de gente frente a las letrinas; hombres jugando a las cartas; mujeres lavando ropa en grandes bateas. Las cámaras fotográficas de los prisioneros habían sido confiscadas y los pocos que pudieron esconder las suyas no podían revelar los negativos. Sólo se autorizaban fotografías oficiales, optimistas, que reflejaran el trato humanitario y el ambiente relajado y alegre de Topaz: niños jugando al béisbol, adolescentes bailando los ritmos de moda, todos cantando el himno nacional mientras izaban la bandera por la mañana, y por ningún motivo las alambradas, las torres de vigilancia o los soldados con pertrechos de batalla. Sin embargo, uno de los guardias americanos se prestó para tomarles una foto a los Fukuda. Se llamaba Boyd Anderson y se había enamorado de Megumi, a quien vio por primera vez en el hospital, donde ella servía de voluntaria y donde él fue a dar después de herirse una mano abriendo una lata de carne mechada.

Anderson tenía veintitrés años, era alto y desteñido como sus antepasados suecos, de carácter ingenuo y afable, uno de los pocos blancos que se había ganado la confianza de los evacuados. Una novia impaciente lo aguardaba en Los Ángeles, pero cuando él vio a Megumi con su albo uniforme, el corazón le dio un brinco. Ella le limpió la herida, el médico se la cosió con nueve puntos, y ella se la vendó con precisión profesional, sin mirarlo a la cara, mientras Boyd Anderson la observaba tan deslumbrado, que no sintió el dolor de la curación. Desde ese día la rondaba con prudencia, porque no pretendía abusar de su posición de autoridad, pero sobre todo porque el cruce de razas estaba prohibido para los blancos y era repugnante para los japoneses. Megumi, con su cara de luna y su delicadeza para desplazarse por el mundo, podía darse el lujo de elegir entre los muchachos más deseables de Topaz, pero sintió la misma atracción ilícita por el guardia y se debatió con el mismo engendro del racismo, rogando al cielo para que terminara la guerra, su familia volviera a San Francisco y ella pudiera arrancarse esa pecaminosa tentación del alma. Entretanto, Boyd rezaba para que la guerra no terminara nunca.

El 4 de julio hubo una fiesta en Topaz para celebrar el Día de la Independencia, tal como se había hecho seis meses antes para el Año Nuevo. En la primera ocasión la fiesta había sido un fiasco, porque el campamento todavía estaba en etapa de improvisación y la gente no se había resignado a su condición de prisioneros, pero en 1943 los evacuados se esmeraron en demostrar su patriotismo y los americanos su buena disposición, a pesar de los remolinos de polvo y de un calor que ni las lagartijas soportaban. Se mezclaron en amable convivencia entre asados, banderas, tortas y hasta cerveza para los hombres, quienes por una vez podían prescindir del asqueroso licor preparado clandestinamente con duraznos en conserva fermentados. A Boyd Anderson entre otros, le asignaron fotografiar las festividades, para callar a los reporteros de mala leche que denunciaban como inhumano el trato a la población de origen japonés. El guardia aprovechó para pedirles a los Fukuda que posaran. Después le dio una copia a Takao y otra, disimuladamente, a Megumi, mientras él hizo ampliar la suya y recortó a Megumi del grupo familiar. Esa foto habría de acompañarlo siempre; la llevaba en su billetera protegida con plástico y con ella lo enterrarían cincuenta y dos años más tarde. En el grupo aparecían los Fukuda frente a un edificio negro y chato: Takao, con los hombros derrotados y gesto adusto, Heideko, diminuta y desafiante, James de medio lado y de mala gana, Megumi en sus esplendorosos dieciocho años, e Ichimei, de once, flaco, con una mata de pelos erizados y costras en las rodillas.

En aquella fotografía de la familia en Topaz, la única que existía, faltaba Charles. Ese año el hijo mayor de Takao y Heideko se había alistado en el ejército, porque lo consideró su deber y no para escapar del encierro, como algunos jóvenes que rechazaban la conscripción decían de los voluntarios. Entró al 442.º Regimiento de infantería, compuesto exclusivamente de *Nisei*. Ichimei le mandó a Alma un dibujo de su hermano, cuadrado ante la bandera, con un par de líneas que no fueron censuradas, explicando que no le cupieron en la página los otros diecisiete muchachos de uniforme que irían a la guerra. Tenía tanta facilidad para el dibujo, que con pocos trazos logró reflejar la expresión de tremendo orgullo de Charles, un orgullo que se remontaba al pasado remoto, a las generaciones anteriores de samuráis de su familia, que iban al campo de batalla convencidos de que no regresarían, dispuestos a no rendirse jamás y morir con honor; eso les daba un coraje sobrehumano. Al examinar el dibujo de Ichimei, como siempre hacía, Isaac Belasco le hizo ver a Alma la ironía de que esos jóvenes se prestaran para arriesgar sus vidas defendiendo los intereses del país que mantenía a sus familias internadas en campos de concentración.

James Fukuda cumplió diecisiete años y el mismo día se lo llevaron entre dos soldados armados, sin darle razones a su familia, pero Takao y Heideko presentían esa desgracia, porque su segundo hijo había sido difícil desde que nació y un continuo problema desde que los internaron. Los Fukuda, como el resto de los evacuados en el país, habían aceptado su situación con filosófica resignación, pero James y otros *Nisei*, americanos-japoneses, protestaron siempre, primero violando las reglas si podían, más tarde incitando a la revuelta. Al comienzo, Takao y Heideko lo atribuyeron al carácter explosivo del chico, tan diferente al de su hermano Charles, después a los desvaríos de la adolescencia y finalmente a las malas amistades. El director del campo les había advertido en más de una ocasión que no toleraría la conducta de James; lo castigaba en una celda por riñas, insolencia y daños menores a la propiedad federal, pero ningún cargo merecía mandarlo preso. Aparte de los exabruptos de algunos *Nisei* adolescentes, como James, en Topaz reinaba un orden ejemplar, nunca hubo delitos serios; lo más grave fueron las huelgas y protestas cuando un centinela mató a un anciano, que se había acercado demasiado a las alambradas y no oyó la orden de detenerse. El director tomaba en cuenta la juventud de James y se dejaba ablandar con las discretas maniobras de Boyd Anderson en su defensa.

El gobierno había emitido un cuestionario en el que la única respuesta aceptable era sí. Todos los evacuados, a partir de los diecisiete años, debían responderlo. Entre las preguntas capciosas se le exigía lealtad a Estados Unidos, pelear en el ejército donde lo mandaran, en el caso de los hombres, y en el cuerpo auxiliar, en el de las mujeres, y negar obediencia al emperador de Japón. Para los *Isei*, como Takao, significaba renunciar a su nacionalidad sin tener derecho a obtener la americana, pero casi todos lo hicieron. Quienes se negaron a firmar, porque eran americanos y se sintieron insultados, fueron algunos jóvenes *Nisei*. Los apodaron *No-No*, fueron calificados de peligrosos por el gobierno y condenados por la comunidad japonesa, que desde tiempos inmemorables aborrecía el escándalo. James era uno de esos *No-No*. Su padre, profundamente avergonzado cuando lo arrestaron, se encerró en el cuarto de la barraca asignado a su familia y sólo salía para usar la letrina común. Ichimei le llevaba la comida y después se ponía en cola por segunda vez, para comer él. Heideko y Megumi, quienes también sufrían el bochorno causado por James, trataron de continuar con su vida habitual, soportando con la cabeza en alto los rumores malvados, las miradas reprobatorias de su gente y el hostigamiento de las autoridades del campo. Los Fukuda, incluso Ichimei, fueron interrogados varias veces, pero no fueron acosados en serio gracias a Boyd Anderson, quien había ascendido y los protegió como pudo.

—¿Qué le va a pasar a mi hermano? —le preguntó Megumi.

—No sé, Megumi. Pueden haberlo enviado a Tule Lake, en California, o a Fort Leavenworth, en Kansas, eso es cosa del Departamento Federal de Prisiones. Supongo que no lo soltarán hasta que termine la guerra —respondió Boyd.

—Aquí andan diciendo que a los *No-Nos* los van a fusilar como espías…

—No creas todo lo que oyes, Megumi.

Ese hecho alteró irremisiblemente el ánimo de Takao. Durante los primeros meses en Topaz había participado en la comunidad y llenado sus horas eternas cultivando huertos de vegetales y fabricando muebles tallados con la madera de embalaje, que conseguía en la cocina. Cuando ya no cupo un mueble más en el reducido espacio de la barraca, Heideko lo incitó a hacerlos para otras familias. Trató de obtener permiso para enseñarles judo a los niños y se lo negaron; el jefe militar del campamento temió que plantara ideas subversivas en sus alumnos y pusiera en peligro la seguridad de los soldados. Secretamente, Takao siguió practicando con sus hijos. Vivía esperando que los liberaran, contaba los días, las semanas y los meses, marcándolos en el calendario. Pensaba sin cesar en la ilusión abortada del criadero de flores y plantas con Isaac Belasco, en el dinero que había ahorrado y perdido, en la casa que había ido pagando por años, reclamada por el propietario. Décadas de esfuerzo, trabajo y cumplimiento del deber para terminar encerrado tras una alambrada, como un criminal, decía, amargado. No era sociable. La muchedumbre, las inevitables colas, el ruido, la falta de privacidad, todo lo irritaba.

En cambio Heideko floreció en Topaz. Comparada con otras mujeres japonesas, era una esposa insubordinada, que se enfrentaba a su marido con los brazos en jarras, pero había vivido dedicada al hogar, los hijos y el pesado oficio de la agricultura, sin sospechar que dentro llevaba dormido al ángel del activismo. En el campo de concentración no tenía tiempo para la desesperación o el aburrimiento, a toda hora andaba resolviendo problemas ajenos y forcejeando con las autoridades para conseguir lo aparentemente imposible. Sus hijos estaban cautivos y seguros tras la cerca, no tenía que vigilarlos, para eso había ocho mil pares de ojos y un contingente de las Fuerzas Armadas. Su mayor preocupación era apuntalar a Takao para que no se desmoronara por completo; se le estaba acabando la inspiración para darle tareas que lo mantuvieran ocupado y sin tiempo para pensar. Su marido había envejecido, se notaban mucho los diez años de diferencia de edad entre ellos. La promiscuidad forzosa de las barracas había puesto punto final a la pasión que antes suavizaba las asperezas de la convivencia, el cariño se había trocado en exasperación por parte de él y paciencia por parte de ella. Por pudor ante los hijos, que compartían la habitación, procuraban no tocarse en su estrecha cama, así la relación fácil que habían tenido se fue secando. Takao se encerró en el rencor, mientras Heideko descubría su vocación de servicio y liderazgo.

Megumi Fukuda había recibido tres proposiciones de casamiento en menos de dos años y nadie se explicaba por qué las había rechazado, salvo Ichimei, que hacía de correo entre su hermana y Boyd Anderson. La muchacha quería dos cosas en su vida, ser médico y casarse con Boyd, en ese orden. En Topaz terminó la secundaria sin el menor esfuerzo y se graduó con honores, pero la educación superior estaba fuera de su alcance. En algunas universidades del este del país recibían a un reducido número de estudiantes de origen japonés, escogidos entre los más brillantes de los campos de concentración, que también podían obtener ayuda financiera del gobierno, pero con el antecedente de James, una marca de oprobio para los Fukuda, ella no podía optar. Tampoco podía dejar a su familia; sin Charles, se sentía responsable por su hermano menor y sus padres. Entretanto, practicaba en el hospital, junto a los médicos y enfermeras del campamento, reclutados entre los prisioneros. Su mentor era un médico blanco, un tal Frank Delillo, de cincuenta y tantos años, que olía a sudor, tabaco y whisky, fracasado en su vida privada, pero competente y abnegado en su profesión, que tomó a Megumi bajo su ala desde el primer día, cuando ella se presentó en el hospital con su falda plisada y su blusa almidonada a ofrecerse de aprendiz, como dijo. Ambos acababan de llegar a Topaz. Megumi empezó sacando bacinillas y lavando trastos, pero demostró tanta voluntad y aptitud, que rápidamente Delillo la nombró su asistente.

—Voy a estudiar medicina cuando acabe la guerra —le anunció ella.

—Eso puede tardar más de lo que tú puedes esperar, Megumi. Te advierto que te va a costar mucho ser médico. Eres mujer y además japonesa.

—Soy americana, como usted —replicó ella.

—Bueno, como sea. No te muevas de mi lado y algo aprenderás.

Megumi lo tomó al pie de la letra. Pegada a Frank Delillo acabó cosiendo heridas, entablillando huesos, curando quemaduras y asistiendo en partos; nada más complicado, porque los casos graves se mandaban a los hospitales de Delta o Salt Lake City. Su trabajo la mantenía absorta diez horas al día, pero algunas noches procuraba juntarse un rato con Boyd Anderson, bajo el manto protector de Frank Delillo, la única persona, aparte de Ichimei, que estaba en el secreto. A pesar de los riesgos, los enamorados pasaron dos años de amor clandestino, amparados por la suerte. La aridez del terreno no ofrecía lugares donde ocultarse, aunque los jóvenes *Nisei* se las arreglaban con ingeniosas disculpas para escapar de la vigilancia de los padres y las miradas intrusas. Sin embargo, ése no era el caso de Megumi, porque Boyd no podía andar como un conejo entre los escasos matorrales disponibles con uniforme, casco y fusil. Los cuarteles, oficinas y alojamientos de los blancos, donde habrían podido hacer un nido, estaban separados del campamento y ella no habría tenido acceso sin la divina intervención de Frank Delillo, quien no sólo le consiguió un permiso para pasar los controles, sino que además se ausentaba convenientemente de su habitación. Allí, entre el desorden y la mugre en que vivía Delillo, entre ceniceros llenos de colillas y botellas vacías, Megumi perdió su virginidad y Boyd ganó el cielo.

La afición de Ichimei por la jardinería, inculcada por su padre, se agudizó en Topaz. Muchos de los evacuados, que se habían ganado la vida en la agricultura, se propusieron desde el principio cultivar huertos, sin que el paisaje yermo y el clima implacable pudieran disuadirlos. Regaban a mano, contando las gotas de agua, y protegían las plantas con toldos de papel en verano y hogueras en lo más duro del invierno; así lograban arrancarle al desierto vegetales y fruta. Nunca faltaba comida en los comedores, se podía llenar el plato y repetirse, pero sin la firme determinación de esos campesinos la dieta habría consistido en productos envasados. Nada bueno para la salud puede crecer en un tarro, decían. Ichimei asistía a la escuela a las horas de clase y el resto del día lo empleaba en los huertos. Pronto su apodo de «dedos verdes» reemplazó a su nombre, porque todo lo que tocaba germinaba y crecía. Por las noches, después de hacer cola dos veces en el comedor, una para su padre y otra para él, encuadernaba meticulosamente cuentos y textos escolares, enviados por lejanos maestros para los pequeños *Nisei*. Era un chico servicial y pensativo, podía pasar horas inmóvil mirando las montañas moradas contra un cielo de cristal, perdido en sus pensamientos y emociones. Decían de él que tenía vocación de monje y que en Japón habría sido novicio en un monasterio zen. A pesar de que la fe Oomoto rechazaba el proselitismo, Takao predicó porfiadamente su religión a Heideko y a sus hijos, pero el único que la abrazó con fervor fue Ichimei, porque se acomodaba a su carácter y con la idea que, desde muy niño, tenía de la vida. Practicaba Oomoto con su padre y con una pareja *Isei* de otra barraca. En el campo había servicios budistas y varias confesiones cristianas, pero sólo ellos pertenecían a Oomoto; Heideko los acompañaba a veces, sin mucha convicción; Charles y James nunca se interesaron por las creencias de su padre, y Megumi, ante el horror de Takao y el asombro de Heideko, se convirtió al cristianismo. Lo atribuyó a un sueño revelador en que se le apareció Jesús.

—¿Cómo sabes que era Jesús? —la increpó Takao, lívido de ira.

—¿Quién más anda por allí con una corona de espinas? —le contestó ella.

Tuvo que asistir a clases de religión impartidas por un pastor presbiteriano y a una breve ceremonia privada de confirmación, a la cual se presentaron solamente Ichimei, por curiosidad, y Boyd Anderson, conmovido hasta lo más hondo por aquella prueba de amor. Naturalmente, el pastor dedujo que la conversión de la chica tenía que ver más con el guardia que con el cristianismo, pero no puso objeciones. Les dio su bendición preguntándose mentalmente en qué rincón del universo podría establecerse esa pareja.

Arizona

En diciembre de 1944, pocos días antes de que la Corte Suprema declarara por unanimidad que los ciudadanos estadounidenses de cualquier ascendencia cultural no podían ser detenidos sin causa, el jefe militar de Topaz, escoltado por dos soldados, le entregó a Heideko Fukuda una bandera doblada en triángulo y prendió una cinta morada con una medalla en el pecho de Takao, mientras el lamento fúnebre de una corneta cerraba la garganta de los cientos de personas agrupadas en torno a la familia para honrar a Charles Fukuda, muerto en combate. Heideko, Megumi e Ichimei lloraban, pero la expresión de Takao era indescifrable. En esos años en el campo de concentración su rostro se había solidificado en una máscara hierática de orgullo; pero su postura encogida y su taimado silencio delataban al hombre quebrado en que se había convertido. A los cincuenta y dos años nada quedaba de su capacidad de deleite ante el brote de una planta, de su suave sentido del humor, de su entusiasmo por labrar un futuro para sus hijos, de la ternura discreta que había compartido con Heideko. El sacrificio heroico de Charles, el hijo mayor que debía sostener a la familia cuando él ya no pudiera hacerlo, fue el mazazo que lo derrotó. Charles pereció en Italia, como otros cientos de americanos-japoneses del 442.º Regimiento de infantería, apodado el Batallón del Corazón Púrpura, por el extraordinario número de medallas al valor. Ese regimiento, compuesto exclusivamente de *Nisei,* llegó a ser el más condecorado en la historia militar de Estados Unidos, pero para los Fukuda eso nunca sería un consuelo.

El 14 de agosto de 1945 Japón se rindió y empezaron a cerrar los campos de concentración. Los Fukuda recibieron veinticinco dólares y un pasaje en tren hacia el interior de Arizona. Como el resto de los evacuados, no mencionarían nunca más en público esos años de humillación en los que su lealtad y patriotismo habían sido puestos en duda; sin honor la vida valía muy poco. *Shikata ga nai.* No les permitieron regresar a San Francisco, donde tampoco había nada que los llamara. Takao había perdido el derecho a arrendamiento de los predios que antes cultivaba y al alquiler de su casa; nada le quedaba de sus ahorros o del dinero que Isaac Belasco le entregó cuando fue evacuado. Tenía un permanente ruido de motor en el pecho, tosía sin cesar y apenas soportaba el dolor de espalda, se sentía incapaz de volver a las pesadas labores de la agricultura, el único empleo disponible para un hombre de su condición. A juzgar por su helada actitud, la precaria situación de su familia le importaba poco; la tristeza se le había cristalizado en indiferencia. Sin la solicitud de Ichimei, quien se empeñaba en hacerlo comer y acompañarlo, se hubiera echado en un rincón a fumar hasta la muerte, mientras su mujer y su hija trabajaban largos turnos en una fábrica para mantener modestamente a la familia. Por fin los *Isei* podían adquirir la ciudadanía, pero ni eso logró sacar a Takao de su postración. Durante treinta y cinco años había deseado tener los mismos derechos de cualquier americano y ahora que se le presentaba la oportunidad lo único que quería era regresar a Japón, su patria derrotada. Heideko trató de llevarlo a registrarse al Servicio Nacional de Inmigración, pero acabó por ir sola, porque las pocas frases que su marido pronunciaba eran para maldecir a Estados Unidos.

Megumi debió postergar de nuevo su decisión de estudiar medicina y la ilusión de casarse, pero Boyd Anderson, trasladado a Los Ángeles, no olvidó a Megumi ni por un momento. Las leyes contra matrimonio y cohabitación entre razas se habían abolido en casi todos los estados, pero todavía una unión como la de ellos resultaba escandalosa; ninguno de los dos se había atrevido a confesarles a sus padres que llevaban más de tres años juntos. Para Takao Fukuda habría sido un cataclismo; jamás habría aceptado la relación de su hija con un blanco y menos con uno que patrullaba las alambradas de su prisión en Utah. Estaría obligado a repudiarla y perderla también. Ya había perdido a Charles en la guerra y a James, deportado a Japón, de quien no esperaba volver a tener noticias. Los padres de Boyd Anderson, inmigrantes suecos de primera generación, instalados en Omaha, se habían ganado la vida con una lechería, hasta que se arruinaron en los años treinta y acabaron administrando un cementerio. Eran gente de honestidad incuestionable, muy religiosa, y tolerantes en materia racial, pero su hijo no iba a mencionarles a Megumi antes de que ella aceptara un anillo nupcial.

Cada lunes, Boyd comenzaba una carta y le iba agregando párrafos diarios, inspirados en *El arte de escribir cartas de amor*, un manual en boga entre los soldados retornados de la guerra, que habían dejado novias en otras latitudes, y el viernes ponía la carta en el correo. Dos sábados al mes, este hombre metódico se proponía llamar a Megumi por teléfono, lo cual no siempre le resultaba, y los domingos apostaba en el hipódromo. Carecía de la compulsión irresistible del jugador, los vaivenes del azar lo ponían nervioso y afectaban su úlcera de estómago, pero había descubierto por casualidad su buena suerte en las carreras de caballos y la utilizaba para aumentar sus escuálidos ingresos. Por las noches estudiaba mecánica con el proyecto de retirarse de la carrera militar y abrir un taller en Hawái. Creía que era el mejor lugar para instalarse, porque había una numerosa población japonesa, que se libró de la afrenta de ser internada, a pesar de que el ataque de Japón había ocurrido allí. En sus cartas, Boyd procuraba convencer a Megumi de las ventajas de Hawái, donde podrían criar a sus hijos con menos odio racial, pero ella no estaba pensando en hijos. Megumi mantenía una lenta y tenaz correspondencia con un par de médicos chinos para averiguar la forma de estudiar medicina oriental, ya que la occidental se le negaba. Pronto habría de descubrir que también para eso, el hecho de ser mujer y de origen japonés era un obstáculo insalvable, tal como le había advertido su mentor, Frank Delillo.

A los catorce años, Ichimei entró en la escuela secundaria.

Como Takao estaba paralizado por su melancolía y Heideko apenas hablaba cuatro palabras de inglés, le tocó a Megumi actuar de apoderada de su hermano. El día en que fue a inscribirlo pensó que Ichimei se hallaría allí como en su casa, porque el edificio era tan feo y el terreno tan inhóspito como en Topaz. Los recibió la directora del establecimiento, miss Brody, quien se había empeñado durante los años de la guerra en convencer a los políticos y a la opinión pública de que los niños de familias japonesas tenían derecho a la educación, como todo americano. Había recogido miles de libros para enviarlos a los campos de concentración. Ichimei había encuadernado varios de ellos y los recordaba perfectamente, porque cada uno llevaba una nota de miss Brody en la portada. El chico imaginaba a esa benefactora como el hada madrina del cuento de la Cenicienta y se encontró con una mujer maciza, con brazos de leñador y voz de pregonero.

—Mi hermano está atrasado en los estudios. No es bueno para leer ni escribir, tampoco para la aritmética —le dijo Megumi, abochornada.

—¿Para qué eres bueno entonces, Ichimei? —le preguntó miss Brody directamente al niño.

—Dibujar y plantar —respondió Ichimei en un susurro, con la vista clavada en la punta de sus zapatos.

—¡Perfecto! ¡Eso es justamente lo que nos hace falta aquí! —exclamó miss Brody.

En la primera semana, los otros niños bombardearon a Ichimei con los epítetos contra su raza difundidos durante la guerra, pero que él no había oído en Topaz. El chico tampoco sabía que los japoneses eran más odiados que los alemanes, ni había visto las historietas ilustradas en que los asiáticos aparecían como degenerados y brutales. Soportó las burlas con su ecuanimidad de siempre, pero la primera vez que un grandullón le puso una mano encima, le dio una voltereta por los aires con una llave de judo que aprendió de su padre, la misma que años antes había usado para demostrarle a Nathaniel Belasco las posibilidades de las artes marciales. Lo enviaron castigado a la oficina de la directora. «Bien hecho, Ichimei», fue el único comentario de ella. Después de esa llave magistral pudo cursar los cuatro años de escuela pública sin ser agredido.

16 de febrero de 2005

Fui a Prescott, Arizona, a visitar a miss Brody. Había cumplido noventa y cinco años y muchos de sus ex alumnos nos juntamos para celebrarlo. Está muy bien para su edad, con decirte que me reconoció apenas me vio. ¡Imagínate! ¿Cuántos niños pasaron por sus manos? ¿Cómo puede recordarlos a todos? Se acordaba de que yo pintaba los afiches para las fiestas de la escuela y que los domingos trabajaba en su jardín. Fui pésimo estudiante en la secundaria, un desastre, pero ella me regalaba las notas. Gracias a miss Brody no soy completamente analfabeto y ahora puedo escribirte, amiga mía.

Esta semana que no hemos podido vernos ha sido muy larga. La lluvia y el frío han contribuido a que fuera particularmente triste. Tampoco pude encontrar gardenias para enviarte, perdóname. Llámame, por favor.

Ichi

Boston

El primer año de separación, Alma vivía pendiente de la correspondencia, pero con el tiempo se acostumbró al silencio de su amigo, tal como se acostumbró al silencio de sus padres y su hermano. Sus tíos procuraban protegerla de las malas nuevas que llegaban de Europa, especialmente de la suerte de los judíos. Alma preguntaba por su familia y debía conformarse con respuestas tan fantasiosas que la guerra adquiría el mismo tono de las leyendas del rey Arturo, que había leído con Ichimei en la pérgola del jardín. Según su tía Lillian, la falta de cartas se debía a problemas con el correo en Polonia y, en el caso de su hermano Samuel, a medidas de seguridad en Inglaterra. Samuel cumplía misiones vitales, peligrosas y secretas en la Real Fuerza Aérea, decía Lillian; estaba condenado al más severo anonimato. Para qué iba a contarle a la sobrina que su hermano había caído con su avión en Francia. Isaac le mostraba a Alma los avances y retrocesos de las tropas aliadas marcando un mapa con alfileres, pero no tenía valor para decirle la verdad sobre sus padres. Desde que los Mendel fueron despojados de sus bienes y recluidos en el infame gueto de Varsovia, no tenía noticias de ellos. Isaac contribuía con fuertes sumas a las organizaciones que intentaban ayudar a la gente del gueto y sabía que el número de judíos deportados por los nazis, entre julio y septiembre de 1942, llegaba a más de doscientos cincuenta mil; también sabía de los miles que perecían diariamente de inanición y enfermedades. El muro coronado de alambre, que separaba el gueto del resto de la ciudad, no era completamente impermeable; tal como entraban algunos alimentos y medicinas de contrabando y salían las horrorosas imágenes de los niños agonizando de hambre, existían formas de comunicarse. Si ninguno de los recursos empleados para ubicar a los padres de Alma había dado resultado y si el avión de Samuel se había estrellado, sólo cabía suponer que los tres habían perecido, pero mientras no hubiera pruebas irrefutables, Isaac Belasco iba a evitarle ese dolor a su sobrina.

Por un tiempo Alma pareció haberse adaptado a sus tíos, sus primos y la casa de Sea Cliff, pero en la pubertad volvió a ser la chiquilla taciturna que era cuando llegó a California. Se desarrolló temprano y el primer asalto de las hormonas coincidió con la ausencia indefinida de Ichimei. Tenía diez años cuando se separaron con la promesa de permanecer unidos mentalmente y a través del correo; once cuando las cartas empezaron a escasear y doce cuando la distancia se hizo insuperable y se resignó a perder a Ichimei. Cumplía sin chistar con sus obligaciones en una escuela que aborrecía y se comportaba de acuerdo con las expectativas de su familia adoptiva, tratando de pasar inadvertida para evitar preguntas sentimentales, que habrían desencadenado la tormenta de rebeldía y angustia que llevaba por dentro. Nathaniel era el único a quien no engañaba con su irreprochable conducta. El chico disponía de un sexto sentido para adivinar cuándo su prima estaba encerrada en el armario y llegaba de puntillas desde el otro extremo de la mansión, la sacaba del escondite con súplicas susurradas para no despertar a su padre, que tenía buen oído y sueño liviano, la arropaba en la cama y se quedaba a su lado hasta que ella se dormía. También él andaba por la vida pisando huevos prudentemente y con una tempestad por dentro. Contaba los meses que le faltaban para terminar la secundaria e irse a Harvard a estudiar leyes, porque no se le ocurrió oponerse a los designios de su padre. Su madre quería que asistiera a la Escuela de Derecho de San Francisco, en vez de hacerlo en el extremo opuesto del continente; pero Isaac Belasco sostenía que el muchacho necesitaba irse lejos, como hizo él a esa edad. Su hijo debía convertirse en un hombre responsable y de bien, un *mensch*.

Alma tomó la decisión de Nathaniel de irse a Harvard como una ofensa personal y añadió a su primo a la lista de quienes la abandonaban: primero su hermano y sus padres, después Ichimei y ahora él. Concluyó que su fatalidad era perder a las personas que más quería. Seguía aferrada a Nathaniel como el primer día en el muelle de San Francisco.

—Te voy a escribir —le aseguró Nathaniel.

—Lo mismo me dijo Ichimei —replicó ella, rabiosa.

—Ichimei está en un campo de internamiento, Alma. Yo voy a estar en Harvard.

—Todavía más lejos, ¿no queda en Boston?

—Voy a venir a pasar todas las vacaciones contigo, te lo prometo.

Mientras él hacía los preparativos para el viaje, Alma lo seguía por la casa como una sombra, inventando pretextos para retenerlo, y cuando eso no resultó, inventando razones para quererlo menos. A los ocho años se había enamorado de Ichimei con la intensidad de los amores de la infancia y de Nathaniel con el amor sereno de la vejez. En su corazón ambos cumplían funciones diferentes y eran igualmente indispensables; estaba segura de que sin Ichimei y sin Nathaniel no podría sobrevivir. Al primero lo había querido con vehemencia, necesitaba verlo en cada momento, escabullirse con él al jardín de Sea Cliff, que se extendía hasta la playa, lleno de estupendos escondites para descubrir juntos el lenguaje infalible de las caricias. Desde que Ichimei estaba en Topaz, ella se alimentaba con los recuerdos del jardín y las páginas de su diario, llenas hasta los bordes de suspiros en letra minúscula. A esa edad ya daba muestras de una tenacidad fanática para el amor. Con Nathaniel, en cambio, no se le habría ocurrido ocultarse en el jardín. Lo quería celosamente y creía conocerlo como nadie, habían dormido tomados de la mano en las noches en que él la rescataba del armario, era su confidente, su íntimo amigo. La primera vez que descubrió manchas oscuras en su ropa interior, esperó temblando de terror a que Nathaniel volviera de la escuela para arrastrarlo al baño y mostrarle la prueba fehaciente de que se estaba desangrando por abajo. Nathaniel tenía una idea aproximada de la causa, pero no de las medidas prácticas, y le tocó a él preguntarle a su madre, porque Alma no se atrevió. El muchacho se enteraba de todo lo que le ocurría a la chica. Ella le había dado copia de las llaves de sus diarios de vida, pero no le hacía falta leerlos para estar al día.

Alma terminó la secundaria un año antes que Ichimei. Para entonces habían perdido todo contacto, pero ella lo sentía presente, porque en el monólogo ininterrumpido de su diario le escribía a él, más por hábito de fidelidad que por nostalgia. Se había resignado al hecho de no volver a verlo, pero a falta de otros amigos, alimentaba un amor de heroína trágica con el recuerdo de los juegos secretos en el jardín. Mientras él trabajaba de sol a sol como peón en un campo de remolacha, ella se prestaba de mala gana para los bailes de debutante que le imponía su tía Lillian. Había fiestas en la mansión de sus tíos y otras en el patio interior del hotel Palace, con su medio siglo de historia, su fabuloso techo de vidrio, enormes lámparas de cristal y palmeras tropicales en maceteros de loza portuguesa. Lillian había asumido el deber de casarla bien, convencida de que sería más fácil de lo que fue casar a sus hijas poco agraciadas, pero se encontró con que Alma saboteaba sus mejores planes. Isaac Belasco se inmiscuía muy poco en la vida de las mujeres de su familia, pero en esa ocasión no pudo callarse.

—¡Esto de andar a la caza de un novio es indigno, Lillian!

—¡Qué inocente eres, Isaac! ¿Tú crees que estarías casado conmigo si mi madre no te hubiera echado un lazo al cuello?

—Alma es una mocosa. Debería ser ilegal casarse antes de los veinticinco años.

—¡Veinticinco! A esa edad no encontrará un buen partido en ninguna parte, Isaac, estarán todos tomados —alegó Lillian.

La sobrina quería irse a estudiar lejos y Lillian acabó cediendo; uno o dos años de educación superior visten a cualquiera, pensó. Acordaron que Alma iría a un colegio femenino de Boston, donde todavía estaba Nathaniel y podría cuidarla de los peligros y tentaciones de esa ciudad. Lillian dejó de presentarle candidatos potenciales y se puso a preparar el ajuar necesario de faldas redondas como plato y conjuntos de chaleco y suéter de angora en tonos pastel, porque estaban de moda, aunque no favorecían para nada a una chica de huesos largos y facciones fuertes, como ella.

La muchacha insistió en viajar sola, a pesar de la aprensión de su tía, que andaba buscando alguien que fuera en esa dirección para mandarla con una persona de respeto, y partió en un vuelo de Braniff a Nueva York, donde iba a tomar el tren a Boston. Al desembarcar se encontró con Nathaniel en el aeropuerto. Sus padres le habían avisado mediante un telegrama y él decidió ir a esperarla para poder acompañarla en el tren. Los primos se abrazaron con el cariño acumulado en siete meses, desde la última visita de Nathaniel a San Francisco, y se pusieron al día atropelladamente de las noticias familiares, mientras un maletero negro de uniforme recogía el equipaje en un carro para seguirlos al taxi. Nathaniel contó las maletas y cajas de sombreros y le preguntó a su prima si traía ropa para vender.

—No puedes criticarme, tú siempre has sido un dandi —replicó ella.

—¿Qué planes tienes, Alma?

—Lo que te dije por carta, primo. Tú sabes que adoro a tus padres, pero me estoy ahogando en esa casa. Tengo que independizarme.

—Ya veo. ¿Con el dinero de mi papá?

A Alma se le había escapado ese detalle. El primer paso para independizarse era conseguir un diploma de lo que fuera. Su vocación aún estaba por definirse.

—Tu mamá anda buscándome un marido. No me atrevo a decirle que me voy a casar con Ichimei.

—Despierta de una vez, Alma, hace diez años que Ichimei desapareció de tu vida.

—Ocho. No diez.

—Sácatelo de la cabeza. Incluso en el caso poco probable de que reapareciera y estuviera interesado en ti, sabes muy bien que no puedes casarte con él.

—¿Por qué?

—¿Cómo que por qué? Porque es de otra raza, de otra clase social, de otra cultura, de otra religión, de otro nivel económico. ¿Quieres más razones?

—Entonces me quedaré solterona. Y tú, ¿tienes alguna enamorada, Nat?

—No, pero si llego a tenerla, serás la primera en saberlo.

—Mejor así. Podríamos hacer ver que somos novios.

—¿Para qué?

—Para desanimar a cualquier tonto que se me acerque.

La prima había cambiado de aspecto en los últimos meses: ya no era una colegiala de calcetines, la ropa nueva le daba categoría de mujer elegante, pero Nathaniel, depositario de sus confidencias, no se impresionó con el cigarrillo ni con el traje azul marino o el sombrero, los guantes y los zapatos color cereza. Alma seguía siendo una chiquilla consentida, que se aferró a él, asustada con el gentío y el ruido de Nueva York, y no lo soltó hasta hallarse en su habitación del hotel. «Quédate a dormir conmigo, Nat», le suplicó, con la expresión despavorida que tenía en su infancia en el armario de los sollozos, pero él había perdido la inocencia y ahora dormir con ella tenía otro cariz. Al día siguiente tomaron el tren a Boston, acarreando el complicado equipaje.

Alma imaginaba que el colegio de Boston iba a ser una extensión más libre de la escuela secundaria, que ella había cursado en un suspiro. Se aprontaba para lucir su ajuar, hacer vida bohemia en los cafés y bares de la ciudad con Nathaniel y asistir a algunas clases en su tiempo libre, para no defraudar a sus tíos. Pronto descubriría que nadie la miraba, había cientos de muchachas más sofisticadas que ella, que su primo siempre tenía una excusa para dejarla plantada y que estaba muy mal preparada para enfrentar los estudios. Le tocó compartir su habitación con una chica regordeta de Virginia, quien apenas se dio la ocasión le presentó pruebas bíblicas de la superioridad de la raza blanca. Negros, amarillos y pieles rojas descendían de los monos; Adán y Eva eran blancos; Jesús podía ser americano, no estaba segura. No aprobaba la conducta de Hitler, decía, pero había que admitir que en el asunto de los judíos no le faltaba razón: eran una raza condenada, porque habían matado a Jesús. Alma pidió que la cambiaran a otro cuarto. La gestión duró dos semanas y su nueva compañera resultó ser un compendio de manías y fobias, pero al menos no era antisemita.

La joven pasó los tres primeros meses confundida, sin poder organizarse ni para lo más simple, como comidas, lavandería, transporte o el horario de clases; de eso se habían encargado primero sus institutrices y después su abnegada tía Lillian. Nunca había hecho su cama o planchado una blusa, para eso estaban las empleadas domésticas; tampoco había tenido que ceñirse a un presupuesto, porque en casa de sus tíos no se hablaba de dinero. Se sorprendió cuando Nathaniel le explicó que en su asignación no estaban incluidos restaurantes, salones de té, manicura, peluquero o masajista. Una vez por semana, su primo se presentaba, cuaderno y lápiz en mano, a enseñarle a llevar la cuenta de sus gastos. Ella le prometía enmendarse, pero a la semana siguiente volvía a tener deudas. Se sentía extranjera en esa ciudad señorial y soberbia; sus compañeras la excluían y los muchachos la desdeñaban, pero nada de eso le confesaba a sus tíos en las cartas y cada vez que Nathaniel le aconsejaba que se volviera a casa, le repetía que cualquier cosa era preferible a pasar por la humillación de regresar con la cola entre las piernas. Se encerraba en el baño, como antes hacía en el armario, y abría la ducha para que el ruido acallara las palabrotas con que maldecía su mala estrella.

En noviembre cayó sobre Boston todo el peso del invierno.

Alma había pasado sus siete primeros años en Varsovia, pero no recordaba el clima; nada la había preparado para lo que se le vino encima en los meses siguientes. Azotada por granizo, ventiscas y nieve, la ciudad perdió el color; se fue la luz, todo se volvió gris y blanco. La vida transcurría puertas adentro, tiritando, lo más cerca posible de los radiadores de calefacción. Por mucha ropa que Alma se pusiera, el frío le partía la piel y le calaba los huesos apenas se asomaba afuera. Se le hincharon las manos y los pies con sabañones y se le eternizaron la tos y el resfrío. Debía hacer acopio de toda su voluntad para salir de la cama por las mañanas, arroparse como un inuit y desafiar la intemperie para cruzar de un edificio a otro en el colegio, pegada a los muros para que el viento no la tirara, arrastrando los pies sobre el hielo. Las calles se volvían intransitables, los vehículos amanecían tapados por cerros de nieve, que sus dueños debían atacar con picos y palas; la gente andaba encogida, envuelta en lana y pieles; desaparecieron los niños, las mascotas y los pájaros.

Y entonces, cuando Alma había aceptado finalmente su derrota y le había admitido a Nathaniel que estaba lista para llamar a sus tíos y rogarles que la rescataran de ese frigorífico, tuvo su primer encuentro con Vera Neumann, la artista plástica y empresaria que había puesto su arte al alcance de la gente común en pañuelos, sábanas, manteles, platos, ropa, en fin, cualquier cosa que se pudiera pintar o imprimir. Vera había registrado su marca en 1942 y en pocos años había creado un mercado. Alma recordaba vagamente que su tía Lillian competía con sus amigas para ser la primera en lucir cada temporada los pañuelos o vestidos con los nuevos diseños de Vera, pero no sabía nada de la artista. Asistió a una charla de ella por un impulso, para escapar del frío entre dos clases, y se encontró al fondo de una sala llena, cuyas paredes estaban tapizadas de telas pintadas. Todos los colores, que habían salido huyendo del invierno de Boston, estaban cautivos en esas paredes, atrevidos, caprichosos, fantásticos.

El público recibió a la conferenciante de pie con una ovación y una vez más Alma le tomó la medida a su ignorancia. No sospechaba que la diseñadora de los pañuelos de su tía Lillian fuera una celebridad. Vera Neumann no se imponía por presencia, medía un metro cincuenta y era una persona tímida, escondida tras enormes lentes de marco oscuro que le tapaban la mitad de la cara, pero apenas abrió la boca a nadie le cupo duda de que se trataba de una giganta. Alma apenas alcanzaba a verla sobre la tarima, pero escuchó cada una de sus palabras, sintiendo el estómago comprimido en un puño, con la clara intuición de que ese momento era definitivo para ella. En una hora y quince minutos, esa mujercita excéntrica, brillante, feminista y diminuta sacudió a su audiencia con los relatos de sus viajes incansables, fuente de inspiración para sus diversas colecciones: India, China, Guatemala, Islandia, Italia y el resto del planeta. Habló de su filosofía, de las técnicas que empleaba, de la comercialización y difusión de sus productos, de los obstáculos superados por el camino.

Esa noche Alma llamó a Nathaniel por teléfono para anunciarle su futuro con gritos de entusiasmo: iba a seguir los pasos de Vera Neumann.

—¿De quién?

—De la persona que diseñó las sábanas y manteles de tus padres, Nat. No pienso seguir perdiendo tiempo con clases que no me van a servir para nada. He decidido estudiar diseño y pintura en la universidad. Voy a asistir a los talleres de Vera y después viajaré por el mundo, como ella.

Meses más tarde Nathaniel terminó sus estudios de Derecho y regresó a San Francisco, pero Alma no quiso acompañarlo, a pesar de la presión de su tía Lillian para que volviera a California. Soportó cuatro inviernos en Boston sin volver a mencionar el clima, dibujando y pintando incansablemente. Carecía de la soltura de Ichimei para el dibujo o la audacia de Vera Neumann para el color, pero se propuso reemplazar con buen gusto lo que le faltaba en talento. Ya entonces tenía una visión clara del rumbo que iba a seguir. Sus diseños iban a ser más distinguidos que los de Vera, porque su intención no era satisfacer el gusto popular y triunfar en el comercio sino crear por diversión. La posibilidad de trabajar para vivir nunca se le pasó por la mente. Nada de pañuelos por diez dólares o sábanas y servilletas al por mayor; pintaría o estamparía solamente ciertas prendas de vestir, siempre en seda de la mejor calidad, cada una firmada por ella. Lo que saliera de sus manos sería tan exclusivo y caro que las amigas de su tía Lillian iban a matar por obtenerlo. En esos años venció la parálisis que le provocaba esa ciudad imponente, aprendió a moverse, a beber cócteles sin perder por completo la cabeza y a hacer amistades. Llegó a sentirse tan bostoniana, que cuando iba de vacaciones a California creía estar en un país atrasado de otro continente. También consiguió algunos admiradores en las pistas de baile, donde la práctica frenética con Ichimei en su infancia dio dividendos, y tuvo una primera relación sexual sin ceremonia, detrás de unos matorrales en un picnic. Eso aplacó su curiosidad y su complejo de ser virgen pasados los veinte años. Después tuvo dos o tres encuentros similares con diferentes jóvenes, nada memorables, que confirmaron su decisión de esperar a Ichimei.

Resurrección

Un par de semanas antes de graduarse, Alma llamó a Nathaniel a San Francisco para organizar los detalles del viaje de los Belasco a Boston. Era la primera mujer de la familia que iba a tener un título universitario y el hecho de que fuera en Diseño e Historia del arte, disciplinas relativamente oscuras, no le quitaba mérito. Incluso Martha y Sarah asistirían a la ceremonia, en parte porque pensaban seguir a Nueva York a hacer compras, pero su tío Isaac estaría ausente; su cardiólogo le había prohibido subirse a un avión. El tío se disponía para desobedecer la orden porque Alma estaba más anclada en sus afectos que sus propias hijas, pero Lillian no se lo permitió. En la conversación con su primo, Alma le comentó de pasada que hacía varios días que tenía la impresión de ser espiada. No le atribuía mayor importancia, dijo, seguramente eran sobresaltos de su imaginación, estaba nerviosa con los exámenes finales, pero Nathaniel insistió en conocer los detalles. Un par de llamadas telefónicas anónimas en las que alguien —una voz masculina con acento extranjero— preguntó si era ella y enseguida cortó; la incómoda sensación de ser observada y seguida; un hombre que había hecho indagaciones sobre ella entre sus compañeras y, por la descripción que sus amigas le dieron, parecía ser el mismo que ella había visto varias veces, días antes en una clase, en los pasillos, en la calle. Nathaniel, con su suspicacia de abogado, le aconsejó que advirtiera por escrito a la policía del campus, como medida legal de precaución: si algo sucedía, habría constancia de sus sospechas. También le ordenó que no saliera sola de noche. Alma no le hizo caso.

Era la temporada de fiestas extravagantes en que los estudiantes se despedían de la universidad. Entre música, alcohol y baile, a Alma se le olvidó la sombra siniestra que había imaginado, hasta el viernes anterior a su graduación. Había pasado buena parte de la noche en una fiesta desmadrada, bebiendo demasiado y manteniéndose de pie con cocaína, dos cosas que toleraba mal. A las tres de la madrugada, un ruidoso grupo de jóvenes en un coche descapotable la dejó frente a su dormitorio. Tambaleándose, desgreñada y con los zapatos en la mano, Alma buscó la llave en su cartera, pero no alcanzó a encontrarla antes de caer de rodillas, vomitando hasta que no le quedó nada dentro. Las arcadas secas continuaron por largos minutos, mientras le corrían lágrimas por la cara. Por fin trató de levantarse, empapada de transpiración, con espasmos en el estómago, tiritando y gimiendo de desolación. De pronto, un par de garras se le clavaron en los brazos y se sintió alzada del pavïmento y sostenida de pie. «¡Alma Mendel, debería darte vergüenza!» No reconoció la voz del teléfono. Se dobló, vencida de nuevo por las náuseas, pero las garras la apretaron con más firmeza. «¡Suélteme, suélteme!», masculló, pataleando. Una palmada en la cara le devolvió por un instante algo de sobriedad y pudo ver la forma de un hombre, un rostro oscuro cruzado de rayas como cicatrices, un cráneo afeitado. Inexplicablemente, sintió un tremendo alivio, cerró los ojos y se abandonó a la desgracia de la borrachera y la incertidumbre de hallarse en el abrazo férreo del desconocido que acababa de golpearla.

A las siete de la mañana del sábado, Alma despertó envuelta en una tosca frazada, que le arañaba la piel, en el asiento trasero de un coche. Olía a vómito, orina, cigarrillo y alcohol. No sabía dónde estaba y no recordaba nada de lo sucedido la noche anterior. Se sentó y trató de acomodarse la ropa, entonces se dio cuenta de que había perdido el vestido y la enagua, estaba en sostén, bragas y portaligas, con las medias rotas, descalza. Campanas despiadadas le repicaban dentro de la cabeza, tenía frío, la boca seca y mucho miedo. Volvió a echarse, encogida, quejándose y llamando a Nathaniel.

Momentos más tarde sintió que la remecían. Abrió los párpados a duras penas y, tratando de enfocar la vista, distinguió la silueta de un hombre, que había abierto la portezuela y se inclinaba sobre ella.

—Café y aspirinas. Esto te va a ayudar un poco —le dijo, pasándole un vaso de papel y dos píldoras.

—Déjeme, tengo que irme —replicó ella, con la lengua rasposa, tratando de incorporarse.

—No puedes ir a ninguna parte en estas condiciones. Tu familia va a llegar dentro de unas horas. La graduación es mañana. Tómate el café. Y en caso de que quieras saberlo, soy tu hermano Samuel.

Así resucitó Samuel Mendel, once años después de haber muerto en el norte de Francia.

Después de la guerra, Isaac Belasco había obtenido pruebas fehacientes de la suerte que corrieron los padres de Alma en un campo de exterminio de los nazis, cerca del pueblo de Treblinka, al norte de Polonia. Los rusos no documentaron la liberación del campo, como habían hecho los americanos en otras partes, y oficialmente se sabía muy poco de lo ocurrido en ese infierno, pero la Agencia Judía calculaba que allí habían perecido ochocientas cuarenta mil personas, entre julio de 1942 y octubre de 1943, ochocientas mil de las cuales eran judías. En cuanto a Samuel Mendel, Isaac averiguó que su avión fue derribado en la zona de Francia ocupada por los alemanes y, de acuerdo con los registros militares británicos, no hubo sobrevivientes. Por entonces, Alma llevaba muchos años sin saber de su familia y los había dado por muertos bastante antes de que su tío se lo confirmara. Al enterarse, Alma no lloró por ellos como cabía esperar, porque durante esos años había practicado tanto el control de sus sentimientos que había perdido la habilidad para expresarlos. Isaac y Lillian consideraron necesario dar clausura a esa tragedia y llevaron a Alma a Europa. En el cementerio de la aldea francesa, donde cayó el avión de Samuel, pusieron una placa recordatoria con su nombre y las fechas de su nacimiento y su muerte. No consiguieron autorización para visitar Polonia, controlada por los soviéticos; esa peregrinación la realizaría Alma mucho más tarde. La guerra había terminado cuatro años atrás, pero todavía Europa estaba en ruinas y vagaban masas de gente desplazada, buscando una patria. La conclusión de Alma fue que no le bastaría una sola vida para pagar el privilegio de ser la única sobreviviente de su familia.

Sacudida por la declaración del desconocido que decía ser Samuel Mendel, Alma se irguió en el asiento del coche y se tragó el café y las aspirinas en tres sorbos. Aquel hombre no se parecía al joven de mejillas rubicundas y expresión juguetona que ella había despedido en el muelle de Danzig. Su verdadero hermano era ese recuerdo borroso y no el individuo que tenía delante, enjuto, seco, de ojos duros y boca cruel, la piel quemada por el sol y la cara marcada por profundas arrugas y un par de cicatrices.

—¿Cómo puedo saber que eres mi hermano?

—No puedes. Pero yo no estaría perdiendo mi tiempo contigo si no lo fuera.

—¿Dónde está mi ropa?

—En la lavandería. Estará lista dentro de una hora. Tenemos tiempo para hablar.

Samuel le contó que lo último que vio cuando derribaron su avión fue el mundo desde arriba, girando y girando. No llegó a lanzarse en paracaídas, de eso estaba seguro, porque entonces lo habrían descubierto los alemanes, y no podía explicar claramente cómo se salvó de perecer al estrellarse e incendiarse la máquina. Suponía que fue expulsado de su asiento en la caída y aterrizó en las copas de los árboles, donde quedó colgando. La patrulla enemiga encontró el cuerpo de su copiloto y no buscó más. A él lo rescataron un par de miembros de la resistencia francesa, con muchos huesos rotos y amnésico; al comprobar que estaba circuncidado lo entregaron a un grupo de la resistencia judía. Lo escondieron durante meses en cuevas, establos, subterráneos, fábricas abandonadas y casas de gente bondadosa dispuesta a ayudarlo, cambiándolo de un sitio a otro con frecuencia, hasta que se le soldaron los huesos partidos, dejó de ser una carga y pudo incorporarse al grupo como combatiente. La neblina que le ofuscaba la mente tardó mucho más en disiparse que los huesos en curarse. Por el uniforme que llevaba cuando lo encontraron, sabía que venía de Inglaterra. Entendía inglés y francés, pero respondía en polaco; pasarían meses antes de que recuperara los otros idiomas que dominaba. Como no sabían su nombre, sus compañeros lo apodaron Caracortada, por las cicatrices, pero él decidió llamarse Jean Valjean, como el protagonista de la novela de Víctor Hugo, que había leído durante su convalecencia. Luchó con sus compañeros en una guerra de escaramuzas que parecía sin destino. Las fuerzas alemanas eran tan eficientes, su orgullo tan monumental, su sed de poder y de sangre tan insaciable, que las acciones de sabotaje del grupo de Samuel no lograban rascar la coraza del monstruo. Vivían en la sombra, moviéndose como ratas desesperadas, con una sensación constante de fracaso e inutilidad, pero seguían adelante, porque no había alternativa. Se saludaban con una sola palabra: victoria. Se despedían de la misma forma: victoria. El final era previsible: capturado durante una acción, fue enviado a Auschwitz.

Al final de la guerra, después de sobrevivir al campo de concentración, Jean Valjean logró embarcar clandestinamente hacia Palestina, donde llegaban oleadas de refugiados judíos, a pesar de Gran Bretaña, que controlaba la región y procuraba impedirlo para evitar un conflicto con los árabes. La guerra lo había transformado en un lobo solitario que no bajaba nunca las defensas. Se conformaba con amoríos casuales, hasta que uno de ellos, compañera del Mosad, la agencia israelí de espionaje en la que había ingresado, una investigadora minuciosa y atrevida, le anunció que iba a ser padre. Se llamaba Anat Rákosi y había emigrado de Hungría con su padre, únicos sobrevivientes de una familia numerosa. Mantenía con Samuel una relación cordial, sin romance ni futuro, que resultaba cómoda a ambos y no habrían cambiado sin el inesperado embarazo. Anat creía ser estéril a causa del hambre, los golpes, las violaciones y los «experimentos» médicos que había sufrido. Al comprobar que no era un tumor lo que le abultaba el vientre, sino un niño, lo atribuyó a una broma de Dios. No se lo dijo a su amante hasta el sexto mes. «¡Vaya! Yo pensaba que por fin estabas engordando un poco», fue el comentario de él, pero no pudo disimular el entusiasmo. «Lo primero será averiguar quién eres, para que esta criatura sepa de dónde proviene. El apellido

Valjean es melodramático», replicó ella. Él había ido postergando año a año la decisión de buscar su identidad, pero Anat se puso a la tarea de inmediato, con la misma tenacidad con que descubría para el Mosad los escondites de los criminales nazis, que habían escapado a los juicios de Nuremberg. Empezó por Auschwitz, el último paradero de Samuel antes del armisticio, y fue siguiendo el hilo de la historia paso a paso. Balanceando la panza se fue a Francia a hablar con uno de los pocos miembros de la resistencia judía que aún quedaban en ese país, y él la ayudó a localizar a los combatientes que habían rescatado al piloto del avión inglés; no fue fácil, porque después de la guerra resultó que todos los franceses eran héroes de la resistencia. Anat terminó en Londres revisando los archivos de la Real Fuerza Aérea, donde encontró varias fotografías de jóvenes que tenían un parecido con su amante. No había otra cosa a la cual aferrarse. Lo llamó por teléfono y le leyó cinco nombres. «¿Te suena alguno?» le preguntó. «¡Mendel! Estoy seguro. Mi apellido es Mendel», replicó él, conteniendo apenas el sollozo atorado en la garganta.

—Mi hijo tiene cuatro años, se llama Baruj, como nuestro padre. Baruj Mendel —le contó Samuel a Alma, sentado a su lado en el asiento trasero del coche.

—¿Te casaste con Anat?

—No. Estamos tratando de vivir juntos, pero no es fácil.

—Hace cuatro años que sabes de mí, ¿y hasta ahora no se te ha ocurrido venir a verme? —le reprochó Alma.

—¿Para qué iba a buscarte? El hermano que conociste murió en un accidente aéreo. No queda nada del muchacho que se alistó como piloto en Inglaterra. Conozco la historia, porque Anat insiste en repetirla, pero no la siento mía, es un cuento hueco, sin significado. La verdad es que no me acuerdo de ti, pero estoy seguro de que eres mi hermana, porque Anat no se equivoca en este tipo de cosas.

—Yo sí me acuerdo de que tuve un hermano que jugaba conmigo y tocaba el piano, pero no te pareces a él.

—No nos hemos visto en años y, ya te lo dije, no soy el mismo.

—¿Por qué has decidido venir ahora?

—No vine por ti, estoy en una misión, pero no puedo hablar de eso. He aprovechado el viaje para venir a Boston porque Anat cree que Baruj necesita una tía. El padre de Anat murió hace un par de meses. No queda nadie de la familia de ella ni de la mía, sólo tú. No pretendo imponerte nada, Alma, sólo quiero que sepas que estoy vivo y que tienes un sobrino. Anat te mandó esto —dijo.

Le alargó una fotografía a color del niño y sus padres. Anat Rákosi aparecía sentada, con su hijo en el regazo; una mujer muy delgada, descolorida, de lentes redondos. Junto a ellos estaba Samuel, también sentado, con los brazos cruzados sobre el pecho. El niño tenía las facciones fuertes y el pelo ensortijado y oscuro del padre. Detrás de la foto Samuel había escrito una dirección en Tel Aviv.

—Ven a vernos, Alma, para que conozcas a Baruj —le dijo al despedirse, después de recuperar el vestido de la lavandería y conducirla hasta su dormitorio.

La espada de los Fukuda

Su agonía duró semanas. Con los pulmones carcomidos por el cáncer, respirando entre estertores como un pez fuera del agua, a Takao Fukuda le costaba morir. Apenas podía hablar y estaba tan débil que sus intentos de comunicarse por escrito eran inútiles, porque sus manos hinchadas y temblorosas no podían trazar los delicados caracteres japoneses. Se negaba a comer y al primer descuido de su familia o de las enfermeras se arrancaba la sonda del alimento. Pronto se sumió en un sopor pesado, pero Ichimei, que se turnaba con su madre y su hermana para acompañarlo en el hospital, sabía que estaba consciente y angustiado. Le acomodaba las almohadas para mantenerlo semierguido, le secaba el sudor, le frotaba la piel escamada con loción, le ponía trocitos de hielo en la lengua, le hablaba de plantas y jardines. En uno de esos momentos de intimidad, se fijó en que los labios de su padre se movían repetidamente modulando algo que parecía el nombre de una marca de cigarrillos, pero la idea de que en esas circunstancias todavía quisiera fumar resultaba tan descabellada, que la descartó. Pasó la tarde tratando de descifrar lo que Takao intentaba transmitirle. «¿Kemi Morita? ¿Es eso lo que dice, papá? ¿Quiere verla?», le preguntó finalmente. Takao asintió con la poca energía que le quedaba. Era la líder espiritual de Oomoto, una mujer con reputación de hablar con los espíritus, a quien Ichimei conocía, porque viajaba a menudo para reunirse con las pequeñas comunidades de su religión.

—Papá quiere que llamemos a Kemi Morita —le dijo Ichimei a Megumi.

—Vive en Los Ángeles, Ichimei.

—¿Cuántos ahorros nos quedan? Podríamos comprarle el pasaje.

Cuando Kemi Morita llegó, Takao ya no se movía ni abría los ojos. El único signo de vida era el ronroneo del respirador; estaba suspendido en el limbo, esperando. Megumi consiguió que una compañera de la fábrica le prestara su automóvil y fue a recoger a la sacerdotisa al aeropuerto. La mujer parecía un niño de diez años con pijama blanco. Su pelo canoso, sus hombros encorvados y la forma en que arrastraba los pies, contrastaban con su cara lisa, sin arrugas, una máscara de serenidad color bronce.

Kemi Morita se aproximó a pasitos cortos a la cama y le tomó la mano; Takao entreabrió los párpados y tardó un poco en reconocer a su maestra espiritual. Entonces un gesto casi imperceptible animó su rostro estragado. Ichimei, Megumi y Heideko retrocedieron hasta el fondo de la habitación, mientras Kemi murmuraba una larga oración o un poema en un japonés arcaico. Después pegó la oreja a la boca del moribundo. Al cabo de largos minutos, Kemi besó a Takao en la frente y se volvió hacia la familia.

—Aquí están la madre, el padre y los abuelos de Takao. Han venido de muy lejos a guiarlo al Otro Lado —dijo en japonés, señalando los pies de la cama—. Takao está listo para irse, pero antes debe darle un mensaje a Ichimei. Éste es el mensaje: «La katana de los Fukuda está enterrada en un jardín sobre el mar. No puede quedar allí. Ichimei, debes recuperarla y ponerla donde corresponde, en el altar de los antepasados de nuestra familia».

Ichimei recibió el mensaje con una profunda inclinación, llevándose las manos juntas a la frente. No recordaba claramente la noche en que enterraron la espada de los Fukuda, los años habían desdibujado la escena, pero Heideko y Megumi sabían cuál era ese jardín sobre el mar.

—Takao también pide un último cigarrillo —agregó Kemi Morita antes de retirarse.

Al regresar de Boston, Alma comprobó que durante los años de su ausencia la familia Belasco había cambiado más de lo que reflejaban las cartas. Los primeros días se sintió de sobra, como una visita de paso, preguntándose cuál era su lugar en esa familia y qué diablos iba a hacer con su vida. San Francisco le parecía provinciano; para hacerse un nombre con su pintura tendría que irse a Nueva York, donde estaría entre artistas de renombre y más cerca de la influencia de Europa.

Habían nacido tres nietos Belasco, un niño de tres meses de Martha, y las mellizas de Sarah, que por un error de las leyes de la genética habían salido con aspecto de escandinavas.

Nathaniel estaba a cargo de la firma de su padre, vivía solo en un *penthouse* con vistas sobre la bahía y llenaba sus horas libres navegando por la bahía en su velero. Era de pocas palabras y de pocos amigos. A los veintisiete años seguía resistiéndose a la campaña agresiva de su madre para conseguirle una esposa conveniente. Sobraban candidatas, porque Nathaniel provenía de una buena familia, tenía dinero y aspecto de galán, era el *mensch* que su padre deseaba y a quien todas las chicas casamenteras de la colonia judía le tenían puesto el ojo encima. La tía Lillian había cambiado poco, seguía siendo la mujer bondadosa y activa de siempre, pero se le había acentuado la sordera, hablaba a gritos y tenía la cabeza llena de canas, que no se teñía porque no deseaba verse más joven, sino lo contrario. A su marido le habían caído dos décadas encima de sopetón y los pocos años que los separaban en edad parecían haberse triplicado. Isaac había sufrido un ataque al corazón y, aunque se repuso, estaba debilitado. Iba un par de horas diarias a la oficina por disciplina, pero había delegado el trabajo en Nathaniel; dejó por completo la vida social, que nunca le había atraído, leía mucho, se deleitaba con el paisaje del mar y la bahía en la pérgola de su jardín, cultivaba almácigos en el invernadero, estudiaba textos de leyes y de plantas. Se había reblandecido y las más nimias emociones le humedecían los ojos. Lillian llevaba una punzada de miedo clavada en el estómago. «Júrame que no te vas a morir antes que yo, Isaac», le exigía en esos momentos en que a él le faltaba el aliento y se arrastraba a la cama para desplomarse tan pálido como las sábanas, con los huesos paralizados. Lillian nada sabía de cocina, siempre había contado con un chef, pero desde que su marido empezó a decaer, ella misma le preparaba sopas infalibles con las recetas que su madre le había legado, anotadas a mano en un cuaderno. Lo había obligado a ver a una docena de médicos, lo acompañaba a las consultas para evitar que les ocultara sus males y le administraba los medicamentos. Además usaba recursos esotéricos. Invocaba a Dios, no sólo al amanecer y al atardecer, como se debía, sino a toda hora: *Shemá Ysrael, Adonai Eloeinu, Adonai Ejad*. Por protección, Isaac dormía con un ojo de vidrio turco y una mano de Fátima de latón pintado colgados del respaldo de la cama; había siempre una vela encendida sobre su cómoda, junto a una Biblia hebrea, otra cristiana y un frasco de agua bendita, que una de las empleadas de la casa había traído de la capilla de San Judas.

—¿Qué es esto? —preguntó Isaac el día en que apareció un esqueleto con sombrero sobre su mesa de noche.

—El barón Samedi. Me lo mandaron de Nueva Orleans. Es la deidad de la muerte y también de la salud —le informó Lillian.

El primer impulso de Isaac fue eliminar de un manotazo los fetiches que habían invadido su habitación, pero pudo más el amor por su mujer. Nada le costaba hacer la vista gorda si eso servía para auxiliar a Lillian, que estaba deslizándose inexorablemente por la pendiente del pánico. No podía ofrecerle otro consuelo. Estaba pasmado ante su propio deterioro físico, porque había sido fuerte y saludable y se creía indestructible. Una fatiga espantosa le corroía los huesos y sólo su voluntad de elefante le permitía cumplir con las responsabilidades que se había impuesto. Entre ellas estaba la de permanecer vivo para no defraudar a su mujer.

La llegada de Alma le trajo un soplo de energía. No era dado a demostraciones sentimentales, pero la mala salud lo había vuelto vulnerable y debía cuidarse mucho para que el torrente de ternura que llevaba por dentro no se le desbordara. Sólo Lillian, en los momentos de intimidad, atisbaba ese lado de la personalidad de su marido. Su hijo Nathaniel era el báculo en que se apoyaba Isaac, su mejor amigo, socio y confidente, pero nunca había tenido necesidad de decírselo; ambos lo daban por sentado y puesto en palabras los habría abochornado. A Martha y Sarah las trataba con el afecto de un patriarca benévolo, pero en secreto le había confesado a Lillian que sus hijas no le gustaban, las encontraba mezquinas. A Lillian tampoco le gustaban demasiado, pero no lo admitía por ningún motivo. A los nietos, Isaac los celebraba de lejos. «Vamos a esperar que crezcan un poco, todavía no son personas», decía en tono de broma, a modo de excusa, pero en el fondo así lo sentía. Por Alma, sin embargo, siempre tuvo debilidad.

Cuando esa sobrina llegó de Polonia a vivir a Sea Cliff en 1939, Isaac le tomó tanto cariño que más tarde llegó a sentir una alegría culpable por la desaparición de sus padres, porque le daba oportunidad de reemplazarlos en el corazón de la chiquilla. No se propuso formarla, como a sus propios hijos, sólo protegerla, y eso le dio libertad para quererla. Le dejó a Lillian la tarea de atender sus necesidades de muchacha, mientras él se divertía desafiándola intelectualmente y compartiendo con ella sus pasiones por la botánica y la geografía. Precisamente un día que le estaba enseñando a Alma sus libros sobre jardines se le ocurrió crear la Fundación Belasco. Pasaron meses barajando juntos diferentes posibilidades, antes de que la idea se concretara, y fue a la niña, que entonces tenía trece años, a quien se le ocurrió plantar jardines en los barrios más pobres de la ciudad. Isaac la admiraba; observaba fascinado la evolución de su mente, comprendía su soledad y se conmovía cuando ella se le acercaba buscando compañía. La niña se sentaba a su lado, con una mano sobre su rodilla, a ver la televisión o estudiar libros de jardinería, y el peso y calor de esa mano pequeña eran un regalo precioso para él. A su vez, él le acariciaba la cabeza cuando pasaba por su lado, siempre que nadie estuviera presente, y compraba golosinas para dejarle debajo de la almohada. La joven mujer que volvió de Boston, con melena de corte geométrico, labios rojos y pisando fuerte, no era la Alma timorata de antes, que dormía abrazada al gato porque le daba miedo dormir sola, pero una vez superada la mutua incomodidad, recuperaron la delicada relación que habían compartido por más de una década.

—¿Te acuerdas de los Fukuda? —le preguntó Isaac a su sobrina, a los pocos días.

—¡Cómo no me voy a acordar! —exclamó Alma, sobresaltada.

—Ayer me llamó uno de los hijos.

—¿Ichimei?

—Sí. Es el menor, ¿verdad? Me preguntó si podía venir a verme, tiene que hablar conmigo. Están viviendo en Arizona.

—Tío, Ichimei es mi amigo y no lo he visto desde que internaron a la familia. ¿Puedo asistir a esa entrevista, por favor?

—Me dio a entender que se trata de algo privado.

—¿Cuándo vendrá?

—Yo te avisaré, Alma.

Quince días más tarde Ichimei se presentó en la casa de Sea Cliff, con un traje oscuro ordinario y corbata negra. Alma estaba esperándolo con el corazón al galope y antes de que alcanzara a tocar el timbre le abrió la puerta y se le echó a los brazos. Seguía siendo más alta que él y casi lo derribó con el impacto. Ichimei, desconcertado, porque le sorprendió verla y porque las demostraciones de afecto en público son mal vistas por los japoneses, no supo cómo responder a tanta efusividad, pero ella no le dio tiempo a pensarlo; lo tomó de la mano y lo arrastró al interior de la casa repitiendo su nombre, con los ojos húmedos, y apenas cruzaron el umbral lo besó de lleno en la boca. Isaac Belasco estaba en la biblioteca, en su sillón favorito, con Neko, el gato de Ichimei, que ya tenía dieciséis años, en las rodillas. Podía ver la escena y, conmocionado, se escondió detrás del periódico, hasta que finalmente Alma condujo a Ichimei a su presencia. La joven los dejó solos y cerró la puerta.

Ichimei le contó a Isaac Belasco en pocas palabras la suerte que había corrido su familia, que éste ya conocía, porque desde la llamada telefónica había investigado lo más posible sobre los Fukuda. No sólo conocía el fin de Takao y Charles, la deportación de James y la pobreza en que se encontraban la viuda y los dos hijos que quedaban, sino que había tomado algunas medidas al respecto. La única novedad que le dio Ichimei fue el mensaje de Takao respecto a la espada.

—Lamento mucho el fallecimiento de Takao. Fue mi amigo y maestro. También lamento lo de Charles y James. Nadie ha tocado el sitio donde está la katana de tu familia, Ichimei. Puedes llevártela cuando quieras, pero fue enterrada con una ceremonia y creo que a tu padre le gustaría que fuera desenterrada con igual solemnidad.

—Cierto, señor. Por el momento no tengo dónde colocarla. ¿Podría dejarla aquí? No será por mucho tiempo más, espero.

—Esa espada honra esta casa, Ichimei. ¿Tienes prisa en retirarla?

—Su lugar es en el altar de mis antepasados, pero por el momento no tenemos casa ni altar. Mi madre, mi hermana y yo vivimos en una pensión.

—¿Cuántos años tienes, Ichimei?

—Veintidós.

—Eres mayor de edad, jefe de tu familia. A ti te corresponde hacerte cargo del negocio que tuve con tu padre.

Isaac Belasco procedió a explicarle al estupefacto Ichimei que en 1941 había formado una sociedad con Takao Fukuda para un vivero de flores y plantas decorativas. La guerra impidió que la sociedad echara a andar, pero ninguno de los dos le puso fin al compromiso de palabra que habían adquirido, de modo que seguía en pie. Existía un terreno apropiado en Martínez, al este de la bahía de San Francisco, que él había comprado a muy buen precio. Se trataba de dos hectáreas de tierra plana, fértil y bien regada, con una casa modesta, pero decente, donde los Fukuda podrían vivir hasta que consiguieran algo mejor. Ichimei tendría que trabajar muy duramente para sacar adelante el negocio, tal como había sido el acuerdo con Takao.

—La tierra ya la tenemos, Ichimei. Voy a invertir el capital inicial para preparar el terreno y plantar, el resto te corresponde a ti. Con las ventas irás pagando tu parte como puedas, sin prisa ni intereses. Cuando llegue el momento, pondremos la sociedad a tu nombre. Por ahora el terreno pertenece a la Sociedad Belasco, Fukuda e Hijos.

No le dijo que la sociedad y la compra de la tierra se habían realizado hacía menos de una semana. Eso lo descubriría Ichimei cuatro años más tarde, cuando fue a transferir el negocio a su nombre.

Los Fukuda regresaron a California y se instalaron en Martínez, a cuarenta y cinco minutos de San Francisco. Ichimei, Megumi y Heideko, trabajando de sol a sol, obtuvieron la primera cosecha de flores. Comprobaron que la tierra y el clima eran los mejores que se podía desear, sólo faltaba colocar el producto en el mercado. Heideko había demostrado tener más agallas y músculos que cualquier otro miembro de su familia. En Topaz desarrolló espíritu combativo y de organización; en Arizona sacó adelante a su familia, porque Takao apenas podía respirar entre cigarrillos y ataques de tos. Había querido a su marido con la feroz lealtad de quien no cuestiona su destino de esposa, pero enviudar fue una liberación para ella. Cuando regresó con sus hijos a California y se encontró con dos hectáreas de posibilidades, se puso al frente de la empresa sin vacilar. Al principio Megumi tuvo que obedecerle y coger pala y rastrillo para trabajar en el campo, pero tenía la mente puesta en un futuro muy alejado de la agricultura. Ichimei amaba la botánica y poseía una voluntad férrea para el trabajo pesado, pero carecía de sentido práctico y ojo para el dinero. Era idealista, soñador, inclinado al dibujo y la poesía, con más aptitud para la meditación que para el comercio. No fue a vender su espectacular cosecha de flores en San Francisco hasta que su madre lo mandó a lavarse la tierra de las uñas, ponerse traje, camisa blanca y corbata de color —nada de luto—, cargar la camioneta e ir a la ciudad.

Megumi había hecho una lista de las floristerías más elegantes y Heideko, con ella en la mano, las visitó una por una. Ella se quedaba en el vehículo, porque era consciente de su aspecto de campesina japonesa y su pésimo inglés, mientras Ichimei, con las orejas coloradas de vergüenza, ofrecía su mercadería. Todo lo relacionado con dinero lo ponía incómodo. Según Megumi, su hermano no estaba hecho para vivir en América, era discreto, austero, pasivo y humilde; si de él dependiera, andaría cubierto con un taparrabo y mendigando su alimento con una escudilla, como los santones y profetas de la India.

Esa noche, Heideko e Ichimei volvieron de San Francisco con la camioneta vacía. «Primera y última vez que te acompaño, hijo. Eres responsable de esta familia. No podemos comer flores, tienes que aprender a venderlas», le dijo Heideko. Ichimei trató de delegar ese papel en su hermana, pero Megumi ya estaba con un pie en la puerta. Se dieron cuenta de lo fácil que era obtener un buen precio por las flores y calcularon que podrían pagar la tierra en cuatro o cinco años, siempre que vivieran con el mínimo y no ocurriera una desgracia. Además, después de ver la cosecha, Isaac Belasco les prometió que obtendría un contrato con el hotel Fairmont para el mantenimiento de los espectaculares ramos de flores frescas del hall de recepción y los salones, que daban fama al establecimiento.

Por fin la familia empezaba a despegar, después de trece años de mala suerte; entonces Megumi anunció que había cumplido treinta años y era hora de iniciar su propio camino. En esos años Boyd Anderson se había casado y divorciado, era padre de dos niños y había vuelto a rogarle a Megumi que se fuera a Hawái, donde él prosperaba con su taller de mecánica y una flotilla de camiones. «Olvídate de Hawái, si quieres estar conmigo, tendrá que ser en San Francisco», le respondió ella. Había decidido estudiar enfermería. En Topaz había atendido varios partos y cada vez que recibía a una criatura recién nacida sentía la misma sensación de éxtasis, lo más parecido a una revelación divina que podía imaginar. Hacía poco que este aspecto de la obstetricia, dominado por médicos y cirujanos, comenzaba a delegarse en las matronas y ella quería estar en la vanguardia de la profesión. La aceptaron en un programa de enfermería y salud femenina, que tenía la ventaja de ser gratis. Durante los tres años siguiente Boyd Anderson siguió cortejándola con parsimonia desde la distancia, convencido de que una vez que ella obtuviera su diploma, se casaría con él y se iría a Hawái.

27 de noviembre de 2005

Parece increíble, Alma: Megumi ha decidido jubilarse. Le costó tanto obtener su diploma y ama tanto su profesión, que pensábamos que nunca iba a retirarse. Hemos calculado que en cuarenta y cinco años ha traído al mundo unos cinco mil quinientos críos. Es su aporte a la explosión demográfica, como dice. Cumplió ochenta años, está viuda desde hace una década y tiene cinco nietos, es hora de que descanse, pero se le ha puesto en la cabeza montar un negocio de comida. Nadie lo entiende en la familia, porque mi hermana es incapaz de freír un huevo. He tenido algunas horas libres para pintar. Esta vez no voy a recrear el paisaje de Topaz, como tantas veces. Estoy pintando un sendero en las montañas al sur de Japón, cerca de un templo muy antiguo y aislado. Debemos volver juntos a Japón, me gustaría mostrarte ese templo.

Ichi

El amor

El año 1955 no fue sólo de esfuerzo y sudor para Ichimei. Fue también el año de sus amores. Alma abandonó el proyecto de volver a Boston, convertirse en una segunda Vera Neumann y viajar por el mundo. Su único propósito en la vida era estar con Ichimei. Se encontraban casi todos los días al anochecer, cuando terminaban las faenas del campo, en un motel de carretera a nueve kilómetros de Martínez. Alma siempre llegaba primero y pagaba la habitación a un empleado pakistaní, que la escrutaba de pies a cabeza con profundo desprecio. Ella lo miraba a los ojos, orgullosa e insolente, hasta que el hombre bajaba la vista y le entregaba la llave. La escena se repetía idéntica de lunes a viernes.

En su casa, Alma anunció que estaba tomando clases vespertinas en la Universidad en Berkeley. Para Isaac Belasco, que se preciaba de ser de ideas avanzadas y que podía hacer negocios o cultivar amistad con su jardinero, habría sido inaceptable que alguien de su familia tuviera relaciones íntimas con uno de los Fukuda. En cuanto a Lillian, Alma se casaría con un *mensch* de la colonia judía, tal como lo habían hecho Martha y

Sarah, eso no se discutía. El único que estaba en el secreto de Alma era Nathaniel y tampoco lo aprobaba. Alma no le había hablado del hotel y él no le había preguntado, porque prefería no saber los detalles. No podía seguir descalificando a Ichimei como una veleidad de su prima, de la cual se curaría apenas volviera a verlo; pero esperaba que Alma comprendiera en algún momento que no tenían nada en común. No se acordaba de la relación que él mismo tuvo con Ichimei en la infancia, excepto las clases de artes marciales en la calle Pine. Desde que él empezó la secundaria y se terminaron las obras teatrales en el desván, lo había visto muy poco, aunque Ichimei iba a menudo a Sea Cliff para jugar con Alma. Cuando los Fukuda regresaron a San Francisco, estuvo con él brevemente en un par de ocasiones, cuando le enviaba su padre a entregarle dinero para el vivero. No entendía qué diablos veía su prima en él: era un tipo insustancial, pasaba sin dejar huella, lo opuesto al hombre fuerte y seguro de sí mismo, que podría manejar a una mujer tan complicada como Alma. Estaba seguro de que su opinión sobre Ichimei sería la misma aunque no fuera japonés; la raza no tenía nada que ver, era una cuestión de carácter. A Ichimei le faltaban esas dosis de ambición y agresividad necesarias en los hombres y que él mismo debió desarrollar a fuerza de voluntad. Recordaba muy bien sus años del miedo, el tormento de la escuela, y el esfuerzo descomunal para estudiar una profesión que requería una malignidad de la cual él carecía. Le estaba agradecido a su padre por inducirlo a seguir sus pasos, porque como abogado se había curtido, había adquirido piel de caimán para valerse por sí solo y salir adelante.

«Eso es lo que tú crees, Nat, pero no conoces a Ichimei y tampoco te conoces a ti mismo», le contestaba Alma, cuando él le exponía su teoría sobre la masculinidad.

El recuerdo de los meses benditos en que se juntaba con Ichimei en aquel motel, donde no podían apagar la luz por las cucarachas noctámbulas que salían de los rincones, sostuvieron a Alma en los años venideros, cuando intentó arrancarse el amor y el deseo con rigor extremo y reemplazarlos por la penitencia de la fidelidad. Con Ichimei descubrió las múltiples sutilezas del amor y del placer, desde la pasión desenfrenada y urgente, hasta esos momentos sagrados en que la emoción los elevaba y se quedaban inmóviles, tendidos frente a frente en la cama, mirándose a los ojos largamente, agradecidos de su suerte, humildes por haber tocado lo más hondo de sus almas, purificados por haberse desprendido de todo artificio y yacer juntos totalmente vulnerables, en tal éxtasis que ya no podían distinguir entre el gozo y la tristeza, entre la exaltación de la vida y la tentación dulce de morir allí mismo para no separarse más. Aislada del mundo por la magia del amor, Alma podía ignorar las voces interiores que la llamaban al orden y le exigían prudencia advirtiéndole de las consecuencias. Sólo vivían para el encuentro del día, no había mañana ni ayer, sólo importaba ese cuarto insalubre con su ventana atascada, su olor a moho, sus sábanas gastadas y el ronquido perenne del aparato de ventilación. Sólo existían ellos dos, el primer beso anhelante al cruzar el umbral, antes de echar llave a la puerta, las caricias de pie, el despojarse de la ropa, que quedaba tirada donde cayera, los cuerpos desnudos, trémulos, sentir el calor, el sabor y el olor del otro, la textura de la piel y del pelo, la maravilla de perderse en el deseo hasta la extenuación, de dormitar abrazados por un momento y volver al placer renacido, a las bromas, las risas y las confidencias, al prodigioso universo de la intimidad. Los dedos verdes de Ichimei, capaces de devolver la vida a una planta agónica o arreglar un reloj a ciegas, le revelaron a Alma su propia naturaleza encabritada y hambrienta. Se divertía sorprendiéndolo, desafiándolo, viéndole enrojecer abochornado y divertido. Ella era atrevida y él era prudente, ella era ruidosa en el orgasmo, él le tapaba la boca. A ella se le ocurría un rosario de palabras románticas, apasionadas, halagüeñas y cochinas para soplarle al oído o escribirle en urgentes misivas; él mantenía la reserva propia de su carácter y su cultura.

Alma se abandonó a la alegría inconsciente del amor. Se preguntaba cómo nadie percibía el resplandor en su piel, la oscuridad sin fondo de sus ojos, la liviandad de su paso, la languidez en su voz, la ardiente energía que no podía ni quería controlar. En esa época escribió en su diario que andaba flotando y sentía burbujas de agua mineral en la piel, erizándole los vellos de gusto; que el corazón se le había agrandado como un globo y se le iba a reventar, pero no cabía nadie más que Ichimei en ese inmenso corazón inflado, el resto de la humanidad se había desdibujado; que se estudiaba desnuda frente al espejo imaginando que era Ichimei quien la observaba desde el otro lado del cristal, admirando sus piernas largas, sus manos fuertes, sus senos firmes de pezones oscuros, su vientre liso con una tenue línea de vellos negros del ombligo al pubis, sus labios pintados, su piel de beduina; que dormía con la cara hundida en una camiseta de él, impregnada de su aroma a jardinero, humus y sudor; que se tapaba los oídos para evocar la voz lenta y suave de Ichimei, su risa vacilante, que contrastaba con la de ella, exagerada y bullanguera, sus consejos de cautela, sus explicaciones de plantas, sus palabras de amor en japonés, porque en inglés le parecían insustanciales, sus exclamaciones deslumbradas ante los diseños que ella le mostraba y ante sus planes de imitar a Vera Neumann, sin detenerse ni por un instante a lamentar que él mismo, que tenía verdadero talento, apenas había podido pintar cuando conseguía un par de horas después del trabajo embrutecedor de la tierra, antes de que ella apareciera en su vida acaparando todo el tiempo libre y tragándose todo su aire. La necesidad de Alma de saberse amada era insaciable.

Huellas del pasado

Al principio, Alma Belasco y Lenny Beal, el amigo recién llegado a Lark House, se propusieron gozar de la vida cultural de San Francisco y Berkeley. Iban al cine, al teatro, a conciertos y exposiciones, experimentaban con restaurantes exóticos y paseaban con la perra. Por primera vez en tres años, Alma volvió al palco de la familia en la ópera, pero su amigo se confundió con el lío del primer acto y se durmió en el segundo, antes de que Tosca alcanzara a clavar un cuchillo de mesa en el corazón a Scarpia. Desistieron de la ópera. Lenny tenía un automóvil más cómodo que el de Alma y solían ir a Napa a disfrutar del bucólico paisaje de viñedos y a probar vinos, o a Bolinas a respirar aire salado y comer ostras, pero finalmente se cansaron del esfuerzo de mantenerse jóvenes y activos a base de voluntad y fueron cediendo a la tentación del reposo. En vez de tantas salidas, que requerían desplazarse, buscar estacionamiento y permanecer de pie, veían películas en la televisión, escuchaban música en sus apartamentos o visitaban a Cathy con una botella de champán rosado para acompañar el caviar gris, que la hija de Cathy, asistente de vuelo de Lufthansa, traía de sus viajes. Lenny colaboraba en la clínica del dolor enseñando a los pacientes a hacer máscaras para el teatro de Alma con papel mojado y cemento dental. Pasaban tardes leyendo en la biblioteca, la única área común más o menos silenciosa; el ruido era uno de los inconvenientes de vivir en comunidad. Si no había alternativa, cenaban en el comedor de Lark House, bajo el escrutinio de otras mujeres, envidiosas de la buena suerte de Alma. Irina se sentía desplazada, aunque a veces la incluían en sus salidas; ya no era indispensable para Alma. «Son ideas tuyas, Irina. Lenny no compite contigo en absoluto», la consolaba Seth, pero también estaba preocupado, porque si su abuela le rebajaba las horas semanales de trabajo a Irina, él tendría menos oportunidades de verla.

Esa tarde Alma y Lenny estaban sentados en el jardín evocando el pasado, como hacían a menudo, mientras a corta distancia Irina bañaba a Sofía con la manguera. Un par de años antes Lenny había visto en internet una organización dedicada a rescatar perros de Rumanía, donde vagaban por las calles en patéticas jaurías, y los traía a San Francisco para darlos en adopción a almas proclives a ese tipo de caridad. La cara de Sofía, con su mancha negra en el ojo, lo cautivó y sin pensarlo más llenó el formulario en línea, mandó los cinco dólares requeridos y al día siguiente fue a buscarla. En la descripción habían olvidado mencionar que a la perrita le faltaba una pata. Con las patas restantes hacía vida normal, la única secuela del accidente era que destrozaba una de las extremidades de cualquier cosa que tuviera cuatro, como sillas y mesas, pero Lenny lo resolvía con una reserva inagotable de muñecos de plástico; apenas la perra dejaba a uno manco o cojo, Lenny le entregaba otro y así se las arreglaban. Y su única debilidad de carácter era la deslealtad con su amo. Se prendó de Catherine Hope y al menor descuido corría como bala en su búsqueda y subía de un salto a su regazo. Le gustaba andar en silla de ruedas.

Sofía se quedaba quieta bajo el chorro de la manguera, mientras Irina le hablaba en rumano para disimular y prestaba oídos a la conversación de Alma y Lenny, con la intención de transmitírsela a Seth. Se sentía miserable por espiarlos, pero investigar el misterio de esa mujer se había convertido en una adicción que compartía con Seth. Sabía, porque Alma se lo había contado, que su amistad con Lenny había nacido en 1984, el año en que murió Nathaniel Belasco, y duró apenas unos meses, pero las circunstancias le dieron tal intensidad que cuando se reencontraron en Lark House pudieron retomarla como si nunca se hubieran distanciado. En ese momento, Alma le explicaba a Lenny que a los setenta y ocho años había renunciado a su papel de matriarca de los Belasco, cansada de cumplir con la gente y las normas, como había hecho desde chica. Llevaba tres años en Lark House y cada vez le gustaba más. Se lo había impuesto como una penitencia, dijo, como una forma de pagar por los privilegios de su vida, por la vanidad y el materialismo. Lo ideal habría sido pasar el resto de sus días en un monasterio zen, pero no era vegetariana y la meditación le daba dolor de espalda, por eso se decidió por Lark House, ante el horror de su hijo y su nuera, que hubieran preferido verla con la cabeza rapada en Dharamsala. En Lark

House estaba cómoda, no había renunciado a nada esencial y, en caso necesario, estaba a treinta minutos de Sea Cliff, aunque no volvía a la casa familiar —que nunca sintió como propia, pues primero pertenecía a sus suegros y después a su hijo y su nuera— más que a los almuerzos familiares. Al principio no hablaba con nadie en Lark House; era como estar sola en un hotel de segunda categoría, pero con el tiempo hizo algunas amistades y, desde que Lenny había llegado, se sentía muy acompañada.

—Podrías haber escogido algo mejor que esto, Alma.

—No necesito más. Lo único que me hace falta es una chimenea en invierno. Me gusta mirar el fuego, es como el oleaje del mar.

—Conozco a una viuda que ha pasado los últimos seis años en cruceros. Apenas el barco atraca en su última escala, su familia le da un pasaje para otra vuelta al mundo.

—¿Cómo no se les ocurrió esa solución a mi hijo y mi nuera? —se rió ella.

—Tiene la ventaja de que si te mueres en alta mar, el capitán echa el cadáver por la borda y tu familia se ahorra el entierro —agregó Lenny.

—Aquí estoy bien, Lenny. Estoy descubriendo quién soy una vez despojada de mis adornos y arreos; es un proceso bastante lento, pero muy útil. Todo el mundo debiera hacerlo al final de la vida. Si yo tuviera disciplina, trataría de ganar la partida a mi nieto y escribir mis propias memorias. Dispongo de tiempo, libertad y silencio, lo que nunca tuve en el barullo de mi vida anterior. Me estoy preparando para morir.

—Te falta mucho para eso, Alma. Te veo espléndida.

—Gracias. Debe de ser por el amor.

—¿Amor?

—Digamos que cuento con alguien. Tú sabes a quién me refiero: Ichimei.

—¡Increíble! ¿Cuántos años lleváis juntos?

—A ver, déjame sacar la cuenta… Lo he querido desde que los dos teníamos cerca de ocho años, pero como amantes llevamos cincuenta y ocho, desde 1955, con algunas interrupciones prolongadas.

—¿Por qué te casaste con Nathaniel? —le preguntó Lenny.

—Porque él quiso protegerme y en ese momento yo necesitaba su protección. Acuérdate cómo era de noble. Nat me ayudó a aceptar el hecho de que existen fuerzas más poderosas que mi voluntad, fuerzas incluso más poderosas que el amor.

—Me gustaría conocer a Ichimei, Alma. Avísame cuando venga a verte.

—Lo nuestro todavía es secreto —contestó ella, sonrojándose.

—¿Por qué? Tu familia lo entendería.

—No es por los Belasco, sino por la familia de Ichimei. Por respeto a su mujer, a sus hijos y nietos.

—Después de tantos años, su mujer tiene que saberlo, Alma.

—Nunca se ha dado por aludida. No quisiera hacerla sufrir; Ichimei no me lo perdonaría. Además, esto tiene sus ventajas.

—¿Cuáles?

—De partida, nunca hemos tenido que lidiar con problemas domésticos, de hijos, de dinero y tantos otros que enfrentan las parejas. Sólo nos juntamos para amarnos. Además, Lenny, una relación clandestina debe ser defendida, es frágil y preciosa. Tú lo sabes mejor que nadie.

—Los dos nacimos con medio siglo de retraso, Alma. Somos expertos en relaciones prohibidas.

—Ichimei y yo tuvimos una oportunidad cuando éramos muy jóvenes, pero yo no me atreví. No pude renunciar a la seguridad y me quedé atrapada en las convenciones. Eran los años cincuenta, el mundo era muy diferente. ¿Te acuerdas?

—¿Cómo no me voy a acordar? Una relación así era casi imposible, te habrías arrepentido, Alma. Los prejuicios habrían acabado por destruiros y matar el amor.

—Ichimei lo sabía y nunca me pidió que lo hiciera.

Al cabo de una larga pausa en que permanecieron absortos contemplando el afán de los picaflores en una mata de fucsia, mientras Irina se demoraba a conciencia en secar a Sofía con una toalla y cepillarla, Lenny le dijo a Alma que lamentaba no haberla visto en casi tres décadas.

—Me enteré de que estabas viviendo en Lark House. Es una coincidencia que me obliga a creer en el destino, Alma, porque yo me puse en lista de espera hace años, mucho antes de que tú vinieras. Fui retrasando la decisión de visitarte porque no quería desenterrar historias muertas —dijo.

—No están muertas, Lenny. Están más vivas ahora que nunca. Eso pasa con la edad: las historias del pasado cobran vida y se nos pegan en la piel. Me alegra que vayamos a pasar juntos los próximos años.

—No serán años sino meses, Alma. Tengo un tumor cerebral inoperable, me queda poco tiempo antes de que aparezcan los síntomas más notorios.

—¡Dios mío, cuánto lo siento, Lenny!

—¿Por qué? He vivido lo suficiente, Alma. Con tratamiento agresivo podría durar un poco más, pero no vale la pena someterse a eso. Soy cobarde, temo al dolor.

—Me extraña que te aceptaran en Lark House.

—Nadie sabe lo que tengo y no hay por qué divulgarlo, porque no ocuparé un lugar aquí por mucho tiempo. Voy a despacharme cuando se agrave mi condición.

—¿Cómo lo sabrás?

—Por ahora tengo dolor de cabeza, debilidad, algo de torpeza. Ya no me atrevo a andar en bicicleta, que fue la pasión de mi vida, porque me he caído varias veces. ¿Sabías que crucé en bicicleta Estados Unidos desde el Pacífico hasta el Atlántico en tres ocasiones? Pienso gozar el tiempo que me queda. Después vendrán los vómitos, la dificultad para caminar y hablar, me fallará la vista, me darán convulsiones... Pero no esperaré tanto. Tengo que actuar mientras tenga bien la mente.

—¡Qué rápido se nos pasa la vida, Lenny!

A Irina no le sorprendió la declaración de Lenny. La muerte voluntaria se discutía con naturalidad entre los residentes más lúcidos de Lark House. Según Alma, había demasiados ancianos en el planeta que vivían mucho más de lo necesario para la biología y de lo posible para la economía, no tenía sentido obligarlos a permanecer presos en un cuerpo dolorido o una mente desesperada. «Pocos viejos están contentos, Irina.

La mayoría pasa pobreza, no tiene buena salud ni familia. Ésta es la etapa más frágil y difícil de la vida, más que la infancia, porque empeora con el paso de los días y no tiene más futuro que la muerte.» Irina lo había comentado con Cathy, quien sostenía que dentro de poco se podría optar por la eutanasia, que sería un derecho, en vez de un crimen. A Cathy le constaba que varias personas en Lark House estaban provistas de lo necesario para una salida digna y, aunque entendía las razones para tomar esa decisión, ella no tenía intención de irse de ese modo. «Vivo con dolor permanente, Irina; pero si me distraigo, es soportable. Lo peor fue la rehabilitación después de las operaciones. Ni la morfina mitigaba el dolor, lo único que me ayudaba era saber que no iba a durar para siempre. Todo es temporal.» Irina supuso que Lenny, por su profesión, contaba con drogas más expeditivas que las que venían de Tailandia, envueltas en papel café y sin identificación.

—Estoy tranquilo, Alma —proseguía Lenny—. Disfruto de la vida, especialmente del tiempo que tú y yo pasamos juntos. Me estoy preparando hace mucho, esto no me pilla desprevenido. He aprendido a prestarle atención al cuerpo. El cuerpo nos informa de todo, es cuestión de escucharlo. Conocía mi enfermedad antes de que me la diagnosticaran y sé que cualquier tratamiento sería inútil.

—¿Tienes miedo? —le preguntó Alma.

—No. Supongo que después de la muerte es lo mismo que antes de nacer. ¿Y tú?

—Un poco... Me imagino que después de la muerte no hay contacto con este mundo, nada de sufrimiento, personalidad, memoria, es como si esta Alma Belasco nunca hubiera existido. Tal vez algo trasciende: el espíritu, la esencia del ser. Pero te confieso que temo desprenderme del cuerpo, espero que entonces Ichimei esté conmigo o venga Nathaniel a buscarme.

—Si el espíritu no tiene contacto con este mundo, como dijiste, no veo cómo puede venir Nathaniel a buscarte —comentó él.

—Cierto. Es una contradicción —se rió Alma—. ¡Estamos tan aferrados a la vida, Lenny! Dices que eres cobarde, pero se requiere entereza para despedirse de todo y cruzar un umbral que no sabemos dónde conduce.

—Por eso vine aquí, Alma. No creo que pueda hacerlo solo. Pensé que tú eres la única persona que me puede ayudar, la única a quien puedo pedirle que esté conmigo cuando llegue el momento de morir. ¿Es mucho pedirte?

22 de octubre de 2002

Ayer, Alma, cuando por fin pudimos encontrarnos para celebrar nuestros cumpleaños, te noté de mal humor. Dijiste que de pronto, sin saber cómo, hemos alcanzado los setenta. Temes que nos falle el cuerpo y eso que llamas la fealdad de la vejez, aunque eres más bella ahora que a los veintitrés. No estamos viejos por haber cumplido setenta. Empezamos a envejecer en el momento de nacer, cambiamos día a día, la vida es un continuo fluir. Evolucionamos. Lo único diferente es que ahora estamos un poco más cerca de la muerte. ¿Y qué tiene eso de malo? El amor y la amistad no envejecen.

Ichi

Luz y sombra

El ejercicio sistemático de recordar para el libro de su nieto fue provechoso para Alma Belasco, amenazada como estaba a sus años por la fragilidad de la mente. Antes se perdía en laberintos y si quería rescatar algún hecho preciso, no lo encontraba, pero para darle a Seth respuestas satisfactorias, se dedicó a reconstruir el pasado con cierto orden, en vez de hacerlo a saltos y cabriolas, como hacía con Lenny Beal en el ocio de Lark House. Visualizaba cajas de diferentes colores, una por cada año de su existencia, y ponía dentro sus experiencias y sentimientos. Apilaba las cajas en el gran armario de tres cuerpos, donde lloraba a mares a los siete años en el hogar de sus tíos. Las cajas virtuales rebosaban de añoranzas y algunos remordimientos; allí estaban bien guardados los terrores y fantasías de la infancia, los desafueros de la juventud, los duelos, trabajos, pasiones y amores de la madurez. Con ánimo liviano, porque intentaba perdonar todos sus errores, menos aquellos que provocaron sufrimiento en otras personas, pegaba los retazos de su biografía y los condimentaba con toques de fantasía, permitiéndose exageraciones y falsedades, ya que Seth no podía refutarle el contenido de su propia memoria. Lo hacía como un ejercicio de imaginación, más que por afán de mentir. A Ichimei, sin embargo, se lo guardaba para ella, sin imaginar que a sus espaldas Irina y Seth estaban indagando en lo más precioso y secreto de su existencia, lo único que no podía revelar, porque si lo hiciera, Ichimei desaparecería y en ese caso no habría razón para seguir viviendo.

Irina era su copiloto en ese vuelo hacia el pasado. Las fotografías y otros documentos pasaban por sus manos, era ella quien los clasificaba, ella quien iba haciendo los álbumes. Sus preguntas ayudaban a Alma a encaminarse cuando se distraía en callejones sin salida; así se fue despejando y definiendo su vida. Irina se sumergió en la existencia de Alma como si estuvieran juntas en una novela victoriana: la señora de alcurnia y su dama de compañía atrapadas en el tedio de eternas tazas de té en una casa de campo. Alma sostenía que todos poseen un jardín interior donde refugiarse, pero Irina no deseaba asomarse al suyo propio; prefería reemplazarlo con el de Alma, más amable. Conocía a la niña melancólica llegada de Polonia, a la joven Alma de Boston, a la artista y esposa, sabía de sus vestidos y sombreros preferidos, del primer taller de pintura, donde trabajaba sola experimentando con pinceles y colores antes de que se definiera su estilo, de sus antiguas maletas de viaje, de cuero gastado y tapizadas de calcomanías, que ya nadie usaba. Esas imágenes y experiencias eran nítidas, precisas, como si ella hubiera existido en esas épocas y hubiera estado con Alma en cada una de esas instancias. Le parecía maravilloso que bastara el poder evocador de las palabras o de una fotografía para hacerlas reales y ella pudiera apropiárselas.

Alma Belasco había sido una mujer enérgica, activa, tan intolerante con sus debilidades como lo era con las ajenas; pero los años la estaban suavizando; tenía más paciencia con el prójimo y consigo misma. «Si nada me duele, es que amanecí muerta», decía al despertar, cuando debía estirar los músculos poco a poco para evitar los calambres. Su cuerpo no funcionaba como antes, debía recurrir a estrategias para evitar escaleras o adivinar el sentido de una frase cuando no la escuchaba; todo le costaba más esfuerzo y tiempo, había cosas que simplemente no podía hacer, como conducir de noche, echar gasolina al coche, destapar una botella de agua, cargar con las bolsas del mercado. Para eso necesitaba a Irina. Su mente, en cambio, estaba clara, recordaba el presente tan bien como el pasado, siempre que no cayera en la tentación del desorden; no le fallaban la atención ni el razonamiento. Todavía podía dibujar y tenía la misma intuición para el color; iba al taller, pero pintaba poco, porque se cansaba, prefería delegar en Kirsten y los ayudantes. No mencionaba sus limitaciones, se enfrentaba a ellas sin aspavientos, pero Irina las conocía. Le repugnaba la fascinación de los viejos con sus enfermedades y achaques, un tema que a nadie le interesaba, ni siquiera a los médicos. «La creencia muy difundida, que nadie se atreve a expresar en público, es que los viejos estamos de más, ocupamos espacio y recursos que les corresponden a la gente productiva», decía. No reconocía a muchas de las personas de las fotos, gente intrascendente de su pasado que se podía eliminar. En las otras, las que Irina pegaba en los álbumes, podía apreciar las etapas de su vida, el paso de los años, cumpleaños, fiestas, vacaciones, graduaciones y bodas. Eran momentos felices, nadie fotografía las penas. Ella figuraba poco, pero a comienzos del otoño Irina pudo apreciar mejor a la mujer que Alma había sido a través de los retratos que le hizo Nathaniel; formaban parte del patrimonio de la Fundación Belasco y fueron descubiertos por el mundillo artístico de San Francisco. Por ellos un periódico llamó a Alma «la mujer mejor fotografiada de la ciudad».

En la Navidad del año anterior, una editorial italiana había publicado una selección de fotografías de Nathaniel Belasco en una edición de lujo; meses más tarde un agente americano avispado organizó una exposición en Nueva York y otra en la más prestigiosa galería de arte de la calle Geary, en San Francisco. Alma se negó a participar en esos proyectos y hablar con la prensa. Prefería ser vista como la modelo de entonces y no como la anciana del presente, dijo, pero a Irina le confesó que no era vanidad, sino prudencia. No le daban las fuerzas para revisar ese aspecto de su pasado; temía aquello, invisible al ojo desnudo, que la cámara pudiera revelar. Sin embargo, la tozudez de Seth acabó por vencer su resistencia. Su nieto había visitado varias veces la galería y estaba impresionado; no iba a permitir que Alma se perdiera la exposición, le parecía un insulto a la memoria de Nathaniel Belasco.

—Hágalo por el abuelo, que se revolvería en la tumba si usted no va. Mañana pasaré a buscarla. Dígale a Irina que nos acompañe. Se llevarán una sorpresa.

Tenía razón. Irina había hojeado el libro de la editorial italiana, pero nada la preparó para el impacto de aquellos enormes retratos. Seth las llevó en el pesado Mercedes Benz de la familia, porque los tres no cabían en el auto de Alma ni en su moto, a una hora muerta de la media tarde, cuando pensaban encontrar la galería sin público. Sólo se toparon con un vagabundo echado en la vereda frente a la puerta y una pareja de turistas australianos, a quienes la encargada, una muñeca china de porcelana, procuraba venderles algo y apenas se fijó en los recién llegados.

Nathaniel Belasco fotografió a su mujer entre 1977 y 1983 con una de las primeras cámaras Polaroid 20 x 24, capaz de captar detalles ínfimos con tajante precisión. Belasco no se contaba entre los célebres fotógrafos profesionales de su generación, él mismo se calificaba de aficionado, pero era de los pocos con recursos suficientes para costear la cámara. Además, tenía una modelo excepcional. La confianza de Alma en su marido conmovió a Irina; al ver los retratos sintió pudor, como si profanara un rito íntimo y descarnado. Entre el artista y su modelo no había separación, estaban consolidados en un nudo ciego, y de esa simbiosis nacían fotografías sensuales, pero carentes de carga sexual. En varias poses Alma estaba desnuda y en actitud de abandono, sin consciencia de ser observada. En la atmósfera etérea, fluida y translúcida de algunas imágenes, la figura femenina se perdía en el sueño del hombre tras la cámara; en otras, más realistas, ella se enfrentaba a Nathaniel con la tranquila curiosidad de una mujer sola frente al espejo, cómoda en su piel, sin reservas, con venas visibles en las piernas, una cicatriz de cesárea y el rostro marcado por medio siglo de existencia. Irina no habría podido expresar su propia turbación, pero comprendió la reticencia de Alma al no querer mostrarse en público a través del lente clínico de su marido, a quien parecía haberla unido un sentimiento mucho más complejo y perverso que el amor de esposos. Desde las blancas paredes de la galería Alma se exponía agigantada y sometida. A Irina, esa mujer le inspiró cierto temor, era una desconocida. Se le cerró la garganta y Seth, quien tal vez compartía su emoción, le tomó la mano. Por una vez, ella no la retiró.

Los turistas se fueron sin comprar nada y la muñeca china se volcó hacia ellos con avidez. Se presentó como Meili y procedió a abrumarlos con un discurso preparado sobre la cámara Polaroid, la técnica y la intención de Nathaniel Belasco, las luces y sombras, la influencia de la pintura flamenca, que Alma escuchó divertida, asintiendo en silencio. Meili no relacionó a esa mujer de pelo blanco con la modelo de los retratos.

El lunes siguiente, al terminar su turno en Lark House, Irina fue a buscar a Alma para llevarla al cine a ver *Lincoln* de nuevo. Lenny Beal se había ido unos días a Santa Bárbara e Irina recuperó temporalmente su posición de agregada cultural, como Alma la llamaba antes de que llegara Lenny a Lark House y le usurpara ese privilegio. Días antes habían dejado la película a la mitad, porque a Alma le dio una punzada en el pecho tan dolorosa que se le escapó un grito y debieron salir de la sala. Rechazó de plano al encargado de la sala, que quería pedir ayuda, porque la perspectiva de una ambulancia y el hospital le pareció peor que morirse allí mismo. Irina la condujo a Lark House. Desde hacía un tiempo Alma le prestaba la llave de su ridículo automóvil para que condujera, porque Irina simplemente se negaba a arriesgar su vida como pasajera; la audacia de Alma con el tráfico había aumentado a medida que le fallaba la vista y le temblaban las manos. Por el camino se le fue pasando el dolor, pero llegó exangüe, con el rostro gris y las uñas azuladas. Irina la ayudó a acostarse y, sin pedirle autorización, llamó a Catherine Hope, en quien confiaba más que en el médico oficial de la comunidad. Cathy acudió con presteza en su silla, la examinó con la atención y cuidado que ponía en todo, y determinó que Alma debía consultar a un cardiólogo lo antes posible. Esa noche Irina improvisó una cama en el sofá del apartamento, que resultó más cómodo que el colchón en el suelo de su habitación de Berkeley, y se quedó con ella. Alma durmió tranquila, con Neko echado a sus pies, pero amaneció sin ánimo y, por primera vez desde que Irina la conocía, decidió pasar el día en cama. «Mañana me vas a obligar a levantarme, Irina, ¿oíste? Nada de quedarme echada con una taza de té y un buen libro. No quiero terminar viviendo en pijama y pantuflas. Los viejos que se meten en la cama no se levantan más.» Fiel a lo dicho, al día siguiente hizo el esfuerzo de comenzar el día como siempre, no volvió a referirse a la debilidad de esas veinticuatro horas y pronto Irina, que tenía otras cosas en la mente, lo olvidó. Catherine Hope, en cambio, se propuso no dejar en paz a

Alma hasta que viera a un especialista, pero ésta se las arregló para postergarlo.

Vieron la película sin incidentes y salieron del cine prendadas de Lincoln, así como del actor que hacía el papel, pero Alma estaba fatigada y decidieron volver al apartamento en vez de ir a un restaurante, como habían planeado. Al llegar, Alma anunció entre dos suspiros que tenía frío y se acostó, mientras Irina preparaba avena con leche a modo de cena. Apoyada en sus almohadas, con un chal de abuela en los hombros, parecía tener cinco kilos menos y diez años más que unas horas antes. Irina la creía invulnerable, por eso no se dio cuenta hasta esa noche de cómo había cambiado en los meses recientes. Había perdido peso y en su rostro estragado las ojeras violáceas le daban aspecto de mapache. Ya no andaba erguida ni pisaba fuerte, vacilaba al levantarse de una silla, se colgaba del brazo de Lenny en la calle, a veces se despertaba asustada sin razón o se sentía extraviada, como si estuviera en un país desconocido. Iba tan poco al taller que decidió despedir a los ayudantes y compraba historietas y caramelos a Kirsten para consolarla en su ausencia. La seguridad emocional de Kirsten dependía de sus rutinas y sus afectos; mientras nada cambiara, estaba contenta. Vivía en una pieza encima del garaje de su hermano y su cuñada, mimada por tres sobrinos que había ayudado a criar. Los días de trabajo tomaba siempre a mediodía el mismo bus, que la dejaba a dos cuadras del taller. Abría con su llave, ventilaba, limpiaba, se sentaba en la silla de director de cine con su nombre que le habían regalado los sobrinos cuando cumplió cuarenta años, y se comía el sándwich de pollo o de atún que llevaba en su mochila. Después preparaba las telas, brochas y pinturas, ponía a hervir agua para el té y esperaba con los ojos puestos en la puerta. Si Alma no pensaba ir, la llamaba al celular, conversaban un rato y le daba alguna tarea que la mantuviera ocupada hasta las cinco, hora en que Kirsten cerraba el taller e iba a la parada del bus para volver a su casa.

Un año antes Alma calculaba que iba a vivir sin cambios hasta los noventa, pero ya no estaba tan segura; sospechaba que la muerte se le estaba acercando. Antes la sentía paseando por el barrio, después la escuchaba murmurando por los rincones en Lark House y ahora estaba asomándose en su apartamento. A los sesenta pensaba en la muerte como algo abstracto que no le concernía; a los setenta la consideraba un pariente lejano, fácil de olvidar, porque no se mencionaba, pero que inexorablemente llegaría de visita. Después de los ochenta, sin embargo, empezó a familiarizarse con ella y a comentarlo con Irina. La veía por aquí y por allá, bajo la forma de un árbol derribado en el parque, de una persona pelada por el cáncer, de su padre y su madre cruzando la calle; podía reconocerlos porque estaban igual que en la fotografía de Danzig. A veces era su hermano Samuel, muerto por segunda vez apaciblemente en su cama. Su tío Isaac Belasco se le aparecía vigoroso, como era antes de que le fallara el corazón, pero la tía Lillian llegaba a saludarla de vez en cuando en la duermevela del amanecer tal como era hacia el final de su vida, una viejecita vestida de color lila, ciega, sorda y feliz, porque creía que su marido la llevaba de la mano. «Mira esa sombra en la pared, Irina, ¿no parece la silueta de un hombre? Debe de ser Nathaniel. No te preocupes, niña, no estoy demente, sé que sólo es mi imaginación.» Le hablaba de Nathaniel, de su bondad, su talento para resolver problemas y abordar dificultades, de cómo fue y seguía siendo su ángel de la guarda.

—Es una manera de hablar, Irina, no existen los ángeles personales.

—¡Claro que existen! Si yo no tuviera un par de ángeles de la guarda ya estaría muerta, o tal vez habría cometido un crimen y estaría presa.

—¡Qué ocurrencias tienes, Irina! En la tradición judía los ángeles son mensajeros de Dios, no son guardaespaldas de los humanos, pero yo cuento con mi guardaespaldas: Nathaniel. Me cuidó siempre, primero como un hermano mayor, después como un esposo perfecto. Nunca podré pagarle todo lo que hizo por mí.

—Estuvieron casados casi treinta años, Alma, tuvieron un hijo y nietos, trabajaron juntos en la Fundación Belasco, usted lo cuidó en su enfermedad y lo sostuvo hasta el final. Seguramente él pensaba lo mismo, que no podría pagarle a usted lo que hizo por él.

—Nathaniel merecía mucho más amor del que yo le di, Irina.

—Es decir, ¿lo quiso más como hermano que como marido?

—Amigo, primo, hermano, marido... No sé la diferencia. Cuando nos casamos hubo habladurías porque éramos primos, eso se consideraba incesto, creo que todavía lo es. Supongo que nuestro amor siempre fue incestuoso.

El agente Wilkins

El segundo viernes de octubre, Ron Wilkins apareció en Lark House buscando a Irina Bazili. Era un agente del FBI, afroamericano, de sesenta y cinco años, corpulento, con el cabello gris y manos expresivas. Sorprendida, Irina le preguntó cómo había dado con ella y Wilkins le recordó que estar bien informado era indispensable en su trabajo. No se habían visto en tres años, pero solían hablar por teléfono. Wilkins la llamaba de vez en cuando para saber de ella. «Estoy bien, no se preocupe. El pasado quedó atrás, ya ni me acuerdo de todo eso», era la invariable respuesta de la muchacha, pero los dos sabían que no era cierto. Cuando Irina lo conoció, Wilkins parecía a punto de reventar el traje con sus músculos de levantador de pesas; once años más tarde los músculos se habían transformado en grasa, pero seguía dando la misma impresión de solidez y energía de su juventud. Le contó que era abuelo y le mostró la fotografía de su nieto, un niño de dos años mucho más claro de piel que el abuelo. «El padre es holandés», dijo Wilkins a modo de explicación, aunque Irina no había preguntado. Agregó que estaba en edad de jubilarse, de hecho era prácticamente un requisito en la Agencia, pero él estaba atornillado en su silla. No podía retirarse, seguía persiguiendo el crimen al cual había dedicado la mayor parte de su vida profesional.

El agente llegó a Lark House a media mañana. Se sentaron en un banco de madera en el jardín a tomar el café aguado, que siempre estaba disponible en la biblioteca y a nadie le gustaba. Un vapor tenue se elevaba de la tierra humedecida por el rocío de la noche y el aire empezaba a entibiarse en el pálido sol de otoño. Podían hablar en paz, estaban solos. Algunos residentes ya estaban en sus clases matinales, pero la mayoría se levantaba tarde. Sólo Víctor Vikashev, el jefe de los jardineros, un ruso con aspecto de guerrero tártaro, que trabajaba en Lark House desde hacía diecinueve años, canturreaba en el huerto, y Cathy pasó velozmente en su silla eléctrica rumbo a la clínica del dolor.

—Te tengo buenas noticias, Elisabeta —le anunció Wilkins a Irina.

—Nadie me ha llamado Elisabeta desde hace años.

—Por supuesto. Perdona.

—Acuérdese que ahora soy Irina Bazili. Usted mismo me ayudó a escoger este nombre.

—Cuéntame, niña. ¿Cómo va tu vida? ¿Estás en terapia?

—Seamos realistas, agente Wilkins. ¿Sabe cuánto gano? No me alcanza para pagar a un psicólogo. El condado paga sólo tres sesiones y ya las he gastado, pero, como puede ver, no me he suicidado. Hago una vida normal, trabajo y pienso tomar clases por internet. Quiero estudiar masaje terapéutico; es una buena profesión para alguien con manos fuertes como yo.

—¿Tienes supervisión médica?

—Sí. Estoy tomando un antidepresivo.

—¿Dónde vives?

—En Berkeley, en una habitación de buen tamaño y barata.

—Este empleo te conviene, Irina. Aquí tienes tranquilidad, nadie te molesta, estás segura. Me han hablado muy bien de ti. Tuve una conversación con el director y dijo que eres su mejor empleada. ¿Tienes novio?

—Tenía, pero se murió.

—¡Qué dices! ¡Jesús! Era lo que te faltaba, niña, lo siento mucho. ¿Cómo murió?

—De viejo, me parece; tenía más de noventa años. Pero aquí hay otros señores de edad dispuestos a convertirse en mis novios.

A Wilkins no le hizo gracia. Estuvieron un rato callados, soplando y sorbiendo el café de los vasos de papel. Irina se sintió súbitamente agobiada de tristeza y soledad, como si los pensamientos de ese buen hombre la hubieran invadido, mezclándose con los suyos, y se le cerró la garganta. Respondiendo a una comunicación telepática, Ron Wilkins le puso un brazo en los hombros y la atrajo sobre su grueso pecho. Olía a una colonia dulzona, incongruente en un hombrón como él. Ella sintió el calor de estufa que emanaba Wilkins, la áspera textura de su chaquetón contra la mejilla, el peso reconfortante de su brazo, y descansó un par de minutos, abrigada, aspirando su olor a cortesana, mientras él le daba palmaditas en la espalda, como habría hecho con su nieto para consolarlo.

—¿Cuáles son esas noticias que me trae? —le preguntó Irina, cuando se recuperó un poco.

—Compensación, Irina. Existe una antigua ley, de la que nadie se acuerda, que da derecho a recibir compensación a las víctimas como tú. Con eso podrías pagar tu terapia, que en realidad necesitas, tus estudios y, si tenemos suerte, incluso podrías dar la entrada para un pequeño apartamento.

—Eso es en teoría, señor Wilkins.

—Hay algunas personas que ya han recibido compensación.

Le explicó que aunque su caso no era reciente, un buen abogado podía probar que ella había sufrido graves daños como consecuencia de lo ocurrido, padecía de síndrome postraumático, necesitaba ayuda psicológica y medicamentos. Irina le recordó que el culpable carecía de bienes que pudieran ser confiscados para compensarla.

—Han arrestado a otros hombres de la red, Irina. Hombres con poder y dinero.

—Esos hombres no me han hecho nada. Hay un solo culpable, señor Wilkins.

—Escúchame, niña. Has tenido que cambiar tu identidad y tu residencia, perdiste a tu madre, a tus compañeros de escuela y al resto de la gente que conocías, vives prácticamente escondida en otro estado. Lo que pasó no pertenece al pasado, se puede decir que sigue sucediendo y que hay muchos culpables.

—Así pensaba antes, señor Wilkins, pero decidí que no voy a ser víctima para siempre, he pasado página. Ahora soy Irina Bazili y tengo otra vida.

—Me apena recordártelo, pero sigues siendo una víctima. Algunos de los acusados estarían satisfechos de pagarte una indemnización para librarse del escándalo. ¿Me autorizas para dar tu nombre a un abogado especializado en esto?

—No. ¿Para qué revolverlo?

—Piénsalo, niña. Piénsalo muy bien y llámame a este número —le dijo el agente, dándole su tarjeta.

Irina acompañó a Ron Wilkins a la salida y guardó la tarjeta sin intención de usarla; se las había arreglado sola, no necesitaba ese dinero, que consideraba inmundo y significaba soportar de nuevo los mismos interrogatorios y firmar declaraciones con los detalles más escabrosos; no quería avivar las brasas del pasado en los tribunales, era mayor de edad y ningún juez la evitaría enfrentarse a los acusados. ¿Y la prensa? La horrorizaba que se enteraran las personas que le importaban, sus pocos amigos, las viejecitas de Lark House, Alma y sobre todo Seth Belasco.

A las seis de la tarde Cathy llamó a Irina por el celular y la invitó a tomar té en la biblioteca. Se instalaron en un rincón apartado, cerca de la ventana y lejos del paso de gente. A Cathy no le gustaba el té en condones, como llamaba a las bolsitas de Lark House, y tenía su propia tetera, tazas de porcelana y una reserva inagotable de té suelto de una marca francesa y galletas mantecadas. Irina fue a la cocina a echar agua hirviendo a la tetera y no trató de ayudar a Cathy con el resto de los preparativos, porque ese ritual era importante para ella y lo cumplía a pesar de los movimientos espasmódicos de los brazos. No podía llevarse la delicada taza a los labios, debía usar una de plástico y una pajilla, pero disfrutaba viendo la taza heredada de su abuela en manos de su invitada.

—¿Quién era ese hombre negro que te abrazó en el jardín esta mañana? —le preguntó Cathy, después de que hubieron comentado el último episodio de un serial de televisión sobre mujeres en prisión, que las dos seguían rigurosamente.

—Sólo un amigo que no veía hace tiempo... —balbuceó Irina, sirviéndole más té, para disimular el sobresalto.

—No te creo, Irina. Hace tiempo que te estoy observando y sé que algo te está royendo por dentro.

—¿A mí? ¡Son ideas suyas, Cathy! Ya se lo dije, es sólo un amigo.

—Ron Wilkins. Me dieron su nombre en la recepción. Fui a preguntar quién había venido a verte, porque me pareció que ese hombre te ha alterado.

Los años de inmovilidad y el esfuerzo tremendo de sobrevivir habían reducido de tamaño a Cathy, que parecía una niña en la voluminosa silla eléctrica, pero irradiaba una gran fortaleza, suavizada por la bondad que siempre tuvo y que el accidente había multiplicado. Su permanente sonrisa y su cabello muy corto le daban un aire travieso, que contrastaba con su sabiduría de monje milenario. El sufrimiento físico la había liberado de las cargas inevitables de la personalidad y le había tallado el espíritu como un diamante. Los derrames en el cerebro no afectaron su intelecto, pero tal como ella decía, le cambiaron el alambrado y como consecuencia se le despertó la intuición y podía ver lo invisible.

—Acércate, Irina —le dijo.

Las manos de Cathy, pequeñas, frías, con los dedos deformados por las roturas, se aferraron al brazo de la muchacha.

—¿Sabes qué es lo que más ayuda en la desgracia, Irina? Hablar. Nadie puede andar por el mundo solo. ¿Por qué crees que monté la clínica del dolor? Porque el dolor compartido es más llevadero. La clínica sirve a los pacientes, pero más me sirve a mí. Todos tenemos demonios en los rincones oscuros del alma, pero si los sacamos a la luz, los demonios se achican, se debilitan, se callan y al fin nos dejan en paz.

Irina trató de desprenderse de esos dedos como tenazas, pero no lo logró. Los ojos grises de Cathy se clavaron largamente en los suyos con tanta compasión y afecto, que ella no pudo rechazarla. Se hincó en el suelo, apoyó la cabeza en las rodillas nudosas de Cathy y se dejó acariciar por sus manos agarrotadas. Nadie la había tocado así desde que se separó de sus abuelos.

Cathy le dijo que la tarea más importante en la vida era limpiar los propios actos, comprometerse totalmente con la realidad, poner toda la energía en el presente y hacerlo ahora, inmediatamente. No se puede esperar, eso lo había aprendido ella desde el accidente. En su condición tenía tiempo para completar sus pensamientos, para conocerse mejor. Ser, estar, amar la luz del sol, la gente, los pájaros. El dolor iba y venía, las náuseas iban y venían, los desarreglos intestinales iban y venían, pero por alguna razón eso no la absorbía mucho tiempo. En cambio, estaba lúcida para gozar cada gota de agua en la ducha, la sensación de manos amigas lavándole el pelo con champú, el frío delicioso de una limonada en un día de verano. No pensaba en el futuro, sólo en este día.

—Lo que intento decirte, Irina, es que no debes seguir anclada al pasado y asustada por el futuro. Tienes una sola vida, pero si la vives bien, es suficiente. Lo único real es ahora, este día. ¿Qué esperas para empezar a ser feliz? Cada día cuenta. ¡No lo sabré yo!

—La felicidad no es para todo el mundo, Cathy.

—Claro que sí. Todos nacemos felices. Por el camino se nos ensucia la vida, pero podemos limpiarla. La felicidad no es exuberante ni bulliciosa, como el placer o la alegría. Es silenciosa, tranquila, suave, es un estado interno de satisfacción que empieza por amarse a sí mismo. Tú deberías quererte como te quiero yo y como te quieren todos los que te conocen, especialmente el nieto de Alma.

—Seth no me conoce.

—No es culpa suya, el pobre lleva años tratando de acercarse a ti, eso lo puede ver cualquiera. Si no lo ha logrado es porque tú te escondes. Háblame de ese Wilkins, Irina.

Irina Bazili tenía una historia oficial de su pasado, que había construido con ayuda de Ron Wilkins y que usaba para responder a la curiosidad ajena, cuando era imposible evitarla. Contenía la verdad, pero no toda la verdad, sólo la parte tolerable. A los quince años los tribunales le habían asignado una psicóloga, que la trató por varios meses, hasta que ella se negó a seguir hablando de lo ocurrido y decidió adoptar otro nombre, irse a otro estado y cambiar de residencia tantas veces como fuese necesario empezar de nuevo. La psicóloga le había repetido que los traumas no desaparecen por desdeñarlos; son una Medusa persistente que espera en la sombra y en la primera ocasión ataca con su cabellera de serpientes. En vez de dar la batalla, Irina escapó; desde entonces su existencia había sido una continua huida, hasta que llegó a Lark House. Se refugiaba en su trabajo y los mundos virtuales de los videojuegos y las novelas de fantasía, en las que ella no era Irina Bazili, sino una valiente heroína con poderes mágicos; pero la aparición de Wilkins desmoronó una vez más ese frágil universo quimérico. Sus pesadillas del pasado eran como polvo asentado en el camino, bastaba el menor soplo para levantarlo en torbellinos. Rendida, comprendió que sólo Catherine Hope, con su escudo de oro, podía ayudarla.

Tenía diez años en 1997, cuando sus abuelos recibieron la carta de Radmila que cambió su destino. Su madre había visto un programa de televisión sobre tráfico sexual y se enteró de que países como Moldavia abastecían de carne joven a los emiratos árabes y los burdeles de Europa. Recordó con escalofríos el tiempo que pasó en manos de chulos brutales en Turquía y, decidida a evitar que su hija sufriera la misma suerte, convenció a su marido, el técnico americano que conoció en Italia y se la llevó a Texas, que ayudara a la niña a emigrar a Estados

Unidos. Irina tendría lo que quisiera, la mejor educación, hamburguesas y papas fritas, helados, incluso irían a Disneyworld, prometía la carta. Los abuelos le dijeron a Irina que no se lo contara a nadie, para evitar la envidia y el mal de ojo que suele castigar a los jactanciosos, mientras hacían los trámites para conseguir la visa. Esa gestión duró dos años. Cuando por fin llegaron los pasajes y el pasaporte, Irina había cumplido doce años, pero parecía un chico malnutrido de ocho, porque era baja, muy delgada, con el cabello blanco e indómito. De tanto soñar con América, fue adquiriendo consciencia de la miseria y la fealdad que la rodeaban, que antes no había notado, porque no tenía con qué comparar. Su aldea parecía haber sido víctima de un bombardeo, la mitad de las viviendas estaban tapiadas o en ruinas, jaurías de perros hambrientos vagaban por las calles de tierra, gallinas sueltas escarbaban en la basura y los viejos se sentaban en los umbrales de sus chamizos fumando tabaco negro en silencio, porque ya todo estaba dicho. En ese par de años Irina se despidió uno a uno de los árboles, los cerros, la tierra y el cielo, que según los abuelos eran los mismos de la época del comunismo y seguirían siéndolo para siempre. Se despidió silenciosamente de los vecinos y los chicos de la escuela, se despidió del burro, la cabra, los gatos y el perro que la acompañaron en la infancia. Por último, se despidió de Costea y Petruta.

Los abuelos prepararon una caja de cartón amarrada con cordeles con la ropa de Irina y una imagen nueva de santa Parescheva, que compraron en un mercado de santos del pueblo más cercano. Tal vez los tres sospechaban que no volverían a verse. A partir de entonces, Irina tomó la costumbre, estuviera donde estuviese, aunque fuera por una sola noche, de montar un altarcillo donde ponía a la santa y la única fotografía que tenía de sus abuelos. Retocada a mano, fue tomada el día de su casamiento, con sus trajes tradicionales, Petruta con falda bordada y toca de encaje, Costea con calzones hasta la rodilla, chaquetilla corta y una faja ancha en la cintura, rígidos como palitroques, irreconocibles, porque todavía el trabajo no les había partido las espaldas. No pasaba un día sin que Irina les rezara, porque eran más milagrosos que santa Parescheva, eran sus ángeles guardianes, como le había dicho a Alma.

De algún modo la niña llegó sola de Chisinau a Dallas. Había viajado sólo una vez antes, en tren con su abuela, a visitar a Costea en el hospital de la ciudad más cercana, cuando lo operaron de la vesícula. Jamás había visto un avión de cerca, sólo en el aire, y todo el inglés que sabía eran las canciones de moda, que había memorizado de oído sin entender el significado. La compañía aérea le colgó al cuello un sobre de plástico con su identificación, su pasaporte y su pasaje. Irina no comió ni bebió durante las once horas de viaje porque no sabía que la comida del avión era gratis y la asistente de vuelo no se lo aclaró, y tampoco durante las cuatro horas que pasó, sin dinero, en el aeropuerto de Dallas. La puerta de entrada al sueño americano fue ese enorme y confuso lugar. Su madre y su padrastro se habían equivocado con la hora de llegada del avión, según dijeron cuando finalmente acudieron a buscarla. Irina no los conocía, pero ellos vieron a una niñita muy rubia sentada en un banco con una caja de cartón a los pies y la identificaron, porque tenían su fotografía. De ese encuentro, Irina sólo recordaría que ambos hedían a alcohol, ese olor agrio que conocía bien porque sus abuelos y el resto de los habitantes de su aldea ahogaban sus desilusiones en vino casero.

Radmila y Jim Robyns, su marido, condujeron a la recién llegada a su casa, que a ella le pareció lujosa, aunque era una vivienda ordinaria de madera, muy descuidada, en un barrio obrero al sur de la ciudad. Su madre había hecho un amago de decorar uno de los dos cuartos con cojines en forma de corazón y un oso de peluche con el hilo de un globo rosado atado a una pata. Le aconsejó a Irina que se plantara frente al televisor el mayor número de horas que pudiera aguantar; era la mejor forma de aprender inglés y así lo había hecho ella. A las cuarenta y ocho horas la inscribió en una escuela pública, con mayoría de alumnos negros e hispanos, razas que la niña nunca había visto. Irina tardó un mes en aprender unas frases en inglés, pero tenía buen oído y pronto pudo seguir las clases. En un año llegaría a hablarlo sin acento.

Jim Robyns era electricista y pertenecía al sindicato, cobraba el máximo posible por hora y estaba protegido en caso de accidentes y otros sinsabores, pero no siempre tenía empleo. Los contratos se asignaban por turno, de acuerdo a una lista de los miembros, empezando por quien la encabezaba, luego le tocaba al segundo de la lista, al tercero y así sucesivamente. Quien terminaba un contrato era colocado al final y a veces esperaba meses antes de que volvieran a llamarlo, a menos que tuviera buenas relaciones con los jefes del sindicato. Radmila trabajaba en la sección de ropa infantil de una tienda; tardaba hora y cuarto en bus para llegar y otro tanto para volver. Cuando Jim Robyns estaba empleado, lo veían muy poco, porque él aprovechaba para trabajar hasta la extenuación; le pagaban doble o triple por las horas extraordinarias. En esos períodos no bebía ni se drogaba, porque en un descuido podía electrocutarse, pero en las largas temporadas de ocio se empapaba de licor y usaba tantas drogas mezcladas, que resultaba sorprendente que pudiera ponerse de pie. «Mi Jim tiene la resistencia de toro, nada lo tumba», decía Radmila, orgullosa. Ella lo acompañaba en las parrandas hasta donde le daba el cuerpo, pero no tenía la misma capacidad y pronto se desplomaba.

Desde los primeros días en América, el padrastro le hizo comprender a Irina sus reglas, como las llamaba. Su madre no lo supo, o fingió no saberlo, hasta dos años más tarde, cuando llegó a su puerta Ron Wilkins y le mostró su placa del FBI.

Secretos

Al cabo de repetidas súplicas de Irina y vacilaciones propias, Alma aceptó encabezar el Grupo de Desapego, que se le ocurrió a Irina al darse cuenta de lo angustiados que estaban los huéspedes de Lark House que se aferraban a sus posesiones, mientras aquellos que tenían menos vivían más contentos. Había visto a Alma desprenderse de tantas cosas, que llegó a temer que tendría que prestarle su cepillo de dientes, por eso pensó en ella para animar al grupo. La primera reunión iba a llevarse a cabo en la biblioteca. Se habían inscrito cinco, entre ellos Lenny Beal, que se presentaron puntualmente, pero Alma no llegó. La esperaron quince minutos antes de que Irina fuera a llamarla. Encontró el apartamento vacío y una nota de Alma anunciando que se ausentaría durante unos días y pidiéndole que se hiciera cargo de Neko. El gato había estado enfermo y no podía quedarse solo. Estaba prohibido llevar animales a la vivienda de Irina y tuvo que meterlo de contrabando en una bolsa de mercado.

Esa noche Seth la llamó al celular para preguntar por su abuela, porque había pasado a verla a la hora de la cena, no la encontró y estaba preocupado; pensó que Alma no se había repuesto completamente del episodio en el cine. Irina le dijo que estaba en otra de sus citas amorosas y se había olvidado del compromiso; ella había pasado un mal rato con el Grupo de Desapego. Seth se había reunido con un cliente en el puerto de Oakland y en vista de que estaba cerca de Berkeley, invitó a Irina a comer sushi; le pareció la comida más propicia para hablar del amante japonés. Ella estaba en la cama con Neko jugando a *Elder Scrolls V*, su videojuego favorito, pero se vistió y salió. El restaurante era un remanso de paz oriental, todo de madera clara, con compartimentos separados por tabiques de papel de arroz, iluminado con globos rojos, cuyo cálido resplandor invitaba a la calma.

—¿Adónde crees que va Alma cuando desaparece? —le preguntó Seth después de pedir la comida.

Ella le llenó de sake el pocillo de cerámica. Alma le había dicho que lo correcto en Japón era servir al compañero de mesa y esperar que alguien lo atienda a uno.

—A una hostería en Point Reyes, como a hora y cuarto de San Francisco. Son cabañas rústicas frente al agua, un sitio bastante retirado, con buen pescado y marisco, sauna, linda vista y habitaciones románticas. En esta época hace frío, pero cada pieza tiene chimenea.

—¿Cómo sabes todo esto?

—Por los recibos de la tarjeta de crédito de Alma. Busqué la hostería en internet. Supongo que allí se encuentra con Ichimei. ¡No pensarás ir a molestarla, Seth!

—¡Cómo se te ocurre! Ella jamás me lo perdonaría. Pero

podría mandar a uno de mis investigadores a echar una mirada...

—¡No!

—No, claro que no. Pero admite que esto es inquietante, Irina. Mi abuela está débil, puede tener otro ataque como el del cine.

—Todavía es dueña de su vida, Seth. ¿Sabes algo más sobre los Fukuda?

—Sí. Se me ocurrió preguntarle a mi papá y resulta que se acuerda de Ichimei.

Larry Belasco tenía doce años en 1970, cuando sus padres renovaron la casa de Sea Cliff y adquirieron el terreno vecino para ampliar el jardín, que ya era vasto y nunca se había recuperado por completo de la helada primaveral que lo destruyó cuando murió Isaac Belasco y del abandono posterior. Según Larry, un día llegó un hombre de rasgos asiáticos, con ropa de trabajo y una cachucha de béisbol, que no quiso entrar en la casa con el pretexto de que tenía las botas embarradas. Era Ichimei Fukuda, dueño del vivero de flores y plantas que antes había tenido en sociedad con Isaac Belasco y ahora le pertenecía. Larry intuyó que su madre y ese hombre se conocían. Su padre dijo a Fukuda que él ignoraba lo más elemental sobre jardines y sería Alma quien tomara las decisiones, lo que al chico le extrañó, porque Nathaniel dirigía la Fundación Belasco y al menos en teoría sabía mucho de jardines. Dado el tamaño de la propiedad y los planes grandiosos de Alma, el proyecto tardó varios meses en completarse. Ichimei midió el terreno, examinó la calidad del suelo, la temperatura y la dirección del viento, trazó rayas y números en un bloc de dibujo, seguido de cerca por Larry, intrigado. Poco después llegó con un equipo de seis trabajadores, todos de su raza, y el primer camión de materiales. Ichimei era un hombre tranquilo y de gestos mesurados, observaba cuidadosamente, nunca parecía apresurado, hablaba poco y cuando lo hacía su voz era tan baja que Larry debía acercarse para escucharlo. Rara vez iniciaba la conversación o respondía a preguntas sobre sí mismo, pero como notó su interés, le hablaba de la naturaleza.

—Mi papá me dijo algo muy curioso, Irina. Me aseguró que Ichimei tiene aura —agregó Seth.

—¿Qué?

—Aura, un halo invisible. Es un círculo de luz tras la cabeza, como los que tienen los santos en las pinturas religiosas. El de Ichimei es visible. Mi papá me dijo que no siempre se le podía ver, sólo a veces, dependiendo de la luz.

—Estás bromeando, Seth…

—Mi papá no bromea, Irina. ¡Ah! Otra cosa: el hombre debe de ser una especie de faquir, porque controla el pulso y su temperatura, puede calentar una mano como si ardiera de fiebre y congelar la otra. Ichimei se lo demostró a mi papá varias veces.

—¿Eso te dijo Larry o lo estás inventando?

—Te prometo que me lo dijo. Mi padre es escéptico, Irina, no cree en nada que no pueda comprobar por sí mismo.

Ichimei Fukuda terminó el proyecto y agregó como obsequio un pequeño jardín japonés, que diseñó para Alma, y después delegó en los otros jardineros. Larry lo veía solamente cuando aparecía cada temporada a supervisar. Se fijó en que nunca conversaba con Nathaniel, sólo con Alma, con quien mantenía una relación formal, al menos delante de él. Ichimei llegaba a la puerta de servicio con un ramo de flores, se quitaba los zapatos y entraba saludando con una breve inclinación. Alma siempre lo estaba esperando en la cocina y respondía al saludo de igual manera. Ella colocaba las flores en un jarrón, él aceptaba una taza de té y durante un rato compartían ese lento y silencioso ritual, una pausa en las vidas de ambos. Al cabo de un par de años, cuando Ichimei dejó de ir por Sea Cliff, su madre le explicó a Larry que se había ido de viaje a Japón.

—¿Serían amantes en esa época, Seth? —le preguntó Irina.

—No puedo preguntarle eso a mi padre, Irina. Además, no lo sabría. No sabemos casi nada de nuestros propios padres. Pero vamos a suponer que eran amantes en 1955, como le dijo mi abuela a Lenny Beal, se separaron cuando Alma se casó con Nathaniel, se reencontraron en 1962, y desde entonces están juntos.

—¿Por qué en 1962? —le preguntó Irina.

—Estoy suponiendo, Irina, no tengo certeza. Ese año murió mi bisabuelo Isaac.

Le narró los dos funerales de Isaac Belasco y cómo en ese momento se enteró la familia del bien que había hecho el patriarca a lo largo de su vida, de la gente que defendió gratis como abogado, del dinero que regaló o prestó a quienes pasaban apuros, de los niños ajenos que educó y las causas nobles que apoyó. Seth había descubierto que los Fukuda le debían muchos favores a Isaac Belasco, lo respetaban y querían, y dedujo que sin duda debieron de haber asistido a uno de los funerales. Según la leyenda familiar, poco antes de la muerte de Isaac, los Fukuda retiraron una espada antigua que habían enterrado en Sea Cliff. Todavía estaba la placa en el jardín, que hizo colocar Isaac para marcar el sitio. Lo más probable era que Alma e Ichimei se hubiesen reencontrado en ese momento.

—De 1955 a 2013 son cincuenta y tantos años, más o menos lo que Alma le dijo a Lenny —calculó Irina.

—Si mi abuelo Nathaniel sospechaba que su mujer tenía un amante, fingió ignorarlo. En mi familia las apariencias importan más que la verdad.

—¿A ti también?

—No. Yo soy la oveja negra. Con decirte que estoy enamorado de una chica pálida como un vampiro de Moldavia.

—Los vampiros son de Transilvania, Seth.

3 de marzo de 2004

En estos días me he acordado mucho de don Isaac Belasco, porque mi hijo Mike cumplió cuarenta años y decidí entregarle la katana de los Fukuda; a él le corresponde el deber de cuidarla. Tu tío Isaac me llamó un día, a comienzos de 1962, para decirme que tal vez había llegado el momento de retirar la espada, que llevaba veinte años enterrada en el jardín de Sea Cliff. Seguramente ya sospechaba que estaba muy enfermo y se acercaba su fin. Fuimos todos los que quedábamos en nuestra familia, mi madre, mi hermana y yo. Nos acompañó Kemi Morita, la líder espiritual de Oomoto. El día de la ceremonia en el jardín, tú estabas de viaje con tu marido. Tal vez tu tío escogió justamente esa fecha para evitar que tú y yo nos encontráramos. ¿Qué sabía él de lo nuestro? Supongo que muy poco, pero era muy astuto.

Ichi

Mientras Irina acompañaba el sushi con té verde, Seth bebió más sake caliente del que podía aguantar. El contenido del pocillo desaparecía de un sorbo e Irina, distraída con la conversación, volvía a llenárselo. Ninguno de los dos se dio cuenta cuando el camarero, vestido de quimono azul con una bandana en la frente, les llevó otra botella. A la hora del postre —helados de caramelo—, Irina notó la expresión beoda y suplicante de Seth, señal de que había llegado el momento de despedirse, antes de que la situación se pusiera incómoda, pero no podía abandonarlo en el estado en que se hallaba. El camarero se ofreció para llamar a un taxi, pero él lo rechazó. Salió a tropezones, apoyado en Irina, y afuera el aire frío avivó el efecto del sake.

—Me parece que no debo conducir... ¿Puedo pasar la noche contigo? —balbuceó con la lengua enredada.

—¿Qué harás con la moto? Aquí te la pueden robar.

—Al carajo con la moto.

Se fueron caminando diez cuadras hasta la pieza de Irina, lo que les tomó casi una hora porque Seth iba con paso de cangrejo. Ella había vivido en lugares peores, pero en compañía de Seth se avergonzó de ese caserón destartalado y sucio. Compartía su vivienda con catorce inquilinos hacinados en cuartos hechos con divisiones de madera aglomerada, algunos sin ventana o ventilación. Era uno de los inmuebles regulados de Berkeley que los dueños no se molestaban en mantener porque no podían subir la renta. De la pintura exterior quedaban manchones, las persianas se habían desprendido de los goznes y en el patio se acumulaban objetos inservibles: neumáticos rotos, pedazos de bicicletas, una taza de excusado color aguacate, que llevaba allí quince años. Por dentro olía a una mezcla de incienso de pachulí y sopa rancia de coliflor. Nadie limpiaba los pasillos ni los baños comunes. Irina se duchaba en Lark House.

—¿Por qué vives en esta pocilga? —le preguntó Seth, escandalizado.

—Porque es barata.

—Entonces eres mucho más pobre de lo que yo me imaginaba, Irina.

—No sé qué te imaginabas, Seth. Casi todo el mundo es más pobre que los Belasco.

Lo ayudó a quitarse los zapatos y lo empujó sobre el colchón del suelo que servía de cama. Las sábanas estaban limpias, como todo en esa habitación, porque sus abuelos le habían enseñado a Irina que la pobreza no es excusa para la mugre.

—¿Qué es eso? —preguntó Seth, señalando una campanilla en la pared, atada con un cordel que pasaba por un hueco hacia el cuarto vecino.

—Nada, no te preocupes.

—¿Cómo nada? ¿Quién vive al otro lado?

—Tim, mi amigo de la cafetería, mi socio del negocio de bañar perros. A veces tengo pesadillas y si empiezo a gritar, él tira del cordel, suena la campanilla y me despierto. Es un acuerdo que tenemos.

—¿Sufres pesadillas, Irina?

—Claro. ¿Tú no?

—No. Pero tengo sueños eróticos, eso sí. ¿Quieres que te cuente uno?

—Duérmete, Seth.

En menos de dos minutos Seth le había obedecido. Irina dio su medicamento a Neko, se lavó con la jarra de agua y la palangana que tenía en un rincón, se quitó los vaqueros y la blusa, se puso una gastada camiseta y se acurrucó pegada a la pared, separada de Seth por el gato. Le costó mucho dormirse, pendiente de la presencia del hombre a su lado, de los ruidos de la casa y del tufo a coliflor. El único ventanuco al mundo exterior quedaba tan alto, que sólo se vislumbraba un pequeño cuadrilátero de cielo. A veces la luna pasaba a saludar brevemente, antes de seguir su curso, pero ésa no era una de esas benditas noches.

Irina despertó con la poca luz de la mañana que entraba en su pieza y comprobó que Seth ya no estaba. Eran las nueve y ella debería haber salido hacía hora y media para ir a trabajar. Le dolían la cabeza y todos los huesos, como si la resaca del sake se le hubiera contagiado por ósmosis.

La confesión

Alma no llegó ese día a Lark House ni el siguiente, y tampoco llamó por teléfono para preguntar por Neko. El gato no había comido durante tres días y apenas tragaba el agua que Irina le metía por el hocico con una jeringa; el medicamento no le había hecho efecto. Iba a recurrir a Lenny Beal para que la llevara al veterinario, pero apareció Seth Belasco en Lark House, fresco, afeitado, con ropa limpia y aire de contrición, avergonzado del episodio de la noche anterior.

—Acabo de enterarme de que el sake tiene un diecisiete por ciento de contenido alcohólico —dijo.

—¿Tienes tu moto? —lo interrumpió Irina.

—Sí. La encontré intacta donde la dejamos.

—Entonces llévame al veterinario.

Los atendió el doctor Kallet, el mismo que años antes había amputado la pata a Sofía. No era una coincidencia: el veterinario era voluntario de la organización que daba en adopción perros rumanos y Lenny se lo había recomendado a Alma. El doctor Kallet diagnosticó un bloqueo intestinal; el gato debía ser operado de inmediato, pero Irina no podía tomar esa decisión y el celular de Alma no respondía. Seth se hizo cargo, pagó el depósito de setecientos dólares que les exigieron y le entregó el gato a la enfermera. Poco después estaba con Irina en la cafetería donde ella había trabajado antes de entrar al servicio de Alma. Los recibió Tim, quien en tres años no había progresado.

Seth todavía tenía el estómago revuelto por el sake, pero se le había despejado la mente y había llegado a la conclusión de que su deber de cuidar a Irina no podía ser postergado. No estaba enamorado de la forma que antes lo había estado de otras mujeres, con una pasión posesiva sin espacio para la ternura. La deseaba y había esperado que ella iniciara el camino angosto del erotismo, pero su paciencia había sido inútil; era hora de pasar a la acción directa o renunciar definitivamente a ella. Algo en el pasado de Irina la frenaba, no cabía otra explicación para su temor visceral a la intimidad. Le tentaba la idea de recurrir a sus investigadores, pero había decidido que Irina no merecía esa deslealtad. Supuso que la incógnita se aclararía en algún momento y se tragó las preguntas, pero ya estaba harto de tantas consideraciones. Lo más urgente era sacarla de la guarida de ratones donde vivía. Había preparado sus argumentos como para enfrentarse a un jurado, pero cuando la tuvo al frente, con su cara de duende y su gorro lamentable, se le olvidó el discurso y le propuso bruscamente que se fuera a vivir con él.

—Mi apartamento es cómodo, me sobran metros cuadrados, tendrías tu habitación y baño privados. Gratis.

—¿A cambio de qué? —le preguntó ella, incrédula.

—De que trabajes para mí.

—¿En qué exactamente?

—En el libro sobre los Belasco. Se requiere mucha investigación y yo no tengo tiempo.

—Trabajo cuarenta horas a la semana en Lark House y doce más para tu abuela, además baño perros los fines de semana y pretendo empezar a estudiar de noche. Tengo menos tiempo que tú, Seth.

—Podrías dejar todo, menos a mi abuela, y dedicarte a mi libro. Tendrías donde vivir y un buen sueldo. Quiero probar cómo sería vivir con una mujer, nunca lo he hecho y más vale que practique un poco.

—Veo que te sorprendió mi cuarto. No quiero que me tengas lástima.

—No te tengo lástima. En este momento te tengo rabia.

—Pretendes que deje mi trabajo, mis ingresos seguros, la pieza con renta fija de Berkeley que me costó tanto conseguir, que me aloje en tu apartamento y me quede en la calle cuando te aburras de mí. Muy conveniente.

—¡No entiendes nada, Irina!

—Sí te entiendo, Seth. Quieres una secretaria con derecho a cama.

—¡Por Dios! No voy a rogarte, Irina, pero te advierto que estoy a punto de dar media vuelta y desaparecer de tu vida. Sabes lo que siento por ti, es obvio hasta para mi abuela.

—¿Alma? ¿Qué tiene que ver tu abuela con esto?

—Fue idea suya. Yo quería proponerte que nos casáramos y ya está, pero ella dijo que mejor probáramos vivir juntos un año o dos. Eso te daría tiempo para acostumbrarte a mí y a mis padres les daría tiempo para acostumbrarse al hecho de que no eres judía y eres pobre.

Irina no intentó contener el llanto. Escondió el rostro entre los brazos cruzados sobre la mesa, aturdida por el dolor de cabeza, que había aumentado durante esas horas, y confundida por una avalancha de emociones contrarias: cariño y agradecimiento hacia Seth, vergüenza por sus propias limitaciones, desesperación por su futuro. Ese hombre le ofrecía el amor de las novelas, pero no era para ella. Podía amar a los ancianos de Lark House, a Alma Belasco, a algunos amigos, como su socio Tim, que en ese momento la miraba preocupado desde el mostrador, a sus abuelos instalados en el tronco de una secoya, a Neko, Sofía y las otras mascotas de la residencia; podía amar a Seth más que a nadie en la vida, pero no lo suficiente.

—¿Qué te pasa, Irina? —le preguntó Seth, desconcertado.

—No tiene nada que ver contigo. Son cosas del pasado.

—Cuéntamelo.

—¿Para qué? No tiene importancia —replicó ella, sonándose con una servilleta de papel.

—Tiene mucha importancia, Irina. Anoche quise tomarte la mano y casi me pegas. Claro que tenías razón, yo estaba hecho un cerdo. Perdóname. No volverá a suceder, te lo prometo. Te he querido durante tres años, tú lo sabes muy bien. ¿Qué estás esperando para quererme tú a mí? Ten cuidado, mujer, mira que puedo conseguir otra chica de Moldavia, hay cientos de ellas dispuestas a casarse por un visado americano.

—Buena idea, Seth.

—Conmigo serías feliz, Irina. Soy el tipo más bueno del mundo, totalmente inofensivo.

—Ningún abogado americano en motocicleta es inofensivo, Seth. Pero reconozco que eres una persona fantástica.

—Entonces ¿aceptas?

—No puedo. Si conocieras mis razones, saldrías escapando.

—A ver si adivino: ¿tráfico de animales exóticos en vías de extinción? No importa. Ven a ver mi apartamento y después decides.

El apartamento, en un edificio moderno en el Embarcadero, con conserje y espejos biselados en el ascensor, era tan impecable que daba la impresión de estar deshabitado. Aparte de un sofá de cuero color espinaca, un televisor gigante, una mesa de vidrio con revistas y libros apilados en orden y unas lámparas danesas, no había más en ese Sáhara de ventanales y pisos de parqué oscuro. Nada de alfombras, cuadros, adornos o plantas. En la cocina predominaba una mesa de granito negro y una brillante colección de ollas y sartenes de cobre, sin uso, que colgaban de unos ganchos en el techo. Por curiosidad, Irina atisbó dentro del refrigerador y vio jugo de naranja, vino blanco y leche descremada.

—¿Alguna vez comes algo sólido, Seth?

—Sí, en la casa de mis viejos o en restaurantes. Aquí falta una mano femenina, como dice mi madre. ¿Tú sabes cocinar, Irina?

—Papas y repollo.

La habitación que según Seth la estaba esperando era aséptica y viril como el resto del apartamento, sólo contenía una cama ancha con un cobertor de lino crudo y almohadones en tres tonos de café, que no contribuían a alegrar el ambiente, una mesa de noche y una silla metálica. En la pared color arena colgaba una de las fotografías en blanco y negro de Alma tomada por Nathaniel Belasco, pero a diferencia de las otras, que a Irina le habían parecido tan reveladoras, en ésta se veía sólo su medio rostro dormido en una atmósfera nebulosa de ensueño. Era el único adorno que Irina había visto en el desierto de Seth.

—¿Cuánto tiempo hace que vives aquí? —le preguntó.

—Cinco años. ¿Te gusta?

—La vista es impresionante.

—Pero el apartamento te parece muy frío —concluyó Seth—. Bueno, si quieres hacer cambios, tendremos que ponernos de acuerdo en los detalles. Nada de flecos ni colores pastel, no van con mi personalidad, pero estoy dispuesto a hacer leves concesiones en la decoración. No ahora mismo, sino más adelante, cuando me supliques que me case contigo.

—Gracias, pero por el momento llévame al metro, tengo que volver a mi pieza. Creo que tengo gripe, me duele todo el cuerpo.

—No, señorita. Vamos a pedir comida china, ver una película y esperar que nos llame el doctor Kallet. Te voy a dar aspirina y té, eso ayuda. Lástima que no tengo caldo de pollo, que es un remedio infalible.

—Perdona, pero ¿podría darme un baño? No lo he hecho desde hace años, uso las duchas del personal en Lark House. Era una tarde luminosa y por el ventanal junto a la bañera se apreciaba el panorama de la ciudad bulliciosa, el tráfico, los veleros en la bahía, la multitud en las calles, a pie, en bicicleta, en patines, los clientes a las mesas bajo los toldos anaranjados de las veredas, la torre del reloj del Ferry Building. Tiritando, Irina se hundió hasta las orejas en el agua caliente y sintió cómo se le iban soltando los músculos agarrotados y relajando los huesos doloridos; bendijo una vez más el dinero y la generosidad de los Belasco. Poco después Seth le avisó desde el otro lado de la puerta de que había llegado la comida, pero siguió remojándose media hora más. Por último se vistió sin ganas, somnolienta, mareada. El olor de los cartones con cerdo agridulce, chow mein y pato pequinés le produjo náuseas. Se acurrucó en el sofá, se quedó dormida y no despertó hasta varias horas más tarde, cuando había oscurecido tras las ventanas. Seth le había acomodado una almohada bajo la cabeza, la había tapado con una frazada y estaba sentado en una esquina del sofá viendo su segunda película de la noche —espías, crímenes internacionales y villanos de la mafia rusa—, con los pies de ella sobre sus rodillas.

—No quise despertarte. Llamó Kallet y dijo que Neko ha salido bien de la operación, pero tiene un tumor grande en el bazo y esto es el comienzo del final —le anunció.

—Pobre, espero que no esté sufriendo...

—Kallet no dejará que sufra, Irina. ¿Cómo va el dolor de cabeza?

—No sé. Tengo mucho sueño. ¿No habrás drogado el té, verdad, Seth?

—Sí, le eché ketamina. ¿Por qué no te metes en la cama y duermes como se debe? Tienes fiebre.

La llevó a la habitación de la foto de Alma, le quitó los zapatos, la ayudó a acostarse, la arropó y luego se fue a terminar de ver su película. Al día siguiente Irina despertó tarde, después de haber sudado y dormido la fiebre; se sentía mejor, pero todavía tenía las piernas débiles. Encontró una nota de Seth en la mesa negra de la cocina: «El café está listo para colarse, enciende la cafetera. Mi abuela volvió a Lark House y le conté lo de Neko. Ella va a avisar a Voigt de que estás enferma y no irás a trabajar. Descansa. Te llamaré más tarde. Besos. Tu futuro marido». También había un cartón de sopa de pollo con fideos, una cajita de frambuesas y una bolsa de papel con pan dulce de una pastelería cercana.

Seth regresó antes de las seis de la tarde, al salir de los tribunales, ansioso por ver a Irina. La había llamado varias veces por teléfono para comprobar que no se había ido, pero temía que en un impulso de última hora hubiera desaparecido. Al pensar en ella, la primera imagen que le venía a la mente era la de una liebre lista para salir disparada y la segunda era su rostro pálido, atento, la boca entreabierta, los ojos redondos de asombro, escuchando las historias de Alma, tragándoselas. Apenas abrió la puerta, sintió la presencia de Irina. Antes de verla supo que estaba allí, el apartamento estaba habitado, la arena de las paredes parecía más cálida, el piso tenía un brillo satinado que nunca había notado, el aire mismo se había vuelto más amable. Ella salió a su encuentro con paso vacilante, los ojos hinchados de sueño y el cabello alborotado como una peluca blancuzca. Seth le abrió los brazos y ella, por primera vez, se refugió en ellos. Permanecieron abrazados un tiempo que para ella fue una eternidad y para él duró un suspiro; después ella lo condujo de la mano al sofá. «Tenemos que hablar», le dijo.

Catherine Hope la había hecho prometer, después de escuchar su confesión, que se lo contaría a Seth, no sólo para arrancarse esa planta maligna que la envenenaba, sino también porque él merecía saber la verdad.

A finales del año 2000, el agente Ron Wilkins había colaborado con dos investigadores de Canadá para identificar el origen de cientos de imágenes, que circulaban por internet, de una niña de unos nueve años, sometida a tales excesos de depravación y violencia, que posiblemente no había sobrevivido. Eran las favoritas de los coleccionistas especializados en pornografía infantil, que compraban las fotos y vídeos privadamente a través de una red internacional. La explotación sexual de niños no era nada nuevo, había existido durante siglos con total impunidad, pero los agentes contaban con una ley, promulgada en 1978, que la declaraba ilegal en Estados Unidos. A partir de ese año la producción y distribución de fotografías y películas se redujo, porque las ganancias no justificaban los riesgos legales. Entonces vino internet y el mercado se expandió de forma incontrolable. Se calculaba que existían cientos de miles de sitios web dedicados a la pornografía infantil y más de veinte millones de consumidores, la mitad de ellos en Estados Unidos. El desafío consistía en descubrir a los clientes, pero lo más importante era echar el guante a los productores. El nombre en clave que le dieron al caso de la niña de cabello muy rubio, con orejas en punta y un hoyuelo en la barbilla, era Alice. El material era reciente. Sospechaban que Alice podría ser mayor de lo que parecía, porque los productores procuraban que sus víctimas parecieran lo más jóvenes posible, como exigían los consumidores. Al cabo de quince meses de colaboración intensiva, Wilkins y los canadienses dieron con el rastro de uno de los coleccionistas, un cirujano plástico de Montreal. Allanaron su casa y su clínica, confiscaron sus computadoras y dieron con más de seiscientas imágenes, entre las que había dos fotografías y un vídeo de Alice. El cirujano fue arrestado y aceptó colaborar con las autoridades a cambio de una sentencia menos severa. Con la información y los contactos obtenidos, Wilkins se puso en acción. El macizo agente se describía a sí mismo como sabueso, decía que una vez que olfateaba una pista, nada podía distraerlo; la seguía hasta el final y no descansaba hasta atraparla. Haciéndose pasar por aficionado, descargó varias fotos de Alice, las modificó digitalmente para que parecieran originales y no se le viera la cara, aunque para los entendidos sería reconocible, y con ellas obtuvo acceso a la red usada por el coleccionista de Montreal. Pronto consiguió varios interesados. Ya tenía la primera pista, el resto sería cuestión de nariz.

Una noche, en noviembre de 2002, Ron Wilkins tocó el

timbre de una casa en un barrio modesto al sur de Dallas y Alice le abrió. La identificó al primer vistazo, era inconfundible. «Vengo a hablar con tus padres», le dijo con un suspiro de alivio, porque no estaba seguro de que la niña estuviera viva. Era uno de aquellos períodos afortunados en que Jim Robyns estaba trabajando en otra ciudad y la niña se encontraba sola con su madre. El agente mostró su insignia del FBI y no esperó a ser invitado, empujó la puerta y se introdujo en la casa, directamente en la sala. Irina recordaría siempre ese momento como si acabara de vivirlo: el gigante negro, su olor a flores dulces, su voz profunda y lenta, sus manos grandes y finas de palmas rosadas. «¿Qué edad tienes?», le preguntó. Radmila iba por el segundo vodka y la tercera botella de cerveza, pero aún creía que estaba serena y trató de intervenir con el argumento de que su hija era menor de edad y las preguntas debían ser dirigidas a ella. Wilkins la calló con un gesto. «Voy a cumplir quince años», respondió Alice en un hilo de voz, como pillada en falta, y el hombre se estremeció porque su única hija, la luz de su vida, tenía la misma edad. Alice había tenido una infancia de privaciones, con insuficiencia de proteínas, se había desarrollado tarde y con su baja estatura y huesos delicados podía pasar fácilmente por una niña mucho menor. Wilkins calculó que si en ese momento Alice parecía tener doce años, en las primeras imágenes que habían circulado en internet representaría nueve o diez. «Déjame hablar a solas con tu madre», le pidió Wilkins, avergonzado. Pero en esos minutos Radmila había entrado en la etapa agresiva de la ebriedad e insistió a gritos en que su hija podía saber cualquier cosa que el agente tuviera que decir. «¿Verdad, Elisabeta?» La chiquilla asintió como hipnotizada, con la vista fija en la pared. «Lo lamento mucho, niña», dijo Wilkins y colocó sobre la mesa media docena de fotografías. Así se enfrentó Radmila a lo que había estado sucediendo en su propia casa durante más de dos años y se había negado a ver, y así se enteró Alice de que millones de hombres en todas partes del mundo la habían visto en los juegos privados con su padrastro. Llevaba años sintiéndose sucia, mala y culpable; después de ver las fotografías sobre la mesa quiso morirse. No había redención posible para ella.

Jim Robyns le había asegurado que esos juegos con el padre o con tíos eran normales, que muchos niños y niñas participaban en ellos de buena gana y agradecidos. Esos niños eran especiales. Pero nadie hablaba de eso, era un secreto bien guardado, y ella no debía mencionarlo nunca a nadie, ni a las amigas, ni a las maestras, ni menos al doctor, porque la gente diría que era pecadora, inmunda, iba a quedarse sola y sin amigos; hasta su propia madre la rechazaría, Radmila era muy celosa. ¿Por qué se resistía? ¿Quería regalos? ¿No? Bueno, entonces le pagaría como si ella fuera una mujercita adulta, no directamente a ella, sino a los abuelos. Él mismo se encargaría de enviar dinero a Moldavia a nombre de su nieta; ella debía escribirles una tarjeta para acompañar el dinero, pero sin decírselo a Radmila: eso también sería un secreto entre ellos dos. A veces los viejos necesitaban una remesa extra, tenían que reparar el techo o comprar otra cabra. No había problema; él era de buen corazón, comprendía que la vida era difícil en Moldavia, menos mal que Elisabeta había tenido la suerte de venir a América; pero no convenía establecer el precedente del dinero gratis, ella debía ganarlo, ¿verdad? Debía sonreír, eso no le costaba nada, debía ponerse la ropa que él le exigiera, debía someterse a las cuerdas y los hierros, debía beber ginebra para relajarse, con jugo de manzana para que no le quemara la garganta, pronto se iba a acostumbrar al sabor, ¿quería más azúcar? A pesar del alcohol, las drogas y el miedo, en algún momento ella se dio cuenta de que había cámaras en el cobertizo de las herramientas, la «casita» de ellos dos, donde nadie, ni su madre, podía entrar. Robyns le juró que las fotos y los vídeos eran privados, le pertenecían sólo a él, nadie los vería nunca, él los guardaría de recuerdo para que lo acompañaran en unos años más, cuando ella se fuera al *college*.

¡Cómo la iba a echar de menos!

La presencia de ese negro desconocido, con sus manos grandes y sus ojos tristes y sus fotografías, probaba que su padrastro le había mentido. Todo lo ocurrido en la casita circulaba por internet y seguiría circulando, no se podía recoger o destruir, existiría para siempre. Cada minuto en alguna parte alguien la estaba violando, alguien estaría masturbándose con su sufrimiento. Durante el resto de su vida, dondequiera que fuera alguien podría reconocerla. No tenía escapatoria. El horror nunca terminaría. Siempre el olor a alcohol y el sabor a manzana la devolverían a la casita; siempre caminaría mirando por encima del hombro, escabulléndose; siempre sentiría repugnancia de ser tocada.

Esa noche, después de que Ron Wilkins se fue, la niña se encerró en su pieza, paralizada de terror y de asco, segura de que cuando regresara su padrastro la mataría, como le había advertido que haría si ella revelaba una sola palabra de los juegos. Morir era su única salida, pero no a manos de él, no de la forma lenta y atroz que él describía a menudo, siempre con nuevos detalles.

Entretanto Radmila se echó al cuerpo el resto de la botella de vodka, cayó inconsciente y pasó las diez horas siguientes tirada en el suelo de la cocina. Cuando se repuso un poco de la resaca arremetió a bofetadas contra su hija, la seductora, la puta que había pervertido a su marido. La escena duró poco, porque en esos momentos llegó un patrullero con dos policías y una visitadora social, enviados por Wilkins. Arrestaron a Radmila y se llevaron a la niña a un hospital psiquiátrico infantil, mientras el Tribunal de Menores decidía qué hacer con ella. No volvería a ver a su madre ni a su padrastro.

Radmila tuvo tiempo de avisar a Jim Robyns de que lo buscaban y él se fugó del país, pero no contaba con Ron Wilkins, que pasó los cuatro años siguientes buscándolo por el mundo, hasta que dio con él en Jamaica y lo devolvió esposado a Estados Unidos. Su víctima no tuvo que verlo en el juicio, porque los abogados tomaron sus declaraciones en privado y la jueza la eximió de presentarse en los tribunales. Por ella la muchacha se enteró de que sus abuelos habían muerto y las remesas de dinero nunca fueron enviadas. Jim Robyns recibió una condena de diez años en prisión, sin libertad condicional.

—Le faltan tres años y dos meses. Cuando salga libre me buscará y no tendré dónde esconderme —concluyó Irina.

—No vas a tener que esconderte. Le impondrán una orden

de alejamiento. Si se te acerca volverá a prisión. Yo estaré contigo y me voy a asegurar de que la orden se cumpla —replicó Seth.

—Pero ¿no ves que es imposible, Seth? En cualquier momento alguien de tu círculo, un socio, un amigo, un cliente, tu propio padre, puede reconocerme. Ahora mismo estoy en miles y miles de pantallas.

—No, Irina. Tú eres una mujer de veintiséis años y la que circula en internet es Alice, una niñita que ya no existe. Los pedófilos ya no se interesan en ti.

—Te equivocas. He tenido que huir varias veces de diferentes lugares porque algún desgraciado me persigue. De nada sirve que acuda a la policía, no pueden impedir que el tipo haga circular mis fotos. Pensaba que tiñéndome el pelo de negro o usando maquillaje pasaría inadvertida, pero no resultó; tengo una cara fácil de identificar y no ha cambiado mucho en estos años. Nunca estoy tranquila, Seth. Si tu familia me iba a rechazar porque soy pobre y no soy judía, ¿te imaginas cómo sería si descubrieran esto?

—Se lo diremos, Irina. Les va a costar un poco aceptarlo, pero creo que van a terminar queriéndote más por lo que has pasado. Son muy buena gente. Has tenido tiempo de sufrir; ahora debe comenzar el tiempo de sanar y perdonar.

—¿Perdonar, Seth?

—Si no lo haces, el rencor te va a destruir. Casi todas las heridas sanan con cariño, Irina. Tienes que amarte a ti misma y amarme a mí. ¿Estamos?

—Eso dijo Cathy.

—Hazle caso, esa mujer sabe mucho. Déjame ayudarte. No soy ningún sabio, pero soy buen compañero y te he dado muestras sobradas de tenacidad. Nunca me doy por vencido. Resígnate, Irina, no pienso dejarte en paz. ¿Sientes mi corazón? Está llamándote —le dijo, tomándole la mano y llevándosela al pecho.

—Hay algo más, Seth.

—¿Más todavía?

—Desde que el agente Wilkins me salvó de mi padrastro, nadie me ha tocado… Ya sabes a qué me refiero. He estado sola y lo prefiero así.

—Bueno, Irina, eso tendrá que cambiar, pero iremos con calma. Lo que pasó no tiene nada que ver con el amor y nunca más volverá a sucederte. Tampoco tiene que ver con nosotros. Una vez me dijiste que los viejos hacen el amor sin prisa. No es mala idea. Vamos a querernos como un par de abuelitos, ¿qué te parece?

—No creo que resulte, Seth.

—Entonces tendremos que ir a terapia. Venga, mujer, deja de llorar. ¿Tienes hambre? Péinate un poco, vamos a salir a comer y hablar de los pecados de mi abuela, eso siempre nos levanta el ánimo.

Tijuana

En los meses benditos de 1955 en que Alma e Ichimei pudieron amarse libremente en el miserable motel de Martínez, ella le confesó que era estéril. Más que una mentira, fue un deseo, una ilusión. Lo hizo para preservar la espontaneidad entre las sábanas, porque confiaba en un diafragma para evitar sorpresas y porque su menstruación había sido siempre tan irregular que el ginecólogo, donde su tía Lillian la llevó en un par de ocasiones, le diagnosticó quistes en los ovarios que afectarían su fertilidad. Como tantas otras cosas, Alma postergó la operación, ya que la maternidad era la última de sus prioridades. Supuso que ella mágicamente no iba a quedarse encinta en esa etapa de su juventud. Esos accidentes le pasaban a mujeres de otra clase, sin educación ni recursos. No se dio cuenta de su estado hasta la décima semana, porque no llevaba la cuenta de sus ciclos y, cuando lo supo, confió en la suerte durante dos semanas más. Tal vez era un error de cálculo, pensó; pero si se trataba de lo más temible, con ejercicio violento se resolvería solo; empezó a ir a todos lados en bicicleta, pedaleando con furia. Verificaba a cada rato si había sangre en su ropa interior y su angustia iba aumentando con los días, pero siguió acudiendo a las citas con Ichimei y haciendo el amor con la misma frenética ansiedad con que pedaleaba cerro arriba y cerro abajo. Finalmente, cuando no pudo seguir dejando de lado los senos hinchados, las náuseas matinales y los sobresaltos de la ansiedad, no recurrió a Ichimei, sino a Nathaniel, como había hecho desde que eran niños. Para evitar el riesgo de que los tíos se enteraran, lo fue a ver al Estudio Jurídico Belasco y Belasco, la misma oficina en la calle Montgomery que existía desde los tiempos del patriarca, inaugurada en 1920, con sus muebles solemnes y estanterías de volúmenes legales empastados en cuero verde oscuro, un mausoleo de la ley, donde las alfombras persas ahogaban los pasos y se hablaba en susurros confidenciales.

Nathaniel estaba detrás de su escritorio, en mangas de camisa, con la corbata suelta y el pelo revuelto, rodeado de pilas de documentos y libracos abiertos, pero al verla se adelantó de inmediato a abrazarla. Alma escondió la cara contra su cuello, profundamente aliviada de poder descargar su drama en ese hombre que nunca le había fallado. «Estoy embarazada», fue todo lo que atinó a decirle. Sin soltarla, Nathaniel la llevó al sofá y se sentaron al lado el uno de la otra. Alma le habló del amor, del motel y de cómo el embarazo no era culpa de Ichimei, sino de ella, que si Ichimei lo supiera, seguramente insistiría en casarse y asumir la responsabilidad de la criatura; pero ella lo había pensado bien y carecía de valor para renunciar a lo que siempre había tenido y convertirse en la mujer de Ichimei; lo adoraba, pero sabía que las desventajas de la pobreza acabarían con su amor. Frente a la disyuntiva de elegir entre una vida de dificultades económicas en la comunidad japonesa, con la que no tenía nada en común, o permanecer protegida en su propio ambiente, la vencía el miedo a lo desconocido; su debilidad la avergonzaba, Ichimei merecía amor incondicional, era un hombre maravilloso, un sabio, un santo, un alma pura, un amante delicado y tierno en cuyos brazos se sentía dichosa, dijo en un rosario de frases atropelladas, sonándose la nariz para no llorar, tratando de mantener cierta dignidad. Agregó que Ichimei vivía en un plano espiritual, que siempre iba a ser un sencillo jardinero en vez de desarrollar su enorme talento artístico o procurar que su vivero de flores fuera un gran negocio; nada de eso, no aspiraba a más, le bastaba con ganar lo suficiente para mantenerse, le importaban un bledo la prosperidad o el éxito, lo suyo era la meditación y la serenidad, pero eso no se come y ella no iba a formar una familia en una casucha de tablas con techo de metal corrugado y vivir entre agricultores con una pala en las manos. «Lo sé, Nathaniel, perdóname, me lo advertiste mil veces y no te hice caso, tenías razón, siempre tienes razón, ahora veo que no puedo casarme con Ichimei, pero tampoco puedo renunciar a amarlo, sin él me secaría como una planta en el desierto, me moriría, y de ahora en adelante pondré más cuidado, vamos a tomar precauciones, esto no volverá a ocurrir, te lo prometo, Nathaniel, te lo juro»; y siguió hablando y hablando sin pausa, atorada de excusas y de culpa. Nathaniel la escuchó sin interrumpir hasta que a ella se le acabó el aire para seguir lamentándose y la voz se le adelgazó a un murmullo.

—A ver si te entiendo, Alma. Estás embarazada y no piensas decírselo a Ichimei… —resumió Nathaniel.

—No puedo tener un hijo sin casarme, Nat. Tienes que ayudarme. Eres el único a quien puedo recurrir.

—¿Un aborto? Es ilegal y peligroso, Alma. No cuentes conmigo.

—Escúchame, Nat. Lo he averiguado bien, es seguro, sin riesgo y costaría sólo cien dólares, pero tienes que acompañarme, porque es en Tijuana.

—¿Tijuana? El aborto también es ilegal en México, Alma. ¡Esto es una locura!

—Aquí es mucho más peligroso, Nat. Allá hay médicos que lo hacen en las narices de la policía, a nadie le importa.

Alma le mostró un trozo de papel con un número de teléfono y le explicó que ya había hecho la llamada para hablar con un tal Ramón en Tijuana. Le respondió un hombre en pésimo inglés, que le preguntó quién la enviaba y si sabía las condiciones. Ella le dio el nombre del contacto, le aseguró que llevaría el dinero en efectivo, y acordaron que al cabo de dos días él pasaría a buscarla en su coche, a las tres de la tarde, en una determinada esquina de esa ciudad.

—¿Le dijiste a ese Ramón que irás acompañada por un abogado? —le preguntó Nathaniel, aceptando tácitamente el papel que ella le había asignado.

Partieron al día siguiente a las seis de la mañana en el Lincoln negro de la familia, que se prestaba mejor para un viaje de quince horas que el deportivo de Nathaniel. Al principio éste, furioso y atrapado, guardó un silencio hostil, la boca apretada, el ceño fruncido, las manos engarfiadas en el volante y la vista fija en la carretera, pero la primera vez que Alma le pidió que se detuviera en una parada de camioneros para ir al baño, se ablandó. La joven permaneció media hora en el lavabo y cuando él estaba a punto de ir a buscarla, la vio regresar descompuesta al automóvil. «Vomito por la mañana, Nat, pero después se me pasa», le explicó. El resto del camino él trató de distraerla y acabaron cantando las canciones más pegajosas de Pat Boone, las únicas que conocían, hasta que ella, agotada, se pegó a él, apoyó la cabeza en su hombro y durmió a ratos. En San Diego se detuvieron en un hotel para comer y descansar. El recepcionista supuso que estaban casados y les dio una habitación con cama de matrimonio, donde se acostaron tomados de la mano, como en la infancia. Por primera vez en varias semanas Alma durmió sin pesadillas, mientras Nathaniel permanecía despierto hasta el amanecer, aspirando el olor a champú del cabello de su prima, pensando en los riesgos, dolido y nervioso como si él fuera el padre de la criatura, imaginando las repercusiones, arrepentido por haber aceptado esa aventura indigna en vez de sobornar a un médico en California, donde todo se puede conseguir por el precio adecuado, igual que en Tijuana. Con la primera luz del día en la rendija de las cortinas lo venció el cansancio y ya no despertó hasta las nueve, cuando oyó las arcadas de Alma en el baño. Se dieron tiempo para cruzar la frontera, con las demoras previsibles, y acudir a la cita con Ramón.

México les salió al encuentro con los tópicos conocidos. No habían estado en Tijuana y esperaban un pueblo adormilado, pero se hallaron en una ciudad inabarcable, estridente y colorista, atestada de gente y tráfico, donde buses destartalados y automóviles modernos se rozaban con carretas y burros. El comercio ofrecía en el mismo local comestibles mexicanos y electrodomésticos americanos, zapatos e instrumentos musicales, repuestos mecánicos y muebles, pájaros en jaulas y tortillas. El ambiente olía a fritanga y basura, vibraba con la música popular, los predicadores evangélicos y los comentarios de fútbol de las radios de bares y taquerías. Les costó orientarse: muchas calles no tenían nombre o números y debían preguntar cada tres o cuatro cuadras, pero no entendían las instrucciones en español, que casi siempre consistían en un gesto vago en cualquier dirección y un «ahí a la vueltecita no más». Cansados, estacionaron el Lincoln cerca de una gasolinera y siguieron a pie hasta dar con la esquina de la cita, que resultó ser la intersección de cuatro calles concurridas. Esperaron tomados del brazo, ante el escrutinio descarado de un perro solitario y un grupo de chiquillos harapientos que pedían limosna. La única indicación que habían recibido, aparte del nombre de una de las calles que formaban la esquina, era una tienda de trajes de primera comunión e imágenes de vírgenes y santos católicos, con el nombre incongruente de Viva Zapata.

A los veinte minutos de espera Nathaniel decidió que habían sido engañados y debían volverse, pero Alma le recordó que la puntualidad no era una de las características de ese país y entró a Viva Zapata. Gesticulando, pidió prestado un teléfono y llamó al número de Ramón, que sonó nueve veces antes de que respondiera una voz de mujer en español, con quien no pudo entenderse. Cerca de las cuatro de la tarde, cuando Alma ya había aceptado irse, se detuvo en la esquina el Ford 1949 color guisante, con las ventanillas traseras oscuras, que Ramón había descrito. Instalados en los asientos delanteros vieron a dos hombres, un joven marcado de viruela, con jopo y frondosas patillas, que iba al volante, y otro que se bajó para dejarlos entrar, porque el coche sólo tenía dos puertas. Se presentó como Ramón. Tenía treinta y tantos años, bigote relamido, pelo engominado peinado hacia atrás, camisa blanca, vaqueros y botas en punta con tacón. Ambos estaban fumando. «El dinero», exigió el de bigote tan pronto entraron en el coche. Nathaniel se lo entregó, él lo contó y se lo metió en el bolsillo. Los hombres no intercambiaron ni una palabra en el trayecto, que a Alma y Nathaniel les pareció largo; estaban seguros de que estaban dando vueltas y más vueltas para despistarlos, una precaución de más, ya que ellos no conocían la ciudad. Alma, aferrada a Nathaniel, pensaba en cómo habría sido esa situación si hubiera estado sola, mientras Nathaniel temía que esos hombres, que ya tenían el dinero, bien podrían darles un tiro y arrojarlos a un barranco. No habían dicho a nadie adónde iban y pasarían semanas o meses antes de que la familia supiera qué les había sucedido.

Al fin el Ford se detuvo y les indicaron que esperaran, mientras el joven de las patillas se dirigía a la casa y el otro vigilaba el coche. Estaban frente a una casa de construcción barata similar a otras en la misma calle, en un barrio que a Nathaniel le pareció pobre y sucio, pero no podía juzgarlo con los parámetros de San Francisco. Un par de minutos más tarde regresó el joven. Ordenaron a Nathaniel que bajara, lo cachearon de arriba abajo e hicieron ademán de cogerlo de un brazo para conducirlo, pero él se separó bruscamente y los encaró con una maldición en inglés. Sorprendido, Ramón le hizo un gesto conciliador. «Calma, cuate, no pasa nada», y se rió, luciendo un par de dientes de oro. Le ofreció un cigarrillo, que Nathaniel aceptó. El otro ayudó a bajarse a Alma del automóvil y entraron en la casa, que no era el antro de forajidos que temía Nathaniel, sino un modesto hogar de familia, con techo bajo, ventanas pequeñas, caluroso y oscuro. En la sala había dos niños tirados en el suelo jugando con soldaditos de plomo, una mesa con sillas, un sofá cubierto de plástico, una pretenciosa lámpara con flecos y un refrigerador ruidoso como motor de lancha. Desde la cocina les llegaba olor a cebolla frita y podían ver a una mujer vestida de negro revolviendo algo en una sartén, que mostró tan poca curiosidad por los recién llegados como los niños. El joven señaló una silla a Nathaniel y se fue a la cocina, mientras Ramón guiaba a Alma por un corto pasillo hacia otro cuarto con un sarape colgado del umbral a modo de puerta.

—¡Espere! —lo detuvo Nathaniel—. ¿Quién hará la intervención?

—Yo —replicó Ramón, quien por lo visto era el único que hablaba algo de inglés.

—¿Sabe de medicina? —le preguntó Nathaniel, fijándose en las manos de uñas largas y barnizadas del hombre.

Otra vez la risa simpática y el brillo del oro, nuevos gestos tranquilizadores, un par de frases chapurreadas explicando que él tenía mucha experiencia y el asunto llevaría menos de quince minutos, ningún problema. «¿Anestesia? No, *mano*, aquí no tenemos nada de eso, pero esto ayuda», y le pasó a Alma una botella de tequila. Como ella vacilara, ojeando la botella con desconfianza, Ramón se tomó un largo trago, limpió el gollete con la manga y se la ofreció de nuevo. Nathaniel vio la expresión de pánico en el rostro pálido de Alma y en un instante tomó la decisión más importante de su vida.

—Nos arrepentimos, Ramón. Vamos a casarnos y tener al bebé. Puede quedarse con el dinero.

Alma tendría muchos años por delante para desmenuzar concienzudamente sus actos de 1955. Ese año aterrizó en la realidad y fueron inútiles sus maniobras para atenuar la vergüenza insuperable que la agobiaba, vergüenza por la estupidez de quedar preñada, por amar a Ichimei menos que a sí misma, por su terror a la pobreza, por ceder a la presión social y a los prejuicios de raza, por aceptar el sacrificio de Nathaniel, por no estar a la altura de la amazona moderna que fingía ser, por su carácter pusilánime, convencional y media docena más de epítetos con los que se castigaba. Era consciente de que había evitado el aborto por miedo al dolor y a morir por hemorragia o infección, pero no por respeto al ser que se gestaba en su interior. Volvió a examinarse ante el gran espejo de su armario, pero no encontró a la Alma de antes, la muchacha atrevida y sensual que vería Ichimei si estuviera allí, sino a una mujer cobarde, veleidosa y egoísta. Las excusas eran inútiles, nada mitigaba la sensación de haber perdido la dignidad. Años después, cuando amar a alguien de otra raza o tener hijos sin casarse se puso de moda, Alma admitiría para sus adentros que su prejuicio más enraizado era el de clase social, que nunca logró superar. A pesar del agobio de ese viaje a Tijuana, que destruyó la ilusión del amor y la humilló hasta el punto de que su refugio habría de ser un monumental orgullo, nunca cuestionó su decisión de ocultarle la verdad a Ichimei. Confesar habría significado exponerse en toda su cobardía.

Al volver de Tijuana, citó a Ichimei a una hora más temprana de lo habitual en el motel de siempre. Acudió altanera y pertrechada con mentiras, pero llorando por dentro. Ichimei llegó antes que ella por primera vez. La estaba esperando en uno de esos cuartos roñosos, reino de las cucarachas, que ellos iluminaban con la llama del amor. Llevaban cinco días sin verse y varias semanas durante las que algo turbio empañaba la perfección de sus encuentros, algo amenazante que Ichimei sentía que los envolvía como una densa neblina, pero que ella descartaba frívolamente, acusándolo de desvariar por los celos. Ichimei notaba algo diferente en ella, estaba ansiosa, hablaba demasiado y muy rápido, en cuestión de minutos le cambiaba el humor y pasaba de la coquetería y los mimos a un silencio taimado o una rabieta inexplicable. Se estaba alejando emocionalmente, no le cabía duda, aunque su brusca pasión y su vehemencia para alcanzar el orgasmo una y otra vez indicaban lo contrario. A veces, cuando descansaban abrazados después de hacer el amor, ella tenía las mejillas húmedas. «Son lágrimas de amor», decía, pero a Ichimei, que jamás la había visto llorar, le parecían lágrimas de desilusión, igual que las acrobacias sexuales le parecían un intento de distraerlo. Con su atávica discreción procuró averiguar qué le pasaba a Alma, pero ella respondía a sus preguntas con una risa burlona o provocaciones de ramera, que, aunque fueran en broma, a él le molestaban. Alma se escabullía como lagartija. En esos cinco días de separación, que ella justificó con un viaje obligado con la familia a Los Ángeles, Ichimei entró en uno de sus períodos de ensimismamiento. Esa semana continuó labrando la tierra y cultivando flores con la abnegación habitual, pero sus movimientos eran los de un hombre hipnotizado. Su madre, que lo conocía mejor que nadie, se abstuvo de hacerle preguntas y llevó ella misma la cosecha a las floristerías de San Francisco. En silencio y quietud, inclinado sobre las plantas, con el sol en la espalda, Ichimei se abandonó a sus presentimientos, que rara vez lo engañaban.

Alma lo vio en la luz de ese cuarto de alquiler, tamizada por las raídas cortinas, y volvió a sentir en las entrañas el desgarro de la culpa. Por un instante muy breve odió a ese hombre, que la obligaba a enfrentarse a la versión más despreciable de sí misma, pero de inmediato volvió esa oleada de amor y deseo que siempre padecía en su presencia. Ichimei, de pie junto a la ventana, esperándola, con su inconmovible fortaleza interior, su falta de vanidad, su ternura y delicadeza, su expresión serena; Ichimei, con su cuerpo de madera, sus cabellos duros, sus dedos verdes, sus ojos cariñosos, su risa que brotaba de lo más profundo, su manera de hacerle el amor como si fuera la última vez. No pudo mirarlo a la cara y fingió un ataque de tos para ahogar la zozobra que la quemaba por dentro. «¿Qué pasa, Alma?», le preguntó Ichimei, sin tocarla. Y entonces ella le soltó el discurso preparado con esmero de leguleya sobre cómo lo amaba y lo amaría el resto de sus días, pero que esa relación carecía de futuro, era imposible, que la familia y los amigos empezaban a sospechar y a hacer preguntas, que ellos provenían de mundos muy diferentes y cada uno debía aceptar su destino, que había decidido proseguir sus estudios de arte en Londres y tendrían que separarse.

Ichimei recibió la andanada con la firmeza de quien se ha preparado para ello. Un largo silencio siguió a las palabras de Alma y en esa pausa ella imaginó que podían hacer el amor desesperadamente una vez más, una despedida ardiente, un último regalo de los sentidos antes de darle un tijeretazo final a la ilusión que había cultivado desde las caricias atolondradas en el jardín de Sea Cliff en la infancia. Empezó a desabotonarse la blusa, pero Ichimei la detuvo con un gesto.

—Comprendo, Alma —dijo.

—Perdóname, Ichimei. He imaginado mil locuras para seguir juntos; por ejemplo, disponer de un refugio donde amarnos, en vez de este motel asqueroso, pero sé que es imposible. Ya no puedo más con este secreto, me está destrozando los nervios. Debemos separarnos para siempre.

—Para siempre es mucho tiempo, Alma. Creo que volveremos a encontrarnos en mejores circunstancias o en otras vidas —dijo Ichimei procurando mantener su ecuanimidad, pero una helada tristeza le desbordó el corazón, quebrándole la voz.

Se abrazaron desamparados, huérfanos de amor. A Alma se le doblaron las rodillas y estuvo a punto de derrumbarse contra el pecho firme de su amante, de confesarle todo, hasta lo más recóndito de su vergüenza, de suplicarle que se casaran y vivieran en una choza y criaran hijos mestizos y prometerle que sería una esposa sumisa y renunciaría a sus pinturas en seda y al bienestar de Sea Cliff y al futuro esplendoroso que le correspondía por nacimiento, renunciaría a mucho más sólo por él y por el amor excepcional que los unía. Tal vez Ichimei adivinó todo aquello y tuvo la bondad de impedirle esa mortificación cerrándole la boca con un beso casto y breve. Sin soltarla, la condujo a la puerta y de allí a su automóvil. La besó una vez más en la frente y se dirigió a su camioneta de la jardinería, sin volverse para una última mirada.

11 de julio de 1969

Nuestro amor es inevitable, Alma. Lo supe siempre, pero durante años me rebelé contra eso y traté de arrancarte de mi pensamiento, ya que nunca podría hacerlo de mi corazón. Cuando me dejaste sin darme razones no lo entendí. Me sentí engañado. Pero en mi primer viaje a Japón tuve tiempo de calmarme y acabé por aceptar que te había perdido en esta vida. Dejé de hacerme inútiles conjeturas sobre lo que había pasado entre nosotros. No esperaba que el destino volviera a juntarnos. Ahora, después de catorce años alejados, habiendo pensado en ti cada día de esos catorce años, comprendo que nunca seremos esposos, pero tampoco podemos renunciar a lo que sentimos tan intensamente. Te invito a vivir lo nuestro en una burbuja, protegido del roce del mundo y preservado intacto, por el resto de nuestras vidas y más allá de la muerte. De nosotros depende que el amor sea eterno.

Ichi

Mejores amigos

Alma Mendel y Nathaniel Belasco se casaron en una ceremonia privada en la terraza de Sea Cliff, en un día que comenzó tibio y soleado y se fue enfriando y oscureciendo con inesperados nubarrones que reflejaban el estado de ánimo de los novios. Alma lucía ojeras color berenjena, había pasado la noche en vela, debatiéndose en un mar de dudas, y apenas vio al rabino corrió al baño, sacudida hasta las tripas de susto, pero Nathaniel se encerró con ella, la hizo lavarse la cara con agua fría y la conminó a controlarse y poner buena cara. «No estás sola en esto, Alma. Yo estoy contigo y lo estaré siempre», le prometió. El rabino, que en principio se había opuesto a la boda porque eran primos, debió aceptar la situación cuando Isaac Belasco, el más prominente miembro de su congregación, le explicó que dado el estado de Alma, no había más remedio que casarlos. Le dijo que esos jóvenes se habían querido desde niños y el afecto se transformó en pasión cuando Alma regresó de Boston, esos accidentes ocurrían, así era la condición humana, y ante el hecho consumado sólo cabía bendecirlos. A Martha y Sarah se les ocurrió que podían divulgar alguna historia para acallar las murmuraciones, por ejemplo, que Alma había sido adoptada en Polonia por los Mendel y por lo tanto no era pariente consanguínea, pero Isaac se opuso. Al error cometido no podían añadir una mentira tan burda. En el fondo, estaba feliz con la unión de las dos personas que más quería en el mundo, aparte de su mujer. Prefería mil veces que Alma se casara con Nathaniel y quedara firmemente amarrada a su familia a que lo hiciera con un extraño y se fuera de su lado. Lillian le recordó que de las uniones incestuosas nacían hijos tarados, pero él le aseguró que eso era superstición popular y sólo tenía fundamento científico en las comunidades cerradas, donde la procreación consanguínea se repetía por generaciones. No era el caso de Nathaniel y Alma.

Después de la ceremonia, a la que asistieron solamente la familia, el contador del Escritorio Jurídico y los empleados de la casa, se sirvió una cena formal a todos los presentes en el gran comedor de la mansión, que sólo se usaba para ocasiones destacadas. La cocinera, su ayudante, las mucamas y el chofer se sentaron tímidamente a la mesa con sus patrones, atendidos por dos mozos de Ernie's, el restaurante más fino de la ciudad, que sirvió la comida. Esa novedad se le ocurrió a Isaac para establecer oficialmente el hecho de que a partir de ese día Alma y Nathaniel eran esposos. Para los empleados domésticos, que los conocían como miembros de la misma familia, no sería fácil acostumbrarse al cambio; de hecho, había una mucama que llevaba cuatro años trabajando con los Belasco y creía que eran hermanos, porque a nadie se le ocurrió decirle que eran primos hasta ese día. La cena empezó en un silencio de cementerio, los ojos puestos en los platos, todos incómodos, pero se fueron animando a medida que se escanciaba el vino e Isaac obligaba a los comensales a brindar por la pareja. Alegre, expansivo, llenando su copa y las de los demás, Isaac parecía una réplica sana y juvenil del anciano en que se había convertido en los últimos años. Lillian, preocupada, temiendo que le fallara el corazón, le daba tirones en los pantalones debajo de la mesa para que se calmara. Finalmente los novios partieron una torta de crema y mazapán con el mismo cuchillo de plata con que Isaac y Lillian habían partido una similar en su boda, muchos años antes. Se despidieron de cada uno y se fueron en un taxi, porque el chofer había bebido tanto, que lloriqueaba en su silla recitando en irlandés, su lengua materna.

Pasaron la primera noche de casados en la suite nupcial del hotel Palace, el mismo donde Alma había padecido los bailes de debutantes, con champán, bombones y flores. Al día siguiente volarían a Nueva York y de allí a Europa por dos semanas, un viaje impuesto por Isaac Belasco que ninguno de los dos deseaba. Nathaniel tenía varios casos legales entre manos y no quería dejar la oficina, pero su padre compró los pasajes, se los metió en el bolsillo y lo convenció de partir con el argumento de que la luna de miel era un requisito tradicional; ya circulaban suficientes chismes sobre ese casamiento precipitado entre primos como para agregar uno más. Alma se desvistió en el baño y volvió a la habitación con la camisa y la bata de seda y encaje, que Lillian había comprado urgentemente junto al resto de un improvisado ajuar de boda. Dio una vuelta teatral para lucirse frente a Nathaniel, quien la esperaba vestido, sentado en una banqueta a los pies de la cama.

—Fíjate bien, Nat, porque no tendrás otra oportunidad de admirarme. La camisa ya me queda ajustada en la cintura. No creo que pueda ponérmela de nuevo.

Su marido advirtió el temblor en la voz, que el comentario coqueto no pudo disimular, y la llamó con una palmada en el asiento. Alma se sentó a su lado.

—No me hago ilusiones, Alma, sé que amas a Ichimei.

—También te quiero a ti, Nat, no sé cómo explicarlo. Debe de haber una docena de mujeres en tu vida, no sé por qué nunca me has presentado ninguna. Una vez me dijiste que cuando te enamoraras, yo sería la primera en saberlo. Después de que nazca el bebé nos divorciaremos y serás libre.

—No he renunciado a un gran romance por ti, Alma. Y me parece de muy mal gusto que me propongas el divorcio en la primera noche de casados.

—No te burles, Nat. Dime la verdad, ¿sientes alguna atracción por mí? Como mujer, quiero decir.

—Hasta ahora siempre te he considerado mi hermana menor, pero eso podría cambiar con la convivencia. ¿Te gustaría?

—No lo sé. Estoy confundida, triste, enojada, tengo un lío en la cabeza y un crío en la panza. Hiciste un pésimo negocio casándote conmigo.

—Eso está por verse, pero quiero que sepas que seré un buen padre para el niño o la niña.

—Va a tener rasgos asiáticos, Nat. ¿Cómo vamos a explicar eso?

—No daremos explicaciones y nadie se atreverá a pedirlas, Alma. La frente alta y los labios sellados es la mejor táctica. El único que tiene derecho a preguntar es Ichimei Fukuda.

—No volveré a verlo, Nat. Gracias, mil veces gracias por lo que haces por mí. Eres la persona más noble del mundo y trataré de ser una esposa digna de ti. Hace unos días pensaba que me moriría sin Ichimei, pero ahora creo que con tu ayuda viviré. No te voy a fallar. Te seré fiel siempre, te lo juro.

—Chis, Alma. No hagamos promesas que tal vez no podamos cumplir. Vamos a recorrer este camino juntos, paso a paso, día a día, con la mejor intención. Eso es lo único que podemos prometernos mutuamente.

Isaac Belasco había rechazado de plano la idea de que los recién casados tuvieran su propio hogar, ya que en Sea Cliff sobraba espacio y el propósito de construir una casa de esas dimensiones siempre fue que varias generaciones de la familia estuvieran bajo el mismo techo. Además, Alma debía cuidarse y necesitaría la atención y compañía de Lillian y sus primas; montar y dirigir una casa requería un esfuerzo desproporcionado, determinó. Como argumento irrefutable usó el chantaje emocional: deseaba pasar con ellos la poca vida que le quedaba y que después acompañaran a Lillian en la viudez. Nathaniel y Alma aceptaron la decisión del patriarca; ella siguió durmiendo en su habitación azul, donde el único cambio fue reemplazar su cama por dos, separadas por una mesa de noche, y Nathaniel puso en venta su *penthouse* y volvió a la casa paterna. En su habitación de soltero instaló un escritorio, sus libros, su música y un sofá. Todos en la casa sabían que los horarios de la pareja no propiciaban la intimidad, ella se levantaba a mediodía y se iba a la cama temprano, él trabajaba como un galeote, llegaba tarde de la oficina, se encerraba con sus libros y sus discos clásicos, se acostaba después de la medianoche, dormía muy poco y salía antes de que ella despertara; los fines de semana jugaba al tenis, subía trotando al monte Tamalpais, se iba a dar vueltas por la bahía con su velero y regresaba quemado por el sol, sudoroso y apaciguado. También habían notado que él solía dormir en el sofá de su escritorio, pero lo atribuyeron a la necesidad de descanso de su mujer. Nathaniel era tan atento con Alma, ella dependía tanto de él y había tanta confianza y buen humor entre ellos, que sólo Lillian sospechaba alguna anormalidad.

—¿Cómo van las cosas entre tú y mi hijo? —le preguntó a Alma a la segunda semana de tenerlos en su casa, después de la luna de miel, cuando ya el embarazo estaba en el cuarto mes.

—¿Por qué me lo pregunta, tía Lillian?

—Porque ustedes se quieren igual que antes, nada ha cambiado. El matrimonio sin pasión es como la comida sin sal.

—¿Quiere que hagamos alarde de pasión en público? —se rió Alma.

—Mi amor con Isaac es lo más precioso que tengo, Alma, más que los hijos y los nietos. Lo mismo deseo para ustedes: que vivan enamorados, como Isaac y yo.

—¿Qué le hace suponer que no lo estamos, tía Lillian?

—Estás en el mejor momento de tu embarazo, Alma. Entre el cuarto y el séptimo mes una se siente fuerte, llena de energía y sensualidad. Nadie habla de eso, los médicos no lo mencionan, pero es como estar en celo. Así fue cuando yo esperaba a mis tres hijos: andaba persiguiendo a Isaac. ¡Era escandaloso! No veo ese entusiasmo entre Nathaniel y tú.

—¿Cómo puede saber lo que pasa entre nosotros a puerta cerrada?

—¡No me contestes con preguntas, Alma!

Al otro lado de la bahía de San Francisco, Ichimei estaba encerrado en un mutismo prolongado, abstraído en el reconcomio del amor traicionado. Se volcó en su trabajo con las flores, que brotaban más coloridas y perfumadas que nunca para consolarlo. Se enteró del casamiento de Alma porque Megumi estaba hojeando una revista frívola en la peluquería y vio en la sección de vida social una fotografía de Alma y Nathaniel Belasco vestidos de gala, presidiendo el banquete anual de la fundación de la familia. La leyenda de la foto indicaba que habían regresado recientemente de su luna de miel en Italia y describía la espléndida fiesta y el elegante vestido de Alma, inspirado en las túnicas drapeadas de la Grecia antigua. Eran la pareja más comentada del año, según la revista. Sin sospechar que iba a clavarle una lanza en el pecho a su hermano, Megumi recortó la página y se la llevó. Ichimei la estudió sin manifestar ninguna emoción. Llevaba varias semanas tratando en vano de comprender qué había sucedido en esos meses con Alma en el motel de los amores exagerados. Creía haber vivido algo absolutamente extraordinario, una pasión digna de la literatura, el reencuentro de dos almas destinadas a estar juntas una y otra vez a través del tiempo, pero mientras él abrazaba esa magnífica certeza, ella planeaba casarse con otro. El engaño era tan monumental, que no le cabía en el pecho, le costaba respirar. En el ambiente de Alma y Nathaniel Belasco el matrimonio era más que la unión de dos individuos, era una estrategia social, económica y de familia. Era imposible que Alma hubiera realizado los preparativos sin dejar traslucir ni la más tenue de sus intenciones; la evidencia estaba allí y él, ciego y sordo, no la vio. Ahora podía atar cabos y explicarse la incoherencia de Alma en el último tiempo, su ánimo errático, sus titubeos, sus artificios para eludir preguntas, sus sinuosas artimañas para distraerlo, sus contorsiones para hacer el amor sin mirarlo a los ojos. La falsedad era tan completa, la red de mentiras tan intrincada y tortuosa, el daño cometido tan irreparable, que sólo cabía aceptar que no conocía a Alma en absoluto, era una extraña. La mujer amada nunca existió, la había construido con sueños.

Harta de ver a su hijo ausente de espíritu como un sonámbulo, Heideko Fukuda decidió que había llegado la hora de llevarlo a Japón a buscar sus raíces y, con algo de suerte, encontrarle una novia. El viaje lo ayudaría a sacudirse la pesadez que lo aplastaba, cuya causa ni ella ni Megumi habían podido descubrir. Ichimei era muy joven en años para crear una familia, pero tenía madurez de anciano; convenía intervenir lo antes posible para escoger a la futura nuera, antes de que la perniciosa costumbre americana de casarse por el espejismo amoroso se apoderara de su hijo. Megumi estaba dedicada de lleno a sus estudios, pero aceptó supervisar a un par de compatriotas contratados para gestionar el negocio de las flores durante el viaje. Se le ocurrió pedirle a Boyd Anderson, como prueba final de amor, que dejara todo en Hawái y se trasladara a Martínez a cultivar flores, pero Heideko seguía negándose a pronunciar el nombre del tenaz enamorado y se refería a él como el guardia del campo de concentración. Aún tuvieron que pasar cinco años antes de que naciera su primer nieto, Charles Anderson, hijo de Megumi y Boyd, y ella dirigiera la palabra al demonio blanco. Heideko organizó el viaje sin preguntar su opinión a Ichimei. Le anunció que debían cumplir con el deber ineludible de honrar a los antepasados de Takao, como ella le había prometido en su agonía, para que se fuera tranquilo. En vida, Takao no pudo hacerlo y ahora el peregrinaje les correspondía a ellos. Tendrían que visitar cien templos para hacer ofrendas y esparcir una pizca de las cenizas de Takao en cada uno. Ichimei presentó una oposición meramente retórica, porque en el fondo le daba lo mismo aquí o allá; el lugar geográfico no afectaría el proceso de limpieza interior en que estaba embarcado.

En Japón Heideko anunció a su hijo que su primer deber no era con su difunto esposo, sino con sus ancianos padres, en caso que estuviesen vivos, y con sus hermanos, a quienes no había visto desde 1922. No invitó a Ichimei a acompañarla. Se despidió livianamente, como si fuera de compras, sin interesarse por cómo pensaba arreglarse su hijo entretanto. Ichimei le había entregado a su madre todo el dinero que llevaban. La vio partir en el tren y, abandonando su maleta en la estación, echó a andar con lo puesto, un cepillo de dientes y la bolsa de hule con las cenizas de su padre. No necesitaba mapa, porque había memorizado su itinerario. Caminó durante todo el primer día con el estómago vacío y al anochecer llegó a un pequeño santuario sintoísta, donde se echó junto a una pared. Empezaba a dormirse, cuando se le acercó un monje mendicante y le indicó que en el santuario siempre había té y bizcochos de arroz para los peregrinos. Así sería su vida en los cuatro meses siguientes. Caminaba durante el día hasta que lo vencía la fatiga, ayunaba hasta que alguien le ofrecía algo de comer, dormía donde cayera la noche. Nunca tuvo que pedir, nunca necesitó dinero. Iba con la mente en blanco, deleitándose en los paisajes y en la propia fatiga, mientras el esfuerzo de avanzar iba arrancándole a dentelladas el mal recuerdo de Alma. Cuando dio por concluida su misión de visitar cien templos, la bolsa de hule estaba vacía y él se había despojado de los sentimientos oscuros que lo agobiaban al comenzar el viaje.

Vivir en la incertidumbre, sin seguridad, sin planes ni metas, dejándome llevar como un ave sostenida por la brisa, eso he aprendido en mis peregrinajes. Te extraña que a los sesenta y dos años todavía pueda partir de la noche a la mañana a vagar sin itinerario ni equipaje, como un muchacho en autostop, que me vaya por tiempo indefinido y no te llame ni te escriba, que a mi regreso no pueda decirte dónde estuve. No hay ningún secreto, Alma. Camino, eso es todo. Para sobrevivir necesito muy poco, casi nada. ¡Ah, la libertad!

Me voy, pero siempre te llevo en el recuerdo.

Ichi

Otoño

Lenny Beal fue a buscar a Alma a su apartamento en Lark House el segundo día consecutivo en que ella faltó a la cita en su banco del parque. Le abrió Irina, que había ido a ayudarla a vestirse antes de empezar su horario en Lark House.

—Estuve esperándote, Alma. Te has retrasado —dijo Lenny.

—La vida es muy corta para ser puntual —replicó ella con un suspiro. Hacía varios días que Irina llegaba temprano a darle desayuno, vigilarla en la ducha y ponerle la ropa, pero ninguna de las dos lo mencionaba, porque habría sido admitir que Alma empezaba a no poder seguir viviendo sin asistencia y debía pasar al segundo nivel o regresar a Sea Cliff con su familia. Preferían pensar en esa súbita debilidad como un inconveniente temporal. Seth le había pedido a Irina que renunciara a su trabajo en Lark House y dejara su pieza, que apodaba la ratonera, para trasladarse definitivamente a vivir con él, pero ella mantenía un pie en Berkeley para evitar la trampa de la dependencia, que la asustaba tanto como le asustaba a Alma pasar al segundo nivel de Lark House. Cuando trató de explicárselo a Seth, él se ofendió con la comparación.

La ausencia de Neko había afectado a Alma como un infarto: le dolía el pecho. El gato se le aparecía a cada rato bajo la forma de un cojín en el sofá, de una esquina arrugada de la alfombra, de su abrigo mal colgado, de la sombra del árbol en la ventana. Neko fue su confidente durante dieciocho años. Para no hablar sola, le hablaba a él, con la tranquilidad de que no le iba a contestar y entendía todo con su felina sabiduría. Eran de temperamento similar: engreídos, perezosos, solitarios. Amaba no sólo su fealdad de animal ordinario, sino también los estragos del tiempo que había sufrido: sus peladuras en la piel, su cola torcida, sus ojos legañosos, su panza de buen vividor. Lo echaba de menos en la cama; sin el peso de Neko en su costado o a los pies le era difícil dormir. Fuera de Kirsten, ese animal era el único ser que la acariciaba. Irina hubiera querido hacerlo, darle un masaje, lavarle el cabello, pulirle las uñas, en fin, encontrar una manera de acercarse a Alma físicamente y hacerle sentir que no estaba sola, pero la mujer no propiciaba la intimidad con nadie. A Irina ese tipo de contacto con otras ancianas de Lark House le resultaba natural y poco a poco comenzaba a desearlo con Seth. Trató de paliar la ausencia de Neko con una bolsa de agua caliente en la cama de Alma, pero como ese recurso absurdo agravaba el duelo, le ofreció ir a la Sociedad Protectora de Animales para conseguir otro gato. Alma le hizo ver que no podía adoptar un animal que iba a vivir más que ella. Neko había sido su último gato.

Aquel día Sofía, la perra de Lenny, esperaba en el umbral, como hacía cuando Neko estaba vivo y defendía su territorio, azotando el suelo con la cola ante la perspectiva de salir de paseo, pero Alma estaba agotada por el esfuerzo de vestirse y no pudo levantarse del sofá. «La dejo en buenas manos, Alma», se había despedido Irina. Lenny notó, preocupado, los cambios en el aspecto de ella y en el apartamento, que no había sido ventilado y olía a encierro y gardenias agónicas.

—¿Qué te pasa, amiga mía?

—Nada grave. Tal vez tengo algo en el oído y por eso pierdo el equilibrio. A veces siento como trompazos de elefante en el pecho.

—¿Qué dice tu médico?

—No quiero médicos, análisis ni hospitales. Una vez que uno cae en eso, no sale más. ¡Y nada de Belascos! Les gusta el drama y armarían un lío.

—Ni se te ocurra morirte antes que yo. Acuérdate de en lo que quedamos, Alma. Me vine aquí para morir en tus brazos y no al revés —bromeó Lenny.

—No se me ha olvidado. Pero si te fallo, puedes recurrir a Cathy.

Esa amistad, descubierta tarde y saboreada como un vino de reserva, le ponía color a una realidad que inexorablemente iba perdiendo brillo para ambos. Alma era de temperamento tan solitario, que nunca percibió su soledad. Había vivido insertada en la familia Belasco, protegida por sus tíos, en la amplia casa de Sea Cliff, que otros manejaban —su suegra, el mayordomo, su nuera—, con la actitud de una visita. En todos lados se sentía desconectada y diferente, pero lejos de ser un problema, eso era motivo de cierto orgullo, porque contribuía a su idea de sí misma como una artista retraída y misteriosa, vagamente superior al resto de los mortales. No le hacía falta confundirse con la humanidad en general, que juzgaba más bien estúpida, cruel si tenía la oportunidad y sentimental en el mejor de los casos, opiniones que se cuidaba de expresar en público, pero que en la vejez se habían fortalecido. Sacando la cuenta, en sus más de ochenta años había querido a muy pocas personas, pero lo había hecho intensamente, las había idealizado con un romanticismo feroz que desafiaba cualquier embate de la realidad. No padeció esos enamoramientos devastadores de la infancia y la adolescencia, pasó por la universidad aislada, viajó y trabajó sola, no tuvo socios o compañeros, sólo subordinados; reemplazó todo eso con el amor obsesivo por Ichimei Fukuda y la amistad exclusiva con Nathaniel Belasco, a quien no recordaba como marido, sino como su más íntimo amigo. En la última etapa de su vida contaba con Ichimei, su amante legendario, con su nieto Seth y con Irina, Lenny y Cathy, lo más parecido a amigos que había tenido en muchos años; gracias a ellos estaba a salvo del aburrimiento, uno de los flagelos de la vejez. El resto de la comunidad de Lark House era como el paisaje de la bahía: lo apreciaba de lejos, sin mojarse los pies. Durante medio siglo figuró en el mundillo de la clase alta de San Francisco, aparecía en la ópera, en actos de caridad y en eventos sociales obligatorios, resguardada por la insalvable distancia que establecía desde el primer saludo. Le comentó a Lenny Beal que le molestaban el ruido, la charla trivial y las peculiaridades del prójimo; que sólo una difusa empatía por la humanidad doliente la salvaba de ser una psicópata. Era fácil sentir compasión por los infelices que no conocía. No le gustaba la gente, prefería a los gatos. A los humanos los tragaba en dosis pequeñas, más de tres la indigestaban. Había evitado siempre los grupos, clubes y partidos políticos, no militó en ninguna causa, aunque la aprobara en principio, como el feminismo, los derechos civiles o la paz. «No salgo a defender ballenas para no mezclarme con los ecologistas», decía. Nunca se sacrificó por otra persona o por un ideal, la abnegación no era una de sus virtudes. Excepto a Nathaniel durante su enfermedad, no tuvo que cuidar a nadie, ni siquiera a su hijo. La maternidad no fue ese vendaval de adoración y ansiedad que supuestamente experimentan las madres, sino un cariño apacible y sostenido. Larry era una presencia sólida e incondicional en su existencia, lo quería con una combinación de absoluta confianza y larga costumbre, un sentimiento cómodo, que exigía muy poco de su parte. Había admirado y querido a Isaac y a Lillian Belasco, a quienes siguió llamando tío y tía después de que se convirtieron en sus suegros, pero no se le contagió nada de su bondad y vocación de servicio.

—Por suerte la Fundación Belasco se dedica a plantar áreas verdes en vez de a socorrer pordioseros o huérfanos, así pude hacer algún bien sin acercarme a los beneficiados —le dijo a Lenny.

—Calla, mujer. Si no te conociera, pensaría que eres un monstruo de narcisismo.

—Si no lo soy, es gracias a Ichimei y a Nathaniel, que me enseñaron a dar y recibir. Sin ellos, habría sucumbido a la indiferencia.

—Muchos artistas son introvertidos, Alma. Deben abstraerse para crear —dijo Lenny.

—No busques excusas. La verdad es que cuanto más vieja soy, más me gustan mis defectos. La vejez es el mejor momento para ser y hacer lo que a uno le place. Pronto no me va a soportar nadie. Dime, Lenny, ¿te arrepientes de algo?

—Por supuesto. De las locuras que no hice, de haber dejado el cigarrillo y las margaritas, de ser vegetariano y haberme matado haciendo ejercicio. Me voy a morir igual, pero en buena forma —se rió Lenny.

—No quiero que te mueras...

—Yo tampoco, pero no es optativo.

—Cuando te conocí tomabas como un cosaco.

—Llevo treinta años sobrio. Creo que yo bebía tanto para no pensar. Era hiperactivo, apenas podía estar sentado para cortarme las uñas de los pies. De joven fui un animal gregario, siempre rodeado de ruido y de gente, pero aun así me sentía solo. El miedo a la soledad definió mi carácter, Alma. Necesitaba ser aceptado y querido.

—Hablas en pasado. ¿Ya no es así?

—He cambiado. Pasé la juventud a la caza de aprobación y aventuras, hasta que me enamoré en serio. Después se me rompió el corazón y pasé una década tratando de recomponer los pedazos.

—¿Lo conseguiste?

—Digamos que sí, gracias a un *smösgasbörd* de psicología: terapia individual, de grupo, gestalt, biodinámica, en fin, lo que hubiera a mano, incluso terapia del grito.

—¿Qué diablos es eso?

—Me encerraba con la psicóloga a gritar como un endemoniado y dar puñetazos a un almohadón durante cincuenta y cinco minutos.

—No te creo.

—Sí. Y pagaba por eso, imagínate. Hice terapia durante años. Fue un camino pedregoso, Alma, pero aprendí a conocerme y a mirar mi soledad a la cara. Ya no me asusta.

—Algo de eso nos habría ayudado mucho a Nathaniel y a mí, pero no se nos ocurrió. En nuestro medio no se usaba. Cuando la psicología se puso de moda, ya era tarde para nosotros.

De pronto dejaron de llegar las cajas de gardenias anónimas que Alma recibía los lunes, justamente cuando más la habrían alegrado, pero ella no dio señales de haberlo notado. Desde su última escapada, salía muy poco. De no ser por Irina, Seth, Lenny y Cathy, que le sacudían la inmovilidad, se habría recluido como una anacoreta. Perdió interés en la lectura, las series de televisión, el yoga, el huerto de Víctor Vikashev y otros afanes que antes llenaban sus horas. Comía desganada y si Irina no hubiera andado pendiente, podría haber sobrevivido varios días con manzanas y té verde. A nadie le dijo que a menudo el corazón se le disparaba, se le nublaba la vista y se confundía con las tareas más simples. Su vivienda, que antes se ajustaba como un guante a sus necesidades, aumentó de tamaño, la disposición de los espacios se alteró y cuando creía estar frente al baño, salía al pasillo del edificio, que se había alargado y enrollado de modo que le costaba dar con su propia puerta, todas eran iguales; el piso ondulaba y debía apoyarse en las paredes para mantenerse de pie; los interruptores de luz cambiaban de lugar y no daba con ellos en la oscuridad; brotaban nuevos cajones y repisas, donde se traspapelaban los objetos cotidianos; las fotografías se desordenaban en los álbumes sin intervención humana. No encontraba nada, la empleada de la limpieza o Irina le escondían las cosas.

Comprendía que difícilmente el universo estaría jugándole tretas; lo más probable sería que le faltara oxígeno en el cerebro. Se asomaba a la ventana a hacer ejercicios respiratorios de acuerdo con un manual que sacó de la biblioteca, pero postergaba la visita al cardiólogo, recomendada por Cathy porque seguía fiel a su creencia de que dándoles tiempo, casi todos los achaques se curan solos.

Iba a cumplir ochenta y dos años, estaba vieja, pero se negaba a cruzar el umbral de la ancianidad. No pensaba sentarse a la sombra de los años con la vista fija en la nada y la mente en un pasado hipotético. Se había caído un par de veces sin más consecuencia que moretones; le había llegado la hora de aceptar que a veces la sostuvieran del codo para ayudarla a caminar, pero alimentaba con migajas los restos de vanidad y luchaba contra la tentación de abandonarse a la pereza fácil. Le horrorizaba la posibilidad de pasar al segundo nivel, donde no tendría privacidad y cuidadores mercenarios la asistirían en sus necesidades más personales. «Buenas noches, Muerte», decía antes de dormirse, con la vaga esperanza de no despertar; sería la manera más elegante de irse, sólo comparable a dormirse para siempre en brazos de Ichimei después de haber hecho el amor. En realidad no creía merecer ese regalo; había tenido una buena vida, no había razón para que también su fin lo fuera. Le había perdido el miedo a la muerte hacía treinta años, cuando llegó como una amiga a llevarse a Nathaniel. Ella misma la había llamado y se lo entregó en los brazos. A Seth no le hablaba de eso, porque la acusaba de morbosidad, pero con Lenny era tema recurrente; pasaban ratos largos especulando sobre las posibilidades del otro lado, la eternidad del espíritu y los inofensivos espectros que los acompañaban. Con Irina podía hablar de cualquier cosa, la chica sabía escuchar, pero a su edad todavía tenía la ilusión de la inmortalidad y no podía relacionarse cabalmente con los sentimientos de quienes han recorrido casi todo su camino. La muchacha no podía imaginar el coraje que se requiere para envejecer sin asustarse demasiado; su conocimiento de la edad era teórico. También era teórico lo que se publicaba sobre la llamada tercera edad, todos esos libracos sabihondos y manuales de autoayuda de la biblioteca, escritos por gente que no era vieja. Incluso las dos psicólogas de Lark House era jóvenes. ¿Qué sabían ellas, por muchos diplomas que tuvieran, de todo lo que se pierde? Facultades, energía, independencia, lugares, gente. Aunque en verdad, ella no echaba de menos a la gente, sólo a Nathaniel. A su familia la veía lo suficiente y agradecía que no la visitaran demasiado. Su nuera opinaba que Lark House era un depósito de ancianos comunistas y marihuaneros. Prefería comunicarse con ellos por teléfono y verlos en el terreno más cómodo de Sea Cliff o de los paseos, cuando tenían a bien llevarla. No podía quejarse, su pequeña familia, compuesta solamente por Larry, Doris, Pauline y Seth, nunca le había fallado. Ella no podía contarse entre los viejos abandonados, como tantos que la rodeaban en Lark House.

No pudo seguir postergando la decisión de cerrar el taller de pintura, que había mantenido por Kirsten. Le explicó a Seth que su asistente tenía algunas limitaciones intelectuales, pero había trabajado con ella durante muchos años, era el único empleo que Kirsten había tenido en su vida, y siempre cumplió con sus deberes de forma irreprochable. «Debo protegerla, Seth, es lo menos que puedo hacer por ella, pero no tengo fuerzas para lidiar con los detalles, eso te corresponde a ti, por algo eres abogado», dijo. Kirsten contaba con seguro, una pensión y sus ahorros; Alma le había abierto una cuenta y le había depositado cada año una cantidad para emergencias, pero no se había presentado ninguna y esos fondos estaban bien invertidos. Seth se puso de acuerdo con el hermano de Kirsten para asegurarle el futuro económico y con Hans Voigt para que empleara a Kirsten de ayudante de Catherine Hope en la clínica del dolor. Las dudas del director para contratar a una persona con síndrome de Down se disiparon apenas le aclararon que no tendría que asignarle un sueldo; Kirsten estaría becada en Lark House por los Belasco.

Gardenias

Al segundo lunes sin gardenias, Seth llegó de visita con tres en una caja, en memoria de Neko, dijo. La muerte reciente del gato contribuía a la desgana en los huesos de Alma y el agobiante perfume de las flores no ayudó a aliviarla. Seth las puso en un plato de agua, preparó té para ambos y se instaló con su abuela en el sofá de la salita.

—¿Qué ha pasado con las flores de Ichimei Fukuda, abuela? —le preguntó con tono indiferente.

—¿Qué sabes tú de Ichimei, Seth? —respondió Alma, alarmada.

—Bastante. Supongo que ese amigo suyo tiene que ver con las cartas y las gardenias que recibe y con sus escapadas. Usted puede hacer lo que quiera, claro, pero me parece que no tiene edad para andar por allí sola o mal acompañada.

—¡Me has estado espiando! ¿Cómo te atreves a meter las narices en mi vida?

—Estoy preocupado por usted, abuela. Debe de ser que le he tomado afecto, a pesar de lo gruñona que es. No tiene nada que esconder, puede confiar en Irina y en mí. Somos sus cómplices en cualquier tontería que se le ocurra.

—¡No es ninguna tontería!

—Por supuesto. Perdone. Sé que es un amor de toda la vida. Irina escuchó por casualidad una conversación entre usted y Lenny Beal.

Para entonces Alma y el resto de los Belasco sabían que Irina estaba viviendo en el apartamento de Seth, si no a tiempo completo, al menos varios días por semana. Doris y Larry se abstuvieron de hacer comentarios negativos con la esperanza de que la patética inmigrante de Moldavia fuera una calaverada pasajera de su hijo, pero recibían a Irina con helada cortesía, en vista de lo cual ella se abstenía de asistir a los almuerzos dominicales en Sea Cliff, donde Alma y Seth insistían en arrastrarla. En cambio Pauline, quien se había opuesto sin excepción a las novias atléticas de Seth, le abrió los brazos. «Te felicito, hermano. Irina es refrescante y tiene más carácter que tú. Sabrá manejarte en la vida.»

—¿Por qué no me lo cuenta todo, abuela? No tengo pasta de detective ni deseos de espiarla —le rogó Seth a Alma.

La taza de té amenazaba con derramarse en las manos temblorosas de Alma y su nieto se la quitó y la puso en la mesa. La ira inicial de la mujer se había disipado y en su lugar la invadió una gran lasitud, un deseo medular de desahogarse y confesarle a su nieto sus errores, contarle que se estaba apolillando por dentro y muriendo poco a poco y en buena hora, porque ya no podía más de cansancio y se moriría contenta y enamorada, qué más se podía pedir a los ochenta y tantos años, después de mucho vivir y amar y tragarse las lágrimas.

—Llama a Irina. No quiero tener que repetir el cuento —le dijo a Seth.

Irina recibió el mensaje de texto en su celular cuando estaba en la oficina de Hans Voigt, con Catherine Hope, Lupita Farías y las dos jefas de asistencia y enfermería, discutiendo el asunto del fallecimiento electivo, eufemismo que reemplazaba al término suicidio, prohibido por el director. En la recepción habían interceptado un paquete fatídico de Tailandia, que yacía a modo de evidencia sobre el escritorio del director. Venía a nombre de Helen Dempsey, residente del tercer nivel, de ochenta y nueve años, con cáncer recurrente, sin familia ni ánimo para soportar nuevamente la quimioterapia. Las instrucciones indicaban que el contenido se ingería con alcohol y el fin llegaba apaciblemente en el sueño. «Deben de ser barbitúricos», dijo Cathy. «O veneno de ratas», agregó Lupita. El director quería saber cómo diablos encargó Helen Dempsey eso sin que nadie se enterara; se suponía que el personal debía estar atento. Sería muy inconveniente que se corriera la voz de que en Lark House había suicidas, sería un desastre para la imagen de la institución. En el caso de muertes sospechosas, como la de Jacques Devine, se cuidaban de no realizar una investigación demasiado minuciosa; mejor ignorar los detalles. Los empleados culpaban a los fantasmas de Emily y su hijo, que se llevaban a los desesperados, porque cada vez que alguien fallecía, fuera por causa natural o ilegal, Jean Daniel, el cuidador haitiano, se topaba con la joven de los velos rosados y su desafortunado niño. La visión le ponía los pelos de punta. Había pedido que contrataran a una compatriota suya, peluquera por necesidad y sacerdotisa vudú por vocación, para que los enviara al reino del otro mundo, donde les correspondía estar, pero a Hans Voigt no le alcanzaba el presupuesto para ese tipo de gasto ya que a duras penas mantenía a flote a la comunidad haciendo malabarismos financieros. El tema resultaba poco oportuno para Irina, que andaba lloriqueando porque un par de días antes había sostenido a Neko en brazos, mientras le ponían la inyección misericordiosa que acabó con los achaques de su ancianidad. Alma y Seth fueron incapaces de acompañar al gato en ese trance, la primera por pena y el segundo por cobardía. Dejaron a Irina sola en el apartamento para recibir al veterinario. No llegó el doctor Kallet, quien tuvo un problema de familia a última hora, sino una muchacha miope y nerviosa con aspecto de recién graduada. Sin embargo, la joven resultó ser eficiente y compasiva; el gato se fue ronroneando, sin darse cuenta. Seth debía llevar el cadáver al crematorio de animales, pero por el momento Neko estaba en una bolsa de plástico en el refrigerador de Alma. Lupita Farías conocía a un taxidermista mexicano que podía dejarlo como vivo, relleno con estopa y con ojos de vidrio, o bien limpiar y pulir la calavera, que colocada en un pequeño pedestal serviría de adorno. Les propuso a Irina y Seth que le dieran esa sorpresa a Alma, pero a ellos les pareció que el gesto no sería debidamente apreciado por la abuela.

«En Lark House tenemos el deber de desalentar cualquier intento de fallecimiento electivo, ¿está claro?», machacó Hans Voigt por tercera o cuarta vez, con una firme mirada de advertencia a Catherine Hope, porque a ella recurrían los pacientes con dolor crónico, los más vulnerables. Sospechaba, y con razón, que esas mujeres sabían más de lo que estaban dispuestas a decirle. Cuando Irina vio el mensaje de Seth en la pantalla de su celular lo interrumpió: «Disculpe, señor Voigt, es una emergencia». Eso les dio a las cinco la posibilidad de escapar, dejando al director en la mitad de una frase.

Encontró a Alma sentada en su cama, con un chal en las piernas, donde su nieto la había instalado al verla vacilar. Pálida y sin pintura de labios, era una anciana encogida. «Abran la ventana. Este aire delgado de Bolivia me está matando», pidió. Irina le explicó a Seth que su abuela no deliraba, se refería a la sensación de ahogo, el zumbido de oídos y el desfallecimiento del cuerpo, similar a la que tuvo cuando se apunó en La Paz, a tres mil seiscientos metros de altura, muchos años antes. Seth sospechó que los síntomas no se debían al aire boliviano, sino al gato en la nevera.

Alma empezó por hacerles jurar que guardarían sus secretos hasta después de su muerte y procedió a repetirles lo que ya les había contado, porque decidió que era mejor hilar ese tejido desde el principio. Comenzó por la despedida de sus padres en el muelle de Danzig, la llegada a San Francisco y cómo se agarró de la mano de Nathaniel, presintiendo tal vez que nunca la soltaría; siguió con el instante preciso en que conoció a Ichimei Fukuda, el más memorable de los instantes atesorados en la memoria, y de allí fue avanzando por el camino del pasado con una claridad tan diáfana como si leyera en voz alta. Las dudas de Seth sobre el estado mental de su abuela se evaporaron. Durante los tres años anteriores en que le había sonsacado material para su libro, Alma había demostrado su virtuosismo de narradora, su sentido del ritmo y habilidad para mantener el suspenso, su capacidad de contrastar los hechos luminosos con los más trágicos, luz y sombra, como las fotografías de Nathaniel Belasco, pero hasta esa tarde no le había dado oportunidad de admirarla en un maratón de esfuerzo sostenido. Con algunas pausas para beber té y mordisquear unas galletas, Alma habló durante horas. Se hizo de noche sin que ninguno de los tres lo percibiera, la abuela hablando y los jóvenes atentos. Les contó su reencuentro con Ichimei a los veintidós años, después de doce sin verse, de cómo el amor dormido de la infancia los noqueó a ambos con fuerza irresistible, aunque sabían que era un amor condenado y, de hecho, duró menos de un año. La pasión es universal y eterna a través de los siglos, dijo, pero las circunstancias y las costumbres cambian todo el tiempo y resultaba difícil entender sesenta años más tarde los obstáculos insalvables con que ellos se enfrentaron en aquellos años. Si pudiera ser joven de nuevo, con lo que sabía de sí misma ahora de vieja, repetiría lo que hizo; porque no se habría atrevido a dar un paso definitivo con Ichimei, se lo habían impedido las convenciones; nunca fue valiente, acataba las normas. Cometió su único acto de desafío a los setenta y ocho años, cuando abandonó la casa de Sea Cliff para instalarse en Lark House. A los veintidós años, sospechando que tenían el tiempo contado, Ichimei y ella se atragantaron de amor para consumirlo entero, pero cuanto más intentaban agotarlo, más imprudente era el deseo, y quien diga que todo fuego se apaga solo tarde o temprano, se equivoca: hay pasiones que son incendios hasta que las ahoga el destino de un zarpazo y aun así quedan brasas calientes listas para arder apenas se les da oxígeno. Les habló de Tijuana y del casamiento con Nathaniel y de cómo habrían de transcurrir otros siete años para ver a Ichimei en el funeral de su suegro, pensando en él sin ansiedad, porque no esperaba volver a encontrarlo, y otros siete antes de que pudieran finalmente realizar el amor que todavía compartían.

—Entonces, abuela, ¿mi papá no es hijo de Nathaniel? ¡En ese caso yo soy nieto de Ichimei! ¡Dígame si soy Fukuda o Belasco! —exclamó Seth.

—Si fueras Fukuda, tendrías algo de japonés, ¿no crees? Eres Belasco.

El niño que no nació

Durante los primeros meses de casada Alma estuvo tan absorta en su embarazo que la rabia de haber renunciado al amor de Ichimei se convirtió en una incomodidad soportable, como una piedrecilla en los zapatos. Se sumió en una placidez de rumiante, refugiada en el cariño solícito de Nathaniel y el nido proporcionado por la familia. Aunque Martha y Sarah ya les habían dado nietos, Lillian e Isaac esperaron a ese bebé como si fuera de la realeza, porque llevaría el apellido Belasco. Le asignaron una habitación soleada de la casa, decorada con muebles infantiles y con los personajes de Walt Disney pintados en las paredes por un artista venido de Los Ángeles. Se dedicaron a cuidar a Alma, satisfaciendo hasta sus mínimas humoradas. Al sexto mes ella había engordado demasiado, tenía la presión alta, la cara manchada, las piernas pesadas, vivía con dolor de cabeza, no le entraban los zapatos y usaba chancletas de playa, pero desde el primer aleteo de vida en su vientre se enamoró de la criatura que estaba gestando, que no era de Nathaniel ni de Ichimei, era sólo suya. Quería un hijo, para llamarlo Isaac y darle a su suegro el descendiente que prolongaría el apellido Belasco. Nadie sabría jamás que no llevaba la misma sangre, se lo había prometido a Nathaniel. Pensaba, con retortijones de culpa, que si Nathaniel no lo hubiera impedido, ese niño habría terminado en una cloaca de Tijuana. Mientras aumentaba su debilidad por el bebé, también aumentaba su horror por los cambios en su cuerpo, pero Nathaniel le aseguraba que estaba radiante, más bella que nunca, y contribuía a su sobrepeso con chocolates rellenos con naranja y otros antojos. La relación de buenos hermanos siguió como siempre. Él, elegante y pulcro, usaba el baño cerca de su escritorio, en el otro extremo de la casa, y no se desvestía delante de ella, pero Alma perdió todo pudor con él y se abandonó a la deformidad de su estado, compartiendo los detalles prosaicos y sus indisposiciones, las crisis de nervios y los terrores de la maternidad, entregada como nunca lo estuvo antes. En ese período violó las normas fundamentales impuestas por su padre de no quejarse, no pedir y no confiar en nadie. Nathaniel se convirtió en el centro de su existencia, bajo su ala se sentía contenta, a salvo y aceptada. Eso creó entre ellos una intimidad desequilibrada que les resultaba natural, porque se ajustaba al carácter de cada uno. Si alguna vez mencionaron esa distorsión, fue para ponerse de acuerdo en que después de que naciera el bebé y Alma se recuperara del parto, tratarían de vivir como una pareja normal, pero ninguno de los dos parecía ansioso por llegar a eso. Entretanto, ella había descubierto el lugar perfecto en el hombro de él, debajo del mentón, donde apoyar la cabeza y dormitar. «Eres libre para ir con otras mujeres, Nat. Sólo te pido que seas discreto, para evitarme la humillación», le repetía Alma, y él siempre le respondía con un beso y una broma. Aunque ella no lograba librarse de la huella que Ichimei dejó en su mente y su cuerpo, sentía celos de Nathaniel; había media docena de mujeres persiguiéndolo y suponía que verlo casado no sería un impedimento sino tal vez un incentivo para más de una.

Estaban en la casa de la familia en el lago Tahoe, donde los Belasco iban a esquiar en invierno, bebiendo sidra caliente a las once de la mañana y esperando que se despejara la tormenta para asomarse, cuando Alma apareció en la sala tambaleándose en camisa de dormir y descalza. Lillian acudió a sostenerla y ella la rechazó, tratando de enfocar la vista. «Díganle a mi hermano Samuel que me revienta la cabeza», murmuró. Isaac intentó llevarla hasta un sofá, llamando a gritos a Nathaniel, pero Alma parecía clavada en el suelo, pesada como un mueble, sujetándose la cabeza a dos manos y diciendo incoherencias de Samuel, Polonia y diamantes en el forro de un abrigo. Nathaniel llegó a tiempo para ver a su mujer desplomarse entre convulsiones.

El ataque de eclampsia se produjo a las veintiocho semanas de embarazo y duró un minuto y quince segundos. Ninguna de las tres personas que estaban presentes entendieron de qué se trataba, creyeron que era epilepsia. Nathaniel sólo atinó a acostarla de lado, sostenerla para evitar que se lastimara y mantenerle la boca abierta mediante una cuchara. Las terribles sacudidas se calmaron pronto y Alma quedó exangüe y desorientada, no sabía dónde se encontraba ni quiénes estaban con ella, gemía de dolor de cabeza y espasmos en el vientre. La echaron al automóvil arropada en mantas y, patinando en el hielo del camino, la llevaron a la clínica, donde el médico de turno, especializado en roturas y contusiones de esquiadores, no pudo hacer mucho más que tratar de bajarle la presión. La ambulancia tardó siete horas entre Tahoe y San Francisco, desafiando la tormenta y los obstáculos de la ruta. Cuando por fin un obstetra examinó a Alma, le advirtió a la familia del riesgo inminente de nuevas convulsiones o un ataque cerebral. A los cinco meses y medio de gestación, las posibilidades de vida del niño eran nulas, debían esperar unas seis semanas antes de inducir el parto, pero en ese tiempo podrían morir la madre y el bebé. Como si lo hubiera escuchado, minutos después se apagó el latido del bebé en el útero, ahorrándole a Nathaniel una trágica decisión. Alma fue conducida deprisa al pabellón de cirugía.

Nathaniel fue el único que vio al niño. Lo recibió en las manos, temblando de cansancio y tristeza, separó los pliegues del pañal y encontró a un ser minúsculo, encogido y azul, con la piel fina y translúcida como tela de cebolla, totalmente formado y con los ojos entreabiertos. Se lo acercó a la cara y lo besó largamente en la cabeza. El frío le quemó los labios y sintió el rumor profundo de los sollozos acallados subiéndole desde los pies, sacudiéndolo entero y vertiéndose en lágrimas. Lloró creyendo que lloraba por el niño muerto y por Alma, pero lo hacía por sí mismo, por su vida mesurada y convencional, por el peso de las responsabilidades que nunca podría sacudirse de encima, por la soledad que lo agobiaba desde que nació, por el amor que añoraba y nunca tendría, por los naipes engañosos que le habían tocado y por todas las malditas tretas de su destino.

Siete meses después del aborto espontáneo, Nathaniel se llevó a Alma a una gira por Europa para distraerla de la nostalgia abrumadora que se había apoderado de su voluntad. Le había dado por hablar de su hermano Samuel en la época en que ambos vivían en Polonia, de una institutriz que la rondaba en sus pesadillas, un cierto vestido de terciopelo azulino, Vera Neumann con sus lentes de lechuza, un par de odiosas compañeras de escuela, libros que había leído y cuyos títulos no recordaba, pero cuyos personajes la penaban, y otros recuerdos inútiles. Un viaje cultural podría resucitar la inspiración de Alma y devolverle el entusiasmo por sus telas pintadas, pensaba Nathaniel, y si eso ocurriera, iba a proponerle que estudiara por un tiempo en la Royal Academy of Art, la más antigua escuela de arte de Gran Bretaña. Creía que la mejor terapia para Alma sería alejarse de San Francisco, de los Belasco en general y de él en particular. No habían vuelto a mencionar a Ichimei y Nathaniel suponía que ella, fiel a su promesa, no estaba en contacto con él. Se propuso pasar más tiempo con su mujer, redujo las horas de trabajo y cuando era posible, estudiaba los casos y preparaba sus alegatos en la casa. Seguían durmiendo en cuartos separados, pero dejaron de fingir que lo hacían juntos. La cama de Nathaniel quedó instalada definitivamente en su pieza de soltero, entre paredes tapizadas con papel con escenas de caza, caballos, perros y zorros. Compartiendo el insomnio, habían sublimado toda tentación de sensualidad. Se quedaban leyendo hasta después de la medianoche en uno de los salones, ambos en el mismo sofá, arropados con la misma manta. Algunos domingos en que el clima le impedía navegar, Nathaniel conseguía que Alma lo acompañara al cine o dormían la siesta lado a lado en el sofá del insomnio, que reemplazaba el lecho matrimonial que no tenían.

El viaje abarcaría desde Dinamarca hasta Grecia, incluyendo un crucero en el Danubio y otro en Turquía, debía durar un par de meses y culminar en Londres, donde iban a separarse. En la segunda semana, paseando de la mano por callejuelas de Roma, después de una comida memorable y dos botellas del mejor Chianti, Alma se detuvo bajo un farol, cogió a Nathaniel de la camisa, lo atrajo de un tirón y lo besó en la boca. «Quiero que duermas conmigo», le ordenó. Esa noche, en el decadente palacio convertido en hotel donde estaban alojados, hicieron el amor embriagados con el vino y el verano romano, descubriendo lo que ya sabían de cada uno, con la sensación de cometer un acto prohibido. Alma debía sus conocimientos sobre el amor carnal y sobre su propio cuerpo a Ichimei, quien compensaba su falta de experiencia con insuperable intuición, la misma que le servía para revivir una planta melancólica. En el motel de las cucarachas, Alma había sido un instrumento musical en las manos amorosas de Ichimei. Nada de eso vivió con Nathaniel. Hicieron el amor con prisa, turbados, torpes, como dos escolares en falta, sin darse tiempo de escudriñarse mutuamente, olerse, reírse o suspirar juntos; después los invadió una inexplicable congoja que intentaron disimular fumando en silencio, cubiertos con la sábana en la luz amarillenta de la luna que los espiaba por la ventana.

Al día siguiente se agotaron paseando por ruinas, trepando escaleras de piedras milenarias, atisbando catedrales, perdiéndose entre estatuas de mármol y fuentes exageradas. Al anochecer volvieron a beber demasiado y llegaron tambaleándose al palacio decadente y de nuevo hicieron el amor con poco deseo, pero con la mejor voluntad. Y así, día a día, noche a noche, recorrieron las ciudades y navegaron las aguas de la gira programada y fueron estableciendo la rutina de esposos que tan cuidadosamente habían eludido, hasta que les resultó natural compartir el baño y despertar en la misma almohada.

Alma no se quedó en Londres. Volvió a San Francisco con pilas de folletos y tarjetas postales de museos, libros de arte y fotografías de rincones pintorescos tomadas por Nathaniel, con ánimo para recomenzar sus pinturas; tenía la cabeza llena de colores, dibujos y diseños de lo que había visto, alfombras turcas, jarrones griegos, tapices belgas, cuadros de todas las épocas, iconos recamados de pedrería, madonas lánguidas y santos famélicos; pero también mercados de frutas y verduras, botes de pesca, ropa colgada en balcones de callejuelas angostas, hombres jugando al dominó en tabernas, niños en las playas, manadas de perros sin dueño, burros tristes y tejados antiguos en pueblos adormilados de rutina y tradición. Todo habría de terminar plasmado en sus sedas con grandes brochazos en colores radiantes. Para entonces tenía un taller de ochocientos metros cuadrados en la zona industrial de San Francisco, que había estado sin uso desde hacía meses y al que se propuso devolverle la vida. Se sumergió en el trabajo. Pasaba semanas sin pensar en Ichimei ni en el niño que había perdido. La intimidad con su marido se redujo a casi nada cuando regresaron de Europa; cada uno tenía sus afanes, se terminaron las noches de insomnio leyendo en el sofá, pero siguieron unidos por la ternura amistosa de la que siempre habían gozado. Muy rara vez Alma dormitaba con la cabeza en el lugar preciso entre el hombro y el mentón de su marido, donde antes se sentía segura. No volvieron a dormir entre las mismas sábanas ni usar el mismo baño; Nathaniel ocupaba la cama de su escritorio y Alma quedó sola en la pieza azul. Si alguna vez hacían el amor era por casualidad y siempre con demasiado alcohol en las venas.

—Quiero librarte de tu promesa de serme fiel, Alma. No es justo contigo —le dijo Nathaniel una noche en que estaban admirando una lluvia de estrellas fugaces en la pérgola del jardín y fumando marihuana—. Eres joven y estás llena de vida, mereces más romance del que yo soy capaz de darte.

—¿Y tú? ¿Hay alguien por allí que te ofrece romance y quieres ser libre? Nunca te lo he impedido, Nat.

—No se trata de mí, Alma.

—Me liberas de mi promesa en un momento poco oportuno, Nat. Estoy encinta y esta vez el único que puede ser el padre eres tú. Pensaba decírtelo cuando estuviera segura.

Isaac y Lillian Belasco recibieron la noticia de ese embarazo con el mismo entusiasmo de la primera vez, renovaron la pieza que habían preparado para el otro niño y se aprontaron para mimarlo. «Si es varón y yo estoy muerto cuando nazca, supongo que le pondrán mi nombre, pero si estoy vivo no pueden, porque le traería mala suerte. En ese caso quiero que se llame Lawrence Franklin Belasco, como mi padre y el gran presidente Roosevelt, que en paz descansen», pidió el patriarca. Se estaba debilitando lenta e inexorablemente, pero seguía en pie porque no podía dejar a Lillian; su mujer se había convertido en su sombra. Lillian estaba casi sorda, pero no le hacía falta oír. Había aprendido a descifrar los silencios ajenos con precisión, era imposible ocultarle algo o engañarla, y había desarrollado una espeluznante habilidad para adivinar lo que pensaban decirle y responder antes de que lo enunciaran. Tenía dos ideas fijas: mejorar la salud de su marido y lograr que Nathaniel y Alma se enamoraran como era debido. En ambos casos recurría a terapias alternativas, que incluían desde colchones magnetizados hasta elixires curativos o afrodisíacos. California, a la vanguardia de la brujería naturalista, contaba con una notable variedad de vendedores de esperanza y consuelo. Isaac se había resignado a colgarse cristales al cuello y beber jugo de alfalfa y jarabe de escorpión, igual que Alma y Nathaniel soportaban las friegas con aceite pasional de ylang-ylang, las sopas chinas de aleta de tiburón y otras estrategias de alquimista con que Lillian procuraba avivar su tibio amor.

Lawrence Franklin Belasco nació en primavera sin ninguno de los problemas que los médicos anticipaban, dada la eclampsia que había sufrido la madre previamente. Desde el primer día en el mundo su nombre le quedó grande y todos lo llamaron Larry. Creció sano, gordo y autosuficiente, sin requerir ningún cuidado especial, tan tranquilo y discreto, que a veces se quedaba dormido debajo de un mueble y nadie lo echaba de menos durante horas. Sus padres se lo confiaron a los abuelos y a las sucesivas nanas que habrían de criarlo, sin prestarle mucha atención, ya que en Sea Cliff había media docena de adultos pendientes de él. No dormía en su cama, se turnaba entre la de Isaac y la de Lillian, a quienes llamaba papi y mami; a sus progenitores los llamaba formalmente madre y padre. Nathaniel pasaba poco en la casa, se había convertido en el abogado más notable de la ciudad, ganaba dinero a paladas y en sus horas libres hacía deporte y exploraba el arte de la fotografía; estaba esperando que su hijo creciera un poco para iniciarlo en los placeres de la navegación a vela, sin imaginar que ese día no llegaría. Como sus suegros se habían apoderado del nieto, Alma empezó a viajar en busca de temas para su trabajo sin sentimiento de culpa por dejarlo. En los primeros años planeaba viajes más bien cortos para no separarse de Larry por mucho tiempo, pero comprobó que daba lo mismo, porque en cada regreso, ya fuera al cabo de una ausencia prolongada o una breve, su hijo la recibía con el mismo cortés apretón de mano en vez del abrazo eufórico tan esperado. Concluyó, picada, que Larry quería más al gato que a ella y entonces pudo ir al Lejano Oriente, Sudamérica y otros lugares remotos.

El patriarca

Larry Belasco pasó sus cuatro primeros años celebrado por sus abuelos y los empleados de la casa, cuidado como una orquídea, con todos sus caprichos satisfechos. Ese sistema, que habría arruinado sin remedio el carácter de un niño menos centrado, lo hizo amable, servicial y poco amante de la bulla. Su temperamento apacible no cambió cuando en 1962 murió su abuelo Isaac, uno de los dos pilares que sostenían el universo de fantasía donde había vivido hasta ese momento. La salud de Isaac había mejorado cuando nació su nieto favorito. «Por dentro tengo veinte años, Lillian, ¿qué diablos le pasó a mi cuerpo?» Tenía energía para sacar de paseo a diario a Larry, le enseñaba los secretos botánicos de su jardín, jugaba a gatas en el suelo con él y le compraba las mascotas que él mismo había deseado de chico: un loro bochinchero, peces en un acuario, un conejo, que desapareció para siempre entre los muebles apenas Larry abrió la jaula, y un perro orejudo, el primero de varias generaciones de cocker spaniels, que la familia tendría en los años venideros. Los médicos carecían de explicación para la notable mejoría de Isaac, pero Lillian la atribuía a las artes curativas y las ciencias esotéricas en las que había llegado a ser experta. Esa noche a Larry le tocaba dormir en la cama de su abuelo, después de un día feliz. Había pasado la tarde en el parque del Golden Gate en un caballo alquilado, su abuelo en la silla de montar y él delante, seguro entre sus brazos. Regresaron colorados de sol, olorosos a sudor y entusiasmados con la idea de comprar un caballo y un poni para cabalgar juntos. Lillian los esperaba con la parrilla del jardín lista para asar salchichas y malvaviscos, la cena preferida del abuelo y el nieto. Después le dio un baño a Larry, lo acostó en la pieza de su marido y le leyó un cuento hasta que se durmió. Se tomó su copita de jerez con tintura de opio y se fue a su cama. Despertó a las siete de la mañana con la manita de Larry sacudiéndola de un hombro. «Mami, mami, el papi se cayó.» Encontraron a Isaac tirado en el baño. Se requirió el esfuerzo combinado de Nathaniel y el chofer para mover el cuerpo helado y rígido, que se había vuelto de plomo, y tenderlo sobre la cama. Quisieron evitarle el espectáculo a Lillian, pero ella los empujó a todos fuera de la pieza, cerró la puerta y no volvió a abrirla hasta que terminó de lavar lentamente a su marido y frotarlo con loción y colonia, pasando revista a cada detalle de ese cuerpo que conocía mejor que el propio y que tanto amaba, sorprendida de que no hubiera envejecido nada; se mantenía tal cual ella lo había visto siempre, era el mismo joven alto y fuerte que podía levantarla en brazos riéndose, bronceado por su trabajo en el jardín, con su abundante melena negra de los veinticinco años y sus hermosas manos de hombre bueno. Cuando abrió la puerta de la habitación estaba serena. La familia temió que sin él Lillian se secaría de pena en poco tiempo, pero ella les demostró que la muerte no es un impedimento insalvable para la comunicación entre quienes se aman de verdad.

Años más tarde, en la segunda sesión de psicoterapia, cuando su mujer amenazaba con abandonarlo, Larry evocaría esa imagen de su abuelo derrumbado en el baño como el momento más significativo de su infancia, y la imagen de su padre amortajado como el fin de su juventud y el aterrizaje forzoso en la madurez. Tenía cuatro años en el primer evento y veintiséis en el segundo. El psicólogo le preguntó, con un dejo de duda en la voz, si tenía otros recuerdos de los cuatro años y Larry recitó desde los nombres de cada uno de los empleados de la casa y de las mascotas, hasta los títulos de cuentos que le leía su abuela y el color de la bata que llevaba puesta cuando se volvió ciega, horas después del fallecimiento de su marido. Esos primeros cuatro años bajo el amparo de sus abuelos fue la época más dichosa de su existencia y atesoraba los detalles.

A Lillian le diagnosticaron ceguera temporal histérica, pero ninguno de los dos adjetivos resultó cierto. Larry fue su lazarillo hasta que entró al jardín de infancia, a los seis años, y después ella se las arregló sola, porque no quiso depender de otra persona. Conocía de memoria la casa de Sea Cliff y lo que contenía, se desplazaba con aplomo y hasta incursionaba en la cocina a hornear galletas para su nieto. Además, Isaac la llevaba de la mano, como ella aseguraba, medio en broma medio en serio. Para complacer al invisible marido, empezó a vestirse sólo de lila, porque ese color llevaba cuando lo conoció en 1914, y porque eso resolvía el problema de escoger a ciegas la ropa cada día. No permitió que la trataran como a una inválida ni dio muestras de sentirse aislada por la falta de oído y visión. Según Nathaniel, su madre tenía olfato de perro perdiguero y radar de murciélago para orientarse y reconocer a la gente. Hasta que Lillian murió, en 1973, Larry recibió amor incondicional y, según el psicólogo que lo salvó del divorcio, no podía esperar ese amor de su esposa; en el matrimonio no hay nada incondicional.

El vivero de flores y plantas de interior de los Fukuda figuraba en la guía de teléfonos y cada cierto tiempo Alma comprobaba que seguía en la misma dirección, pero nunca cedió a la curiosidad de llamar a Ichimei. Le había costado mucho recuperarse del amor frustrado y temía que si oyera su voz por un instante volvería a naufragar en la misma pasión obstinada de antes. En los años transcurridos desde entonces sus sentidos se habían adormilado; junto con superar la obsesión por Ichimei, había trasladado a sus pinceles la sensualidad que tuvo con él y nunca con Nathaniel. Eso cambió en el segundo funeral de su suegro, cuando distinguió entre la enorme multitud el rostro inconfundible de Ichimei, quien se mantenía igual al joven que ella recordaba. Ichimei siguió al cortejo acompañado por tres mujeres, dos que Alma reconoció vagamente, aunque no las había visto en muchos años, y una muchacha que destacaba, porque no iba vestida de negro riguroso, como el resto de la concurrencia. El pequeño grupo se mantuvo a cierta distancia, pero al terminar la ceremonia, cuando la gente empezaba a dispersarse, Alma se desprendió del brazo de Nathaniel y los siguió a la avenida, donde estaban alineados los coches. Los detuvo gritando el nombre de Ichimei y los cuatro se volvieron.

—Señora Belasco —dijo Ichimei a modo de saludo, inclinándose formalmente.

—Ichimei —repitió ella, paralizada.

—Mi madre, Heideko Fukuda, mi hermana Megumi Anderson y mi esposa, Delphine —dijo él.

Las tres mujeres saludaron inclinándose. Alma sintió un espasmo brutal en el estómago y se le atascó el aire en el pecho, mientras examinaba sin disimulo a Delphine, quien no lo percibió, porque tenía la vista en el suelo, por respetuosa cortesía. Era joven, bonita, fresca, sin el recargado maquillaje de moda, vestida de gris perla, con un traje de falda corta y un sombrero redondo, al estilo de Jacqueline Kennedy, y con el mismo peinado de la Primera Dama. Su atuendo era tan americano que su rostro asiático resultaba incongruente.

—Gracias por haber venido —logró balbucear Alma cuando recuperó la respiración.

—Don Isaac Belasco fue nuestro benefactor, le estaremos agradecidos siempre. Por él pudimos volver a California, él financió el vivero y nos ayudó a salir adelante —dijo Megumi, emocionada.

Alma ya lo sabía, porque se lo habían contado Nathaniel e Ichimei, pero la solemnidad de esa familia le reiteró la certeza de que su suegro había sido un hombre excepcional. Lo quiso más de lo que hubiera querido a su padre, si la guerra no se lo hubiera quitado. Isaac Belasco era lo opuesto de Baruj Mendel, bondadoso, tolerante y siempre dispuesto a dar. El dolor de haberlo perdido, que hasta ese momento no había sentido completamente, porque andaba anonadada, como todos en la familia Belasco, la golpeó de frente. Se le humedecieron los ojos, pero se tragó las lágrimas y el sollozo que pugnaban por escapársele desde hacía días. Notó que Delphine la observaba con la misma intensidad con que ella lo había hecho unos minutos antes. Creyó ver en los ojos límpidos de la mujer una expresión de inteligente curiosidad, como si supiera exactamente el papel que ella había desempeñado en el pasado de Ichimei. Se sintió expuesta y un poco ridícula.

—Nuestras más sinceras condolencias, señora Belasco —dijo Ichimei, tomando nuevamente el brazo de su madre para seguir.

—Alma. Todavía soy Alma —murmuró ella.

—Adiós, Alma —dijo él.

Esperó durante dos semanas que Ichimei se pusiera en contacto con ella; examinaba el correo con ansiedad y se sobresaltaba cada vez que repicaba el teléfono, imaginando mil excusas para ese silencio, menos la única razonable: estaba casado. Se negó a pensar en Delphine, pequeña, delgada, fina, más joven y bonita que ella, con su mirada inquisitiva y mano enguantada en el brazo de Ichimei. Un sábado se fue en su coche a Martínez, con grandes lentes de sol y un pañuelo de cabeza. Pasó tres veces frente al negocio de los Fukuda, pero no se atrevió a bajarse. Al segundo lunes no pudo soportar más el tormento del anhelo y llamó al número que, de tanto verlo en la guía de teléfonos, había memorizado. «Fukuda, Flores y Plantas de Interior, ¿en qué podemos servirle?» Era una voz de mujer y Alma no tuvo dudas de que pertenecía a Delphine, aunque ella no había dicho ni una palabra la única ocasión en que estuvieron juntas. Alma colgó el auricular. Volvió a llamar varias veces, rogando para que respondiera Ichimei, pero siempre salía la voz cordial de Delphine y ella colgaba. En una de esas llamadas las dos mujeres esperaron en la línea durante casi un minuto, hasta que Delphine preguntó suavemente: «¿En qué puedo servirle, señora Belasco?». Espantada, Alma colgó de golpe el teléfono y juró renunciar para siempre a comunicarse con Ichimei. Tres días después el correo le trajo un sobre escrito con la caligrafía en tinta negra de Ichimei. Se encerró en su pieza, con el sobre apretado contra el pecho, temblando de angustia y esperanza.

En la carta, Ichimei le daba nuevamente el pésame por Isaac Belasco y le revelaba su emoción al volver a verla después de tantos años, aunque sabía de sus éxitos en su trabajo y de su filantropía y había visto a menudo su fotografía en los periódicos. Le contaba que Megumi era matrona, estaba casada con Boyd Anderson y tenía un niño, Charles, y que Heideko había ido a Japón un par de veces, donde aprendió el arte del ikebana. En el último párrafo decía que se había casado con Delphine Akimura, japonesa-americana de segunda generación como él. Delphine tenía un año cuando su familia fue internada en Topaz, pero él no recordaba haberla visto allí, se conocieron mucho después. Era maestra, pero había dejado la escuela para dirigir el vivero, que bajo su dirección había prosperado; pronto abrirían una tienda en San Francisco. Se despedía sin indicar la posibilidad de que se encontraran o que esperaba recibir respuesta. No había ninguna referencia al pasado que habían compartido. Era una carta informativa y formal, sin los giros poéticos o divagaciones filosóficas de otras que ella había recibido durante la breve temporada de sus amores, ni siquiera traía uno de sus dibujos, que a veces acompañaban a sus misivas. El único alivio de Alma al leerla fue que no hacía mención a sus llamadas telefónicas, que sin duda Delphine le habría comentado. La interpretó como lo que era: una despedida y una advertencia tácita de que Ichimei no deseaba más contacto.

En la cotidianidad de los siete años siguientes se fue la vida sin hitos significativos para Alma. Sus viajes, interesantes y frecuentes, acabaron por mezclarse en su memoria como una sola aventura de Marco Polo, como decía Nathaniel, quien nunca demostró el menor resentimiento por las ausencias de su mujer. Se sentían tan visceralmente cómodos el uno con el otro como gemelos que nunca se hubieran separado. Podían adivinarse el pensamiento, adelantarse a los estados de ánimo o los deseos del otro, terminar la frase que el otro comenzaba. Su cariño era incuestionable, no valía la pena hablar de eso, se daba por sentado, como su amistad extraordinaria. Compartían las obligaciones sociales, el gusto por el arte y la música, el refinamiento de los buenos restaurantes, la colección de vinos que iban formando de a poco, la alegría de las vacaciones familiares con Larry. El chiquillo había resultado tan dócil y afectuoso, que a veces sus padres se preguntaban si sería del todo normal. Bromeaban en privado, lejos de los oídos de Lillian, quien no admitía críticas a su nieto, que en el futuro Larry les iba a dar una sorpresa espantosa, se iba a meter en una secta o iba a asesinar a alguien; era imposible que fuera a pasar por la vida sin un solo sobresalto, como una marsopa satisfecha. Apenas Larry tuvo edad para apreciarlo, lo llevaron a ver el mundo en excursiones anuales inolvidables. Fueron a las islas Galápagos, al Amazonas, a varios safaris por África, que después Larry repetiría con sus propios hijos. Entre los momentos más mágicos de su infancia fue darle de comer en la mano a una jirafa en una reserva de Kenia, la larga lengua áspera y azul, los ojos dulces de pestañas de ópera, el intenso olor a pasto recién podado. Nathaniel y Alma disponían de su propio espacio en la gran casa de Sea Cliff, donde vivían como en un hotel de lujo, sin preocupaciones, porque Lillian se encargaba de mantener aceitada la maquinaria doméstica. La buena mujer seguía inmiscuyéndose en sus vidas y preguntando regularmente si acaso estaban enamorados, pero lejos de molestarles, esa peculiaridad de la abuela les parecía encantadora. Si Alma estaba en San Francisco, los esposos se comprometían a pasar un rato juntos por la noche para tomar un trago y contarse los pormenores del día. Celebraban los éxitos mutuos y ninguno de los dos hacía más preguntas de las estrictamente necesarias, como si adivinaran que el delicado equilibrio de su relación podría desbaratarse en un instante con una confidencia inadecuada. Aceptaban de buena gana que cada uno tuviera su mundo secreto y sus horas privadas, de las que no había obligación de dar cuenta. Las omisiones no eran mentiras. Como entre ellos los encuentros amorosos eran tan poco frecuentes que se podían considerar inexistentes, Alma imaginaba que su marido tenía otras mujeres, porque la idea de que viviera en castidad era absurda, pero Nathaniel había respetado el acuerdo de ser discreto y evitarle humillaciones. En cuanto a ella, se había permitido algunas infidelidades en los viajes, donde siempre había oportunidades, bastaba insinuarse y por lo general recibía respuesta; pero esos desahogos le daban menos placer del esperado y la dejaban desconcertada. Estaba en edad de tener una vida sexual activa, pensaba, eso era tan importante para el bienestar y la salud como el ejercicio y una dieta equilibrada, no debía permitir que el cuerpo se le secara. Con ese criterio, la sexualidad terminaba por ser otra tarea más, en vez de un regalo para los sentidos. Para ella el erotismo requería tiempo y confianza, no se le daba fácil en una noche de romance falso o acartonado con un desconocido a quien no volvería a ver. En plena revolución sexual, en la era del amor libertino, cuando en California se intercambiaban parejas y medio mundo se acostaba indiscriminadamente con la otra mitad, ella seguía pensando en Ichimei. En más de una ocasión se preguntó si eso no sería una excusa para tapar su frigidez, pero cuando por fin se reencontró con Ichimei no volvió a hacerse esa pregunta ni a buscar consuelo en brazos de extraños.

12 *de septiembre de 1978*

Me explicaste que de la quietud nace la inspiración y del movimiento surge la creatividad. La pintura es movimiento, Alma, por eso me gustan tanto tus diseños recientes, parecen sin esfuerzo, aunque sé cuánta quietud interior se requiere para dominar el pincel como tú lo haces. Me gustan especialmente tus árboles otoñales que dejan caer sus hojas con gracia. Así deseo desprenderme de mis hojas en este otoño de la vida, con facilidad y elegancia. ¿Para qué apegarnos a lo que vamos a perder de todos modos? Supongo que me refiero a la juventud, que ha estado tan presente en nuestras conversaciones.

El jueves te prepararé un baño con sales y algas marítimas, que me enviaron de Japón.

Ichi

Samuel Mendel

Alma y Samuel Mendel se encontraron en París, en la primavera de 1967. Para Alma era la penúltima etapa de un viaje de dos meses en Kioto, donde practicó pintura *sumi-e*, tinta de obsidiana sobre papel blanco, bajo la estricta dirección de un maestro de caligrafía, que la obligaba a repetir el mismo trazo mil veces, hasta conseguir la combinación perfecta de ligereza y fuerza; entonces podía pasar a otro movimiento. Había ido a Japón varias veces. El país la fascinaba, sobre todo Kioto y algunas aldeas de las montañas, donde encontraba huellas de Ichimei por todas partes. Los trazos libres y fluidos del *sumi-e*, con el pincel vertical, le permitían expresarse con gran economía y originalidad; nada de detalles, sólo lo esencial, un estilo que Vera Neumann ya había desarrollado en pájaros, mariposas, flores y dibujos abstractos. Para entonces Vera tenía una industria internacional, vendía millones, empleaba a cientos de artistas, existían galerías de arte con su nombre y veinte mil tiendas alrededor del mundo que ofrecían sus líneas de ropa de moda y objetos de decoración y uso doméstico; pero esa producción masiva no era el objetivo de

Alma. Ella seguía fiel a su opción por la exclusividad. Después de dos meses de pinceladas negras, estaba preparándose para volver a San Francisco a experimentar con color.

Para su hermano Samuel, era la primera vez que volvía a París desde la guerra. En su pesado equipaje, ella llevaba un baúl con los rollos de sus dibujos y centenares de negativos de caligrafía y pintura para sacar ideas. El equipaje de Samuel era mínimo. Venía de Israel, con pantalón de camuflaje y chamarra de cuero, botas del ejército y una mochila liviana con dos mudas de ropa interior. A los cuarenta y cinco años seguía viviendo como soldado, con la cabeza afeitada y la piel curtida como suela de zapato por el sol. Para los hermanos ese encuentro sería una romería al pasado. Con el tiempo y una tupida correspondencia habían ido cultivando la amistad, los dos eran inspirados para escribir. Alma tenía el entrenamiento de su juventud, cuando se volcaba por entero en sus diarios. Samuel, parco de palabra y desconfiado en persona, podía ser locuaz y amable por escrito.

En París alquilaron un coche y Samuel la llevó al pueblo donde murió la primera vez, guiado por Alma, que no había olvidado el camino hecho con sus tíos en los años cincuenta. Desde entonces Europa se había levantado de las cenizas y le costó reconocer el lugar, que antes era una aglomeración de ruinas, escombros y casas humilladas, y ahora estaba reconstruido, rodeado de viñedos y campos de lavanda, resplandeciente en la más luminosa estación del año. Incluso el cementerio gozaba de prosperidad. Había lápidas y ángeles de mármol, cruces y rejas de hierro, árboles sombríos, gorriones, palomas, silencio. La cuidadora, una joven amistosa, los guió por angostos senderos entre las tumbas buscando la placa colocada por los Belasco muchos años antes. Estaba intacta: *Samuel Mendel, 1922-1944, piloto de la Real Fuerza Aérea de Gran Bretaña*. Debajo había otra placa más pequeña, también de bronce: *Muerto en combate por Francia y la libertad*. Samuel se quitó la boina y se rascó la cabeza, divertido.

—El metal parece recién pulido —observó.

—Mi abuelo lo limpia y mantiene las tumbas de los soldados. Él puso la segunda placa. Mi abuelo estuvo en la Resistencia, ¿sabe?

—¡No me diga! ¿Cómo se llama?

—Clotaire Martinaux.

—Lamento no haberle conocido —dijo Samuel.

—¿Usted también estuvo en la Resistencia?

—Sí, por un tiempo.

—Entonces tiene que venir a nuestra casa a tomarse una copa, mi abuelo estará feliz de verlo, señor…

—Samuel Mendel.

La joven vaciló un momento, se acercó a leer de nuevo el nombre de la placa y se volvió extrañada.

—Sí, soy yo. No estoy completamente muerto, como puede ver —dijo Samuel.

Terminaron los cuatro instalados en la cocina de una casa cercana, bebiendo Pernaud y comiendo *baguette* con salchichón. Clotaire Martinaux, bajo y rechoncho, con una risa estrepitosa y olor a ajo, los abrazó estrechamente, contento de responder al interrogatorio de Samuel, llamándolo *mon frère* y llenándole el vaso una y otra vez. No era uno de los héroes fabricados después del Armisticio, como Samuel pudo comprobar. Había oído hablar del avión inglés derribado en su pueblo, del rescate de uno de los tripulantes y conocía a dos de los hombres que lo escondieron y los nombres de los otros. Escuchó la historia de Samuel secándose los ojos y sonándose la nariz con el mismo pañuelo que se ataba al cuello y que usaba para limpiarse el sudor de la frente y la grasa de las manos. «Mi abuelo siempre fue muy llorón», comentó la nieta a modo de explicación.

Samuel le contó a su anfitrión que su nombre en la Resistencia judía era Jean Valjean y que pasó meses con la mente confundida por el traumatismo en la cabeza que sufrió al caer del avión, pero que poco a poco comenzó a recuperar algunos de sus recuerdos. Tenía imágenes borrosas de una casa grande y empleadas con delantales negros y tocas blancas, pero ninguna de su familia. Pensaba que si algo quedaba en pie al concluir la guerra, iría a buscar sus raíces en Polonia, porque de allí era la lengua en que sumaba, restaba, maldecía y soñaba; en alguna parte de ese país debía de existir esa casa grabada en su mente.

—Tenía que esperar que acabara la guerra para averiguar mi propio nombre y la suerte de mi familia. En 1944 ya se vislumbraba la derrota de los alemanes, ¿se acuerda, monsieur Martineaux? La situación empezó a darse la vuelta inesperadamente en el Frente del Este, donde los británicos y los americanos menos lo suponían. Creían que el Ejército Rojo se componía de bandas de campesinos indisciplinados, mal nutridos y mal armados, incapaces de hacerle frente a Hitler.

—Me acuerdo muy bien, *mon frère* —dijo Martineaux—. Después de la batalla de Stalingrado el mito de que Hitler era invencible empezó a resquebrajarse y pudimos tener alguna esperanza. Hay que reconocerlo, fueron los rusos quienes le quebraron la moral y el espinazo a los alemanes en 1943.

—La derrota de Stalingrado los obligó a replegarse hasta Berlín —agregó Samuel.

—Después vino el desembarco de los aliados en Normandía, en junio de 1944, y dos meses después la liberación de París. ¡Ah! ¡Qué día inolvidable!

—Yo caí prisionero. Mi grupo fue diezmado por las SS y mis camaradas que quedaron con vida fueron ejecutados de un tiro en la nuca apenas se rindieron. Yo escapé por casualidad, andaba buscando comida. Mejor dicho, andaba rondando las fincas de los alrededores a ver a qué podía echar mano. Comíamos hasta perros y gatos, lo que hubiera.

Le contó lo que fueron esos meses, los peores de la guerra para él. Solo, desorientado, famélico, sin contacto con la Resistencia, vivió de noche, alimentándose de tierra agusanada y comida robada, hasta que lo apresaron a fines de septiembre. Pasó los cuatro meses siguientes en trabajos forzados, primero en Monowitz y después en Auschwitz-Birkenau, donde ya habían perecido un millón doscientos mil hombres, mujeres y niños. En enero, ante el avance inminente de los rusos, los nazis recibieron órdenes de deshacerse de las evidencias de lo ocurrido allí. Evacuaron a los detenidos en una marcha por la nieve, sin alimentos ni abrigo, rumbo a Alemania. Los que quedaron atrás, porque estaban demasiado débiles, iban a ser ejecutados, pero en la prisa por huir de los rusos, los SS no alcanzaron a destruir todo y dejaron vivos a siete mil prisioneros. Él estaba entre ellos.

—No creo que los rusos llegaran con el propósito de liberarnos —explicó Samuel—. El Frente Ucraniano pasaba cerca y abrió los portones del campo. Los que todavía podíamos movernos, salimos arrastrándonos. Nadie nos detuvo. Nadie nos ayudó. Nadie nos ofreció un pedazo de pan. Nos echaban de todas partes.

—Lo sé, *mon frère*. Aquí en Francia nadie ayudaba a los judíos, se lo digo con mucha vergüenza. Pero piense que eran tiempos terribles, todos pasamos hambre y en esas circunstancias se pierde la humanidad.

—Tampoco los sionistas de Palestina querían a los supervivientes de los campos de concentración, éramos el residuo inservible de la guerra —dijo Samuel.

Le explicó que los sionistas buscaban gente joven, fuerte, sana; guerreros corajudos para hacer frente a los árabes y trabajadores obstinados para labrar ese terreno árido. Pero una de las pocas cosas de su vida anterior que él recordaba era volar y eso le facilitó la inmigración. Se convirtió en soldado, piloto y espía. Acompañó como escolta a David Ben Gurión durante la creación del Estado de Israel, en 1948, y un año más tarde se convirtió en uno de los primeros agentes del Mosad.

Los hermanos pasaron la noche en un hostal del pueblo y al día siguiente regresaron a París a tomar un avión a Varsovia. En Polonia buscaron inútilmente las huellas de sus padres; sólo encontraron sus nombres en una lista de la Agencia Judía de las víctimas de Treblinka. Y juntos recorrieron los restos de Auschwitz, donde Samuel intentaba reconciliarse con el pasado, pero fue un peregrinaje a sus más horrendas pesadillas, que sólo renovó su certeza de que los seres humanos son las bestias más crueles del planeta.

—Los alemanes no son una raza de psicópatas, Alma. Son gente normal, como tú y como yo, pero cualquiera con fanatismo, poder e impunidad puede transformarse en una bestia, como los SS en Auschwitz —le dijo a su hermana.

—¿Crees que, dada la oportunidad, tú también te comportarías como una bestia, Samuel?

—No es que lo crea, Alma, lo sé. He sido militar toda mi vida. He hecho la guerra. He interrogado a prisioneros, a muchos prisioneros. Pero supongo que no quieres conocer los detalles.

Nathaniel

A Nathaniel Belasco el mal solapado que habría de acabar con él lo fue acechando, con años de anticipación sin que nadie, ni él mismo, lo supiera. Los primeros síntomas se confundieron con la gripe, que ese invierno atacó en masa a la población de San Francisco, y desaparecieron en un par de semanas. No volvieron a repetirse hasta años más tarde y entonces dejaron una secuela de tremenda fatiga; algunos días andaba arrastrando los pies y encogido de hombros, como si llevara un saco de arena a la espalda. Siguió trabajando el mismo número de horas diarias, pero el tiempo le rendía poco, se acumulaban documentos en su escritorio, que parecían expandirse y reproducirse solos por las noches, se confundía, perdía el rastro de los casos que estudiaba a conciencia y que antes podía resolver con los ojos cerrados, de repente no recordaba lo que acababa de leer. Había padecido insomnio toda su vida, y se le agravó con episodios de fiebre y sudor. «Los dos estamos sufriendo los sofocos de la menopausia», le comentaba a Alma, riéndose, pero a ella no le hacía gracia. Dejó los deportes y el velero quedó anclado en la marina para que las gaviotas hicieran sus nidos en él. Le costaba tragar, empezó a perder peso, no tenía apetito. Alma le preparaba batidos con un polvo de proteínas, que él bebía con dificultad y después los vomitaba calladamente para que ella no se alarmara. Cuando le salieron llagas en la piel, el médico de la familia, una reliquia tan antigua como algunos de los muebles comprados por Isaac Belasco en 1914, que había tratado los síntomas sucesivamente como anemia, infección intestinal, migraña y depresión, lo envió a un especialista en cáncer.

Aterrada, Alma comprendió cuánto amaba y cómo necesitaba a Nathaniel y se dispuso a dar la pelea contra la enfermedad, contra el destino, contra los dioses y los diablos. Abandonó casi todo por concentrarse en su cuidado. Dejó de pintar, despidió a los empleados del taller y sólo iba allí una vez al mes a vigilar al servicio de limpieza. El enorme estudio, iluminado por la luz difusa del vidrio opaco en las ventanas, se sumió en un sosiego de catedral. El movimiento terminó de un día para otro y el taller quedó detenido en el tiempo, como un truco cinematográfico, listo para recomenzar al instante siguiente, las largas mesas protegidas por lienzos, los rollos de tela en pie, como esbeltos guardianes, y otras ya pintadas colgando de bastidores, las muestras de dibujos y colores en las paredes, los tarros y frascos, los rodillos, pinceles y brochas, el murmullo fantasmagórico de la ventilación difundiendo eternamente la fragancia penetrante de la pintura y el disolvente. Cesaron sus viajes, que por años le habían aportado inspiración y libertad. Lejos de su medio, Alma se desprendía de la piel y renacía fresca, curiosa, dispuesta a la aventura, abierta a lo que le ofreciera el día, sin planes ni temores. Tan real era esa nueva Alma trashumante, que a veces se sorprendía al verse en los espejos de los hoteles de paso, porque no esperaba encontrar el mismo rostro que tenía en San Francisco. También dejó de ver a Ichimei.

Se habían reencontrado por casualidad siete años después del funeral de Isaac Belasco y catorce antes de que se manifestara plenamente la enfermedad de Nathaniel, en la exposición anual de la Sociedad de Orquídeas, entre miles de visitantes. Ichimei la vio antes y se acercó a saludarla. Estaba solo. Hablaron de las orquídeas —había dos ejemplares de su vivero en la exposición—, y después se fueron a comer a un restaurante cercano. Empezaron charlando de esto y aquello: Alma de sus viajes recientes, sus nuevos diseños y su hijo Larry; Ichimei de sus plantas y sus hijos, Miki de dos años y Peter, un bebé de ocho meses. No mencionaron a Nathaniel ni a Delphine. La comida se prolongó tres horas sin una pausa, tenían todo que decirse y lo hicieron con incertidumbre y cautela, sin caer en el pasado, como deslizándose sobre hielo quebradizo, estudiándose, notando los cambios, tratando de adivinar las intenciones, conscientes de la ardiente atracción que permanecía intacta. Ambos habían cumplido treinta y siete años; ella representaba más, se habían acentuado sus facciones, estaba más delgada, angulosa y segura de sí misma, pero Ichimei no había cambiado, tenía el mismo aspecto de adolescente sereno de antes, la misma voz baja y modales delicados, la misma capacidad de invadir hasta la última de sus células con su intensa presencia. Alma podía ver al niño de ocho años en el invernadero de Sea Cliff, al de diez que le entregó un gato antes de desaparecer, al amante incansable del motel de las cucarachas, al hombre de luto en el funeral de su suegro, todos iguales, como imágenes sobrepuestas en papel transparente. Ichimei era inmutable, eterno. El amor y el deseo por él le quemaban la piel, quería estirar las manos a través de la mesa y tocarlo, acercarse, hundir la nariz en su cuello y comprobar que todavía olía a tierra y hierbas, decirle que sin él vivía sonámbula, que nada ni nadie podía llenar el vacío terrible de su ausencia, que daría todo por volver a estar desnuda en sus brazos, nada importaba sino él. Ichimei la acompañó a su coche. Se fueron caminando lentamente, dando rodeos para demorar el momento de la separación. Tomaron el ascensor al tercer piso del estacionamiento, ella sacó su llave y le ofreció llevarlo hasta su vehículo, que estaba a sólo una cuadra de distancia, y él aceptó. En la íntima penumbra del coche se besaron, reconociéndose.

En los años venideros habrían de mantener su amor en un compartimento separado del resto de sus vidas y lo vivirían a fondo sin permitir que rozara a Nathaniel y Delphine. Al estar juntos, nada más existía, y al despedirse en el hotel donde acababan de saciarse, quedaba entendido que no volverían a tener contacto hasta la cita siguiente, excepto por carta. Alma atesoraba esas cartas, aunque en ellas Ichimei mantenía el tono reservado propio de su raza, que contrastaba con sus delicadas pruebas de amor y sus arranques de pasión cuando estaban juntos. El sentimentalismo lo abochornaba profundamente, su manera de manifestarse era preparando un picnic para ella en preciosas cajas de madera, enviándole gardenias, porque a ella le gustaba esa fragancia, que jamás usaría en una colonia, preparándole té ceremoniosamente, dedicándole poemas y dibujos. A veces, en privado, la llamaba «mi pequeña», pero no lo ponía por escrito. Alma no necesitaba darle explicaciones a su marido, porque llevaban vidas independientes, y nunca le preguntó a Ichimei cómo se las arreglaba para mantener ignorante a Delphine, ya que convivían y trabajaban estrechamente. Sabía que él amaba a su mujer, que era buen padre y hombre de familia, que tenía una situación especial en la comunidad japonesa, donde lo consideraban un maestro y lo llamaban para aconsejar a los descarriados, reconciliar a los enemigos y servir de árbitro justo en las disputas. El hombre del amor calcinante, de los inventos eróticos, de la risa, las bromas y los juegos entre las sábanas, de la urgencia y la voracidad y la alegría, de las confidencias susurradas en la pausa entre dos abrazos, de los besos interminables y la intimidad más delirante, ese hombre sólo existía para ella.

Las cartas comenzaron a llegar después de su encuentro entre las orquídeas y se intensificaron cuando Nathaniel enfermó. Durante un tiempo interminable para ellos, esa correspondencia reemplazó a los encuentros clandestinos. Las de Alma eran las cartas descarnadas y angustiosas de una mujer afligida por la separación; las de Ichimei eran como agua reposada y cristalina, pero entre líneas palpitaba la pasión compartida. Para Alma, esas cartas revelaban la exquisita tapicería interior de Ichimei, sus emociones, sueños, añoranzas e ideales; pudo conocerlo y amarlo y desearlo más por esas misivas que por las escaramuzas amorosas. Llegaron a serle tan indispensables, que cuando quedó viuda y libre, cuando podían hablar por teléfono, verse con frecuencia y hasta viajar juntos, siguieron escribiéndose. Ichimei cumplió rigurosamente con el acuerdo de destruir las cartas, pero Alma guardó las de él para releerlas a menudo.

18 de julio de 1984

Sé cómo estás sufriendo y me apena no poder ayudarte. Mientras te escribo, sé que estás angustiada negociando con la enfermedad de tu marido. No puedes controlar esto, Alma, sólo puedes acompañarlo con mucho valor.

Nuestra separación es muy dolorosa. Estamos acostumbrados a nuestros jueves sagrados, las cenas privadas, los paseos en el parque, las breves aventuras de un fin de semana. ¿Por qué el mundo me parece desteñido? Los sonidos me llegan de lejos, como en sordina, la comida sabe a jabón. ¡Tantos meses sin vernos! Compré tu colonia para sentir tu olor. Me consuelo escribiendo poesía, que un día te daré porque es para ti.

¡Y tú me acusas de no ser romántico!

De poco me han servido los años de práctica espiritual si no he logrado despojarme del deseo. Espero tus cartas y tu voz en el teléfono, te imagino llegar corriendo... A veces el amor duele.

Ichi

Nathaniel y Alma ocupaban las dos habitaciones que habían sido de Lillian e Isaac, comunicadas por una puerta, que de tanto permanecer abierta, ya no podía cerrarse. Volvieron a compartir el insomnio como en los primeros tiempos de casados, muy juntos en un sofá o en la cama, ella leyendo, con el libro en una mano y acariciando a Nathaniel con la otra, mientras él descansaba con los ojos cerrados, respirando con un borboteo en el pecho. En una de esas noches largas se sorprendieron mutuamente llorando en silencio, para no molestar al otro. Primero Alma sintió las mejillas húmedas de su marido e inmediatamente él notó las lágrimas de ella, tan raras, que se incorporó para verificar si eran reales. No recordaba haberla visto llorar ni en los momentos más amargos.

—Te estás muriendo, ¿verdad? —murmuró ella.

—Sí, Alma, pero no llores por mí.

—No lloro sólo por ti, sino por mí. Y por nosotros, por todo lo que no te he dicho, por las omisiones y mentiras, por las traiciones y el tiempo que te robé.

—¡Qué dices, por Dios! No me has traicionado por amar a Ichimei, Alma. Hay omisiones y mentiras necesarias, como hay verdades que más vale callar.

—¿Sabes lo de Ichimei? ¿Desde cuándo? —se sorprendió ella.

—Desde siempre. El corazón es grande, se puede amar a más de una persona.

—Háblame de ti, Nat. Nunca he indagado en tus secretos, que imagino son muchos, para no tener que revelarte los míos.

—¡Nos hemos querido tanto, Alma! Uno siempre debiera

casarse con la mejor amiga. Te conozco como nadie. Lo que no me has dicho lo puedo adivinar; pero tú no me conoces a mí. Tienes derecho a saber quién soy verdaderamente.

Y entonces le habló de Lenny Beal. El resto de esa larga noche en blanco se contaron todo con la urgencia de saber que les quedaba poco tiempo juntos.

Desde que podía recordar, Nathaniel había sentido una mezcla de fascinación, temor y deseo por los de su mismo sexo, primero por sus compañeros de escuela, después por otros hombres y finalmente por Lenny, que había sido su pareja durante ocho años. Había luchado contra esos sentimientos, desgarrado entre los impulsos del corazón y la voz implacable de la razón. En la escuela, cuando todavía él mismo no podía identificar lo que sentía, los otros niños sabían visceralmente que él era diferente y lo castigaban con golpes, burlas y ostracismo. Esos años, cautivo entre matones, fueron los peores de su vida. Cuando terminó la escuela, desgajado entre los escrúpulos y la fogosidad incontrolable de la juventud, se dio cuenta de que no era excepcional, como creía; en todos lados se topaba con hombres que lo miraban directamente a los ojos con una invitación o una súplica. Lo inició otro alumno de Harvard. Descubrió que la homosexualidad era un mundo paralelo, coexistente con la realidad aceptada. Conoció a individuos de muchas clases. En la universidad: profesores, intelectuales, estudiantes, un rabino y un jugador de fútbol; en la calle: marineros, obreros, burócratas, políticos, comerciantes y delincuentes. Era un mundo incluyente, promiscuo y todavía discreto, porque se enfrentaba al juicio terminante de la sociedad, la moral y la ley. A los gais no los admitían en hoteles, clubes ni iglesias, no les servían licor en bares y podían echarlos de lugares públicos, acusados con o sin razón de conducta desordenada; los bares y clubes gais pertenecían a la mafia. De regreso a San Francisco, con el diploma de abogado bajo el brazo, se encontró con los primeros signos de una naciente cultura gay, que no llegaría a manifestarse abiertamente hasta varios años más tarde. Cuando comenzaron los movimientos sociales de la década de los sesenta, entre ellos la Liberación Gay, Nathaniel estaba casado con Alma y su hijo Larry tenía diez años. «No me casé contigo para disimular mi homosexualidad, sino por amistad y por amor», le dijo a Alma esa noche. Fueron años de esquizofrenia: una vida pública irreprochable y de éxito, otra vida ilícita y escondida. Conoció a Lenny Beal en 1976 en un baño turco para hombres, el lugar más propicio para excesos y menos propicio para iniciar un amor como el de ellos.

Nathaniel iba a cumplir cincuenta años y Lenny era seis menor que él, hermoso como las deidades masculinas de las estatuas romanas, irreverente, exaltado y pecaminoso, lo opuesto en carácter a Nathaniel. La atracción física fue instantánea. Se encerraron en uno de los cubículos y estuvieron hasta el amanecer perdidos en el placer, atacándose como luchadores y chapaleando juntos en el enredo y el delirio de los cuerpos. Se dieron cita para el día siguiente en un hotel, donde llegaron separados. Lenny llevó marihuana y cocaína, pero Nathaniel le pidió que no las usaran; deseaba vivir esa experiencia con plena consciencia. Una semana más tarde ya sabían que el fogonazo del deseo había sido sólo el comienzo de un amor colosal y sucumbieron sin resistencia al imperativo de vivirlo con plenitud. Alquilaron un estudio en el centro de la ciudad, donde pusieron un mínimo de muebles y el mejor equipo de música, con el compromiso de que sólo ellos pondrían los pies allí. Nathaniel terminó la búsqueda iniciada treinta y cinco años atrás, pero en apariencia nada cambió en su existencia: siguió siendo el mismo modelo de burgués; nadie pudo sospechar qué le pasaba ni notar que sus horas de oficina y su entrega al deporte habían sufrido una reducción drástica. Por su parte, Lenny se transformó bajo la influencia de su amante. Asentó por primera vez su turbulenta existencia y se atrevió a sustituir el ruido y la actividad demencial por la contemplación de la felicidad recién descubierta. Si no estaba con Nathaniel, estaba pensando en él. No volvió a ir a baños o clubes gais; sus amigos rara vez lograban tentarlo con alguna fiesta, no le interesaba conocer a nadie más, porque Nathaniel le bastaba, era el sol, el centro de sus días. Se instaló en el sosiego de ese amor con devoción de puritano. Adoptó la música, la comida y los tragos preferidos de Nathaniel, sus suéteres de cachemira, su abrigo de pelo de camello, su loción de afeitar. Nathaniel hizo instalar una línea telefónica personal en su oficina, cuyo número sólo usaba Lenny, así se comunicaban; salían en el velero, hacían excursiones, se encontraban en ciudades distantes, donde nadie los conocía.

Al principio, la incomprensible enfermedad de Nathaniel no entorpeció el vínculo con Lenny; los síntomas eran diversos y esporádicos, iban y venían sin causa ni relación aparente. Después, cuando Nathaniel se fue desdibujando y reduciendo a un espectro del que fue, cuando tuvo que aceptar sus limitaciones y pedir ayuda, se terminaron las diversiones. Perdió el ánimo de la vida, sintió que todo a su alrededor se volvía pálido y tenue, se abandonó a la nostalgia del pasado, como un anciano, arrepentido de algunas cosas que hizo y muchas que no alcanzó a hacer. Sabía que la vida se le acortaba rápidamente y tenía miedo. Lenny no lo dejaba caer en la depresión, lo sostenía con buen humor fingido y la firmeza de su amor, que en esos tiempos de prueba no hizo más que crecer y crecer. Se juntaban en el pequeño apartamento para consolarse mutuamente. A Nathaniel le faltaban fuerzas y deseo para hacer el amor, pero Lenny no se lo pedía, se contentaba con los momentos de intimidad en que podía calmarlo si tiritaba de fiebre, darle yogur con una cucharilla de bebé, acostarse a su lado a oír música, frotarle las escaras con bálsamos, sostenerlo en el excusado. Por último, Nathaniel ya no pudo salir de su casa y Alma asumió el papel de enfermera con la misma perseverante ternura de Lenny, pero ella era sólo la amiga y esposa, mientras que Lenny era su gran amor. Así lo entendió Alma esa noche de las confidencias.

Al amanecer, cuando por fin Nathaniel pudo dormir, ella buscó el número de Lenny Beal en la guía y lo llamó por teléfono para rogarle que fuera a ayudarla. Juntos podrían sobrellevar mejor la angustia de esa agonía, le dijo. Lenny llegó en menos de cuarenta minutos. Alma, todavía en pijama y bata, le abrió la puerta. Él se encontró frente a una mujer devastada por el insomnio, la fatiga y el sufrimiento; ella vio a un hombre guapo, con el pelo húmedo por la ducha reciente y los ojos más azules del mundo, enrojecidos.

—Soy Lenny Beal, señora —balbuceó, conmovido.

—Llámeme Alma, por favor. Ésta es su casa, Lenny —replicó ella.

Él quiso tenderle la mano, pero no alcanzó a completar el gesto y se abrazaron, trémulos.

Lenny comenzó a visitar la casa de Sea Cliff a diario, después de su trabajo en la clínica dental. Le dijeron a Larry y Doris, a los empleados, a los amigos y conocidos que llegaban de visita, que Lenny era un enfermero. Nadie hizo preguntas. Alma llamó a un carpintero, que arregló la puerta trabada del dormitorio, y los dejaba solos. Sentía un alivio inmenso cuando a su marido se le iluminaba la mirada al ver aparecer a Lenny. A la hora del crepúsculo los tres tomaban té con panecillos ingleses y a veces, si Nathaniel estaba animado, jugaban a las cartas. Para entonces había un diagnóstico, el más temible de todos: sida. Hacía sólo un par de años que el mal tenía nombre, pero ya se sabía que era una condena a muerte; unos caían antes, otros después; todo era cuestión de tiempo. Alma no quiso averiguar por qué le tocó a Nathaniel y no a Lenny, pero si lo hubiera hecho, nadie habría podido darle una respuesta categórica. Los casos se multiplicaban a tal velocidad, que ya se hablaba de epidemia mundial y de castigo de Dios por la infamia de la homosexualidad. «Sida» se pronunciaba en susurros, no se podía admitir su presencia en una familia o en una comunidad, porque equivalía a proclamar imperdonables perversiones. La explicación oficial, incluso para la familia, fue que Nathaniel tenía cáncer. Como la ciencia tradicional nada podía ofrecer, Lenny se fue a México a buscar drogas misteriosas, que de nada sirvieron, mientras Alma recurría a cuanta promesa de la medicina alternativa consiguió, desde acupuntura, hierbas y ungüentos de Chinatown, hasta baños de lodo mágico en las termas de Calistoga. Entonces pudo entender los recursos desquiciados de Lillian para curar a Isaac y lamentó haber tirado a la basura la estatuilla del barón Samedi.

Nueve meses más tarde, el cuerpo de Nathaniel estaba reducido a un esqueleto, el aire apenas penetraba en el laberinto atascado de sus pulmones, sufría una sed insaciable y llagas en la piel, no tenía voz y su mente divagaba en terribles delirios. Entonces, un domingo somnoliento en que estaban solos en la casa, Alma y Lenny, tomados de la mano en la penumbra de la habitación cerrada, le rogaron a Nathaniel que dejara de luchar y se fuera tranquilo. No podían seguir presenciando ese martirio. En un instante milagroso de lucidez, Nathaniel abrió los ojos, nublados por el dolor, y movió los labios formando una sola palabra muda: gracias. Lo interpretaron como lo que en verdad era, una orden. Lenny lo besó en los labios antes de inyectar una sobredosis de morfina en la goma del suero intravenoso. Alma, de rodillas al otro lado de la cama, le fue recordando a su marido quedamente cuánto lo amaban ella y Lenny y cuánto les había dado a ambos y a mucha otra gente, que sería recordado siempre, que nada podría separarlos...

Compartiendo té de mango y recuerdos en Lark House, Alma y Lenny se preguntaron por qué dejaron pasar tres décadas sin hacer ningún intento de volver a conectarse. Después de cerrarle los ojos a Nathaniel, de ayudar a Alma a arreglar el cuerpo, para presentárselo lo mejor posible a Larry y Doris, y de eliminar las huellas delatoras de lo sucedido, Lenny se despidió de Alma y se fue. Habían pasado meses juntos en la intimidad absoluta del sufrimiento y la incertidumbre de la esperanza, nunca se habían visto a la luz del día, sólo dentro de esa alcoba que olía a mentol y a muerte mucho antes de que ésta acudiera a reclamar a Nathaniel. Habían compartido noches en blanco, bebiendo whisky aguado o fumando marihuana para aliviar la angustia, en las que se contaron sus vidas, desenterraron anhelos y secretos, y llegaron a conocerse a fondo. En esa parsimoniosa agonía no cabían pretensiones de ninguna clase, se revelaron como eran a solas consigo mismos, al desnudo. A pesar de eso, o tal vez por eso, llegaron a quererse con un cariño diáfano y desesperado que requería una separación, porque no habría resistido el desgaste irremediable de lo cotidiano.

—Tuvimos una amistad rara —dijo Alma.

—Nathaniel estaba tan agradecido de que los dos estuviéramos con él, que una vez me pidió que me casara contigo cuando enviudaras. No quería dejarte desamparada.

—¡Qué idea genial! ¿Por qué no me lo propusiste, Lenny? Habríamos hecho buena pareja. Nos habríamos acompañado y guardado las espaldas, como Nathaniel y yo.

—Soy gay, Alma.

—Nathaniel también. Habríamos tenido un matrimonio blanco, sin cama; tú con tu vida amorosa y yo con Ichimei. Muy conveniente, ya que no podíamos exponer nuestros amores en público.

—Todavía es tiempo. ¿Quieres casarte conmigo, Alma Belasco?

—Pero ¿no me dijiste que te ibas a morir pronto? No quiero ser viuda por segunda vez.

Se echaron a reír con ganas y la risa los animó a ir al comedor a ver si el menú incluía algo tentador. Lenny ofreció el brazo a Alma y salieron por el pasillo de vidrio hacia la casa principal, la antigua mansión del magnate del chocolate, sintiéndose envejecidos y contentos, preguntándose por qué se habla tanto de tristezas y malestares y no de la felicidad. «¿Qué hacer con esta felicidad que nos llega sin motivo especial, esta felicidad que no requiere nada para existir?», preguntó Alma. Avanzaban con pasos cortos y vacilantes, apoyándose el uno en el otro, friolentos, porque estaba terminando el otoño, aturdidos por el torrente de recuerdos tenaces, recuerdos de amor, invadidos por esa felicidad compartida. Alma señaló a Lenny la visión fugaz de unos velos rosados en el parque, pero estaba oscureciendo y tal vez no era Emily anunciando una desgracia, sino un espejismo, como tantos en Lark House.

El amante japonés

El viernes Irina Bazili llegó temprano a Lark House a echar una mirada a Alma antes de empezar su jornada. Alma ya no la necesitaba para vestirse, pero agradecía que la muchacha se asomara en su apartamento para compartir la primera taza de té del día. «Cásate con mi nieto, Irina; nos harías un favor a todos los Belasco», le repetía. Irina habría debido aclararle que no lograba vencer el terror del pasado, pero no podía mencionar nada de eso sin morirse de vergüenza. Cómo iba a decirle a la abuela que los engendros de su memoria, habitualmente agazapados en sus madrigueras, asomaban sus cabezas de lagarto cuando se disponía a hacer el amor con su nieto. Seth entendía que no estaba lista para hablar y dejó de presionarla para que consultaran a un psiquiatra; por el momento era suficiente con que él fuera su confidente. Podían esperar. Irina le había propuesto una cura de caballo: ver juntos los vídeos filmados por su padrastro, que todavía andaban por ahí y seguirían haciéndola sufrir hasta el fin de sus días, pero Seth temía que, una vez sueltas, esas criaturas retorcidas serían incontrolables. La cura de él consistía en ir poco a poco, con amor y humor, así que iban avanzando en una danza de dos pasos adelante y uno atrás; ya dormían en la misma cama y a veces amanecían abrazados.

Esa mañana Irina no había encontrado a Alma en su apartamento, ni el bolso de sus salidas secretas o sus camisas de dormir de seda. Por una vez, tampoco estaba el retrato de Ichimei. Supo que su automóvil no estaría en el estacionamiento y no se alarmó, porque Alma ya se había afirmado en sus piernas y supuso que Ichimei la estaría aguardando. No andaría sola.

El sábado no tenía turno en Lark House y se quedó dormitando hasta las nueve, lujo que podía darse los fines de semana desde que vivía con Seth y había dejado de bañar perros. Él la despabiló con un tazón de café con leche y se sentó a su lado en la cama a planear el día. Venía del gimnasio, recién duchado, con el pelo húmedo y todavía agitado por el ejercicio, sin imaginar que ese día no tendría planes con Irina, sería un día de despedida. El teléfono sonó en ese momento con la llamada de Larry Belasco para anunciarle a su hijo que el coche de la abuela había patinado en un camino rural y cayó por un barranco de quince metros.

—Está en la unidad de cuidados intensivos del Hospital General de Marin —dijo.

—¿Grave? —preguntó Seth, aterrado.

—Sí. Su coche quedó totalmente destrozado. No sé qué andaba haciendo mi madre por esos sitios.

—¿Iba sola, papá?

—Sí.

En el hospital encontraron a Alma consciente y lúcida, a

pesar de las drogas que goteaban en su vena y que, según el médico, habrían noqueado a un burro. Había recibido el impacto del accidente sin una defensa. En un vehículo más pesado tal vez el descalabro habría sido menor, pero el pequeño Smartcar verde limón se desarmó y ella, sujeta a su asiento por el cinturón de seguridad, quedó aplastada. Mientras el resto de la familia Belasco se lamentaba en la sala de espera, Larry le explicó a Seth que existía la posibilidad de una medida extrema: abrir a Alma en canal, colocar los órganos desplazados en el sitio correspondiente y mantenerla abierta varios días, hasta que bajara la inflamación y se pudiera intervenir. Después se podría pensar en operar los huesos rotos. El riesgo, enorme en una persona joven, era mucho mayor en alguien de más de ochenta años, como Alma; el cirujano que la recibió en el hospital no se atrevía a intentarlo. Catherine Hope, que llegó de inmediato con Lenny Beal, opinó que una intervención de esa magnitud sería cruel e inútil; sólo cabía mantener a Alma lo más cómoda posible y esperar su fin, que no iba a tardar. Irina dejó a la familia discutiendo con Cathy la idea de trasladarla a San Francisco, donde había más recursos, y entró sigilosamente a la habitación de Alma.

—¿Tiene dolor? —le preguntó en un susurro—. ¿Quiere que llame a Ichimei?

Alma estaba recibiendo oxígeno, pero respiraba sola, y le hizo un gesto leve para que se acercara. Irina no quiso pensar en el cuerpo herido bajo el armazón cubierto por una sábana; se concentró en el rostro, que estaba intacto y parecía embellecido.

—Kirsten —balbuceó Alma.

—¿Quiere que busque a Kirsten? —le preguntó Irina, sorprendida.

—Y diles que no me toquen —agregó Alma claramente antes de cerrar los ojos, exhausta.

Seth llamó al hermano de Kirsten y esa misma tarde él la llevó al hospital. La mujer se sentó en la única silla de la habitación de Alma, aguardando instrucciones sin apuro, como había hecho pacientemente en el taller durante los meses anteriores, antes de trabajar con Catherine Hope en la clínica del dolor. En algún momento, con los últimos rayos de luz en la ventana, Alma volvió del letargo de las drogas. Recorrió con la vista a quienes estaban a su alrededor, esforzándose por reconocerlos: su familia, Irina, Lenny, Cathy, y pareció animarse cuando su mirada se detuvo en Kirsten. La mujer se acercó a la cama, le tomó la mano que no estaba conectada al gotero y empezó a darle besos húmedos desde los dedos hasta el codo, preguntándole, angustiada, si estaba enferma, si se iba a mejorar, y repitiendo que la quería mucho. Larry trató de apartarla, pero Alma le indicó débilmente que las dejaran solas.

La primera y segunda noche de vigilia se turnaron Larry, Doris y Seth, pero en la tercera Irina comprendió que la familia estaba en el límite de sus fuerzas y se ofreció para acompañar a Alma, que no había vuelto a hablar desde la visita de Kirsten y permanecía adormilada, jadeando como perro cansado, desprendiéndose de la vida. No es fácil vivir ni es fácil morir, pensó Irina. El médico aseguraba que no sentía dolor, estaba sedada hasta la médula.

A cierta hora fueron apagándose los ruidos del piso. En la habitación reinaba una penumbra apacible, pero los pasillos estaban siempre iluminados por lámparas potentes y el reflejo azul de las computadoras en la central de las enfermeras. El murmullo del aire acondicionado, la respiración esforzada de la mujer en la cama y de vez en cuando unos pasos o voces discretas al otro lado de la puerta, eran los únicos sonidos que le llegaban a Irina. Le habían dado una frazada y un cojín para que se acomodara lo mejor posible, pero hacía calor y era imposible dormir en la silla. Se sentó en el suelo, apoyada en la pared, pensando en Alma, que tres días antes era todavía una mujer apasionada que había salido a toda prisa a encontrarse con su amante y ahora estaba moribunda en su último lecho. En un breve despertar, antes de perderse nuevamente en el sopor alucinante de las drogas, Alma le pidió que le pintara los labios, porque Ichimei iría a buscarla. Irina sintió un terrible desconsuelo, una oleada de amor por esa vieja estupenda, un cariño de nieta, de hija, de hermana, de amiga, mientras le corrían lágrimas por las mejillas que le mojaban el cuello y la blusa. Deseaba que Alma se fuera de una vez para acabar con el sufrimiento y también deseaba que no se fuera nunca, que se le acomodaran por obra divina los órganos desordenados y los huesos rotos, que resucitara y pudieran regresar juntas a Lark House y continuar con sus vidas como antes. Le dedicaría más tiempo, la acompañaría más, le arrancaría sus secretos del escondite donde los guardaba, le conseguiría otro gato igual que Neko y se las arreglaría para que tuviera gardenias frescas todas las semanas, sin decirle quién se las enviaba. Sus ausen-

337

tes acudieron en tropel a acompañarla en su pena: sus abuelos color tierra, Jacques Devine y su escarabajo de topacio, los ancianos fallecidos en Lark House durante los tres años que había trabajado allí, Neko con su cola torcida y su ronroneo satisfecho, incluso su madre, Radmila, a quien ya había perdonado y de quien no había oído nada en muchos años. Quiso tener a Seth a su lado en ese momento, para presentarle a los personajes que no conocía de ese elenco y descansar aferrada a su mano. Se adormeció en la nostalgia y la tristeza, encogida en su rincón. No oyó a la enfermera que entraba regularmente a controlar el estado de Alma, ajustar el goteo y la aguja, tomarle la temperatura y la presión, administrarle los sedantes.

En la hora más oscura de la noche, la hora misteriosa del tiempo delgado, cuando el velo entre este mundo y el de los espíritus suele descorrerse, llegó por fin el visitante que Alma estaba esperando. Entró sin ruido, con zapatillas de goma, tan tenue, que Irina no habría despertado sin el gemido ronco de Alma al sentirlo cerca. ¡Ichi! Estaba junto a la cama, inclinado sobre ella, pero Irina, que sólo podía ver su perfil, lo habría reconocido en cualquier parte, en cualquier momento, porque también lo estaba esperando. Era como lo había imaginado cuando estudiaba su retrato en el marco de plata, de mediana estatura y hombros fuertes, el pelo rígido y gris, la piel verdosa por la luz del monitor, el rostro noble y sereno. ¡Ichimei! Le pareció que Alma abría los ojos y repetía el nombre, pero no estaba segura y comprendió que en esa despedida debían estar solos. Se levantó con prudencia, para no molestarlos, y se deslizó fuera de la habitación, cerrando la puerta a sus espaldas. Esperó en el pasillo, paseando para desentumecer las piernas dormidas, bebió dos vasos de agua de la fuente cerca del ascensor, después regresó a su puesto de centinela junto a la puerta de Alma.

A las cuatro de la madrugada llegó la enfermera de turno, una negra grande que olía a pan fragante, y se encontró con Irina bloqueando la entrada. «Por favor, déjelos solos un rato más», le suplicó la joven y procedió a hablarle atropelladamente del amante que había acudido a acompañar a Alma en ese último trance. No podían interrumpirlos. «A esta hora no hay visitantes», replicó la enfermera, extrañada, y sin más apartó a Irina y abrió la puerta. Ichimei se había ido y el aire de la habitación estaba lleno de su ausencia.

Alma se había ido con él.

Velaron en privado a Alma durante algunas horas en la mansión de Sea Cliff, donde había vivido casi toda su vida. Su sencillo ataúd de pino fue colocado en el comedor de los banquetes, alumbrado por dieciocho velas en las mismas *menorahs* de plata maciza que la familia usaba en las celebraciones tradicionales. Aunque no eran observantes, los Belasco se ciñeron a los ritos funerarios de acuerdo con las instrucciones del rabino. Alma había dicho en muchas ocasiones que quería salir de la cama al cementerio, nada de ritos en la sinagoga. Dos mujeres piadosas del Chaves Kadisha lavaron el cuerpo y lo vistieron con la humilde mortaja de lino blanco sin bolsillos, que simboliza la igualdad en la muerte y el abandono de todos los bienes materiales. Irina, como una sombra invisible, participó en el duelo detrás de Seth, que parecía atontado de dolor, incrédulo ante el súbito abandono de su abuela inmortal. Alguien de la familia estuvo junto a ella hasta el momento de llevársela al cementerio, para darle tiempo al espíritu de desprenderse y despedirse. No hubo flores, que se consideran frívolas, pero ella llevó una gardenia al cementerio, donde el rabino dirigió una breve oración: *Dayan Ha'met*, Bendito es el Juez de la Verdad. Bajaron el ataúd a la tierra, junto a la tumba de Nathaniel Belasco, y cuando los familiares se acercaron a cubrirlo con puñados de tierra, Irina dejó caer la gardenia sobre su amiga. Esa noche comenzó el *shiva*, los siete días de duelo y retiro. En un gesto inesperado, Larry y Doris le pidieron a Irina que se quedara con ellos para consolar a Seth. Como los demás en la familia, Irina se puso un trozo de tela desgarrada, símbolo del duelo, en el pecho.

Al séptimo día, después de haber recibido a la fila de visitantes que llegaban a presentar sus condolencias todas las tardes, los Belasco recuperaron el ritmo habitual y cada uno volvió a sus vidas. Al cumplirse un mes del funeral, encenderían una vela en nombre de Alma y al cabo de un año habría una ceremonia simple para poner una placa con su nombre en la tumba. Para entonces la mayor parte de la gente que la había conocido pensaría poco en ella; Alma viviría en sus telas pintadas, en la memoria obsesiva de su nieto Seth y en los corazones de Irina Bazili y de Kirsten, quien nunca llegaría a comprender dónde se había ido. Durante el *shiva*, Irina y Seth aguardaron con impaciencia que se presentara Ichimei Fukuda, pero transcurrieron los siete días sin verlo.

Lo primero que hizo Irina después de esa semana de duelo ritual fue ir a Lark House a recoger las cosas de Alma. Había obtenido permiso de Hans Voigt para ausentarse por unos días, pero pronto debía reincorporarse al trabajo. El apartamento estaba tal cual lo dejó Alma, porque Lupita Farías decidió no hacer aseo hasta que la familia lo abandonara. Los escasos muebles, comprados para ese espacio reducido con ánimo utilitario, más que decorativo, irían a dar a la Tienda de los Objetos Olvidados, excepto el sillón color albaricoque, donde habían transcurrido los últimos años del gato, que Irina decidió dar a Cathy porque siempre le había gustado. Puso la ropa en maletas, los pantalones anchos, las túnicas de lino, los chalecos largos de lana de vicuña, las bufandas de seda, preguntándose quién heredaría todo eso, deseando ser alta y fuerte como Alma para usar su ropa, ser como ella para pintarse los labios rojos y perfumarse con su colonia viril de bergamota y naranja. El resto lo puso en cajas, que el chofer de los Belasco recogería más tarde. Allí estaban los álbumes que resumían la vida de Alma, documentos, algunos libros, el cuadro lúgubre de Topaz y muy poco más. Se dio cuenta de que Alma había preparado su partida con la seriedad que la caracterizaba, se había desprendido de lo superfluo para quedarse sólo con lo indispensable, había puesto en orden sus pertenencias y sus recuerdos. En la semana del *shiva* Irina había tenido tiempo de llorarla, pero en esa tarea de acabar con su presencia en Lark House volvió a despedirse; fue como enterrarla de nuevo. Acongojada, se sentó en medio de las cajas y maletas y abrió el bolso que Alma siempre llevaba en sus escapadas, que la policía recuperó del Smartcar destrozado y que ella trajo del hospital. Dentro estaban sus camisas finas, su loción, sus cremas, un par de mudas y el retrato de Ichimei en el marco de plata. El vidrio estaba partido. Con cuidado retiró los pedazos y sacó la fotografía, despidiéndose también de ese enigmático amante. Y entonces le cayó en el regazo una carta, que Alma había guardado detrás de la fotografía.

En eso estaba, cuando alguien empujó la puerta entreabierta y asomó tímidamente la cabeza. Era Kirsten. Irina se puso de pie y la mujer la abrazó con el entusiasmo que siempre ponía en sus saludos.

—¿Dónde está Alma? —preguntó.

—En el cielo —fue la única respuesta que se le ocurrió a Irina.

—¿Cuándo vuelve?

—No va a volver, Kirsten.

—¿Nunca más?

—No.

Una sombra de tristeza o preocupación pasó fugazmente por el rostro inocente de Kirsten. Se quitó los lentes, los limpió con el borde de su camiseta, volvió a ponérselos y acercó la cara a Irina, para verla mejor.

—¿Prometes que no va a volver?

—Te lo prometo. Pero aquí tienes muchos amigos, Kirsten, todos te queremos mucho.

La mujer le hizo una seña de que esperara y se alejó por el

pasillo con su bamboleo de pies planos en dirección a la casa del magnate del chocolate, donde estaba la clínica del dolor. Regresó a los quince minutos con su mochila a la espalda, jadeando por la prisa, que su corazón demasiado grande no soportaba bien. Cerró la puerta del apartamento, le puso el cerrojo, corrió las cortinas con sigilo y le hizo a Irina el gesto de callar con un dedo en los labios. Finalmente le pasó su mochila y aguardó con las manos en la espalda y una sonrisa de complicidad, balanceándose en los talones. «Para ti», le dijo.

Irina abrió la mochila, vio los paquetes sujetos con elásticos y supo de inmediato que eran las cartas que Alma había recibido regularmente y que tanto habían buscado Seth y ella, las cartas de Ichimei. No estaban perdidas para siempre en la caja de seguridad de un banco, como habían temido, sino en el lugar más seguro del mundo, la mochila de Kirsten. Irina comprendió que Alma, al verse moribunda, había relevado a Kirsten de la responsabilidad de guardarlas y le indicó a quién entregárselas. ¿Por qué a ella? ¿Por qué no a su hijo o a su nieto, sino a ella? Lo interpretó como el mensaje póstumo de Alma, su manera de decirle cuánto la quería, cuánto confiaba en ella. Sintió que algo dentro del pecho se le rompía con el sonido de un cántaro de greda al quebrarse y su corazón agradecido crecía, se ensanchaba, palpitaba como una anémona translúcida en el mar. Ante esa prueba de amistad se supo respetada como en los tiempos de la inocencia; los engendros de su pasado empezaron a retroceder y el espantoso poder de los vídeos de su padrastro se fue reduciendo a su dimensión real: carroña para seres anónimos, sin identidad ni alma, impotentes.

—Dios mío, Kirsten. Imagínate, llevo más de media vida con miedo de nada.

—Para ti —repitió Kirsten, señalando el contenido de su mochila volcado en el suelo.

Esa tarde, cuando Seth regresó a su apartamento, Irina le echó los brazos al cuello y lo besó con una alegría nueva, que en esos días de duelo parecía poco apropiada.

—Tengo una sorpresa para ti, Seth —le anunció.

—Yo también. Pero dame la tuya primero.

Impaciente, Irina lo guió a la mesa de granito de la cocina, donde estaban los paquetes de la mochila.

—Son las cartas de Alma. Te estaba esperando para abrirlas.

Los paquetes estaban marcados del uno al once. Contenían diez sobres cada uno, excepto el primero, con seis cartas y algunos dibujos. Se sentaron en el sofá y les echaron una ojeada en el orden en que su dueña los había dejado. Eran ciento catorce misivas, algunas breves, otras más extensas, unas más informativas que otras, firmadas simplemente Ichi. Las del primer sobre, escritas a lápiz en hojas de cuaderno, con letra infantil, eran de Tanforan y Topaz y estaban tan censuradas que se perdía el significado. En los dibujos ya se vislumbraba el estilo depurado de trazos firmes del cuadro que había acompañado a Alma en Lark House. Se necesitarían varios días para leer esa correspondencia, pero en el repaso somero que hicieron vieron que el resto de las cartas estaba fechado en distintos momentos a partir de 1969; eran cuarenta años de correspondencia irregular con una constante: eran mensajes de amor.

—También encontré una carta fechada en enero de 2010 detrás del retrato de Ichimei. Pero todas estas cartas son antiguas y están dirigidas a la casa de los Belasco en Sea Cliff. ¿Dónde están las que recibió en Lark House en los últimos tres años?

—Creo que son éstas, Irina.

—No te entiendo.

—Mi abuela coleccionó durante una vida las cartas de Ichimei que recibía en Sea Cliff, porque allí vivió siempre. Después, cuando se trasladó a vivir a Lark House, comenzó a enviarse las cartas a sí misma cada cierto tiempo, una a una, en los sobres amarillos que tú y yo vimos. Las recibía, las leía y las atesoraba como si fueran frescas.

—¿Por qué iba a hacer algo así, Seth? Alma estaba en sus cabales. Nunca dio muestras de senilidad.

—Eso es lo extraordinario, Irina. Lo hizo con plena consciencia y con sentido práctico para mantener viva la ilusión del gran amor de su vida. Esa vieja, que parecía hecha de material blindado, en el fondo era una incurable romántica. Estoy seguro de que también se enviaba las gardenias semanales y que sus escapadas no eran con su amante; se iba sola a la cabaña de Point Reyes a revivir los encuentros del pasado, a soñarlos, ya que no podía compartirlos con Ichimei.

—¿Por qué no? Venía de estar allí con él cuando ocurrió el accidente. Ichimei fue al hospital a despedirse de ella, lo vi besarla, sé que se amaban, Seth.

—No puedes haberlo visto, Irina. Me extrañó que ese hombre no se diera por enterado del fallecimiento de mi abuela, ya que la noticia salió en los periódicos. Si la quería tanto como creemos, tendría que haberse presentado en el funeral o habernos dado sus condolencias en el *shiva*. Decidí buscarlo hoy mismo, quería conocerlo y salir de algunas dudas sobre mi abuela. Fue muy fácil, sólo tuve que presentarme en el vivero de los Fukuda.

—¿Todavía existe?

—Sí. Lo maneja Peter Fukuda, uno de los hijos de Ichimei. Cuando le dije mi apellido me recibió muy bien, porque sabía de la familia Belasco, y fue a llamar a su madre, Delphine. La señora es muy amable y bonita, tiene uno de esos rostros asiáticos que parecen no envejecer.

—Es la esposa de Ichimei. Alma nos contó que la conoció en el funeral de tu bisabuelo.

—No es la esposa de Ichimei, Irina, es la viuda. Ichimei murió de un infarto hace tres años.

—¡Eso es imposible, Seth! —exclamó ella.

—Murió más o menos en la época en que mi abuela se fue a vivir a Lark House. Tal vez ambas cosas están relacionadas. Creo que esa carta de 2010, la última que Alma recibió, fue su despedida.

—¡Yo vi a Ichimei en el hospital!

—Viste lo que deseabas ver, Irina.

—No, Seth. Estoy segura de que era él. Esto es lo que sucedió: de tanto amar a Ichimei, Alma logró que viniera a buscarla.

8 de enero de 2010

¡Qué exuberante y alborotado es el universo, Alma! Gira y gira. La única constante es que todo cambia. Es un misterio que sólo podamos apreciarlo desde la quietud. Estoy viviendo una etapa muy interesante. Mi espíritu contempla con fascinación los cambios en mi cuerpo, pero esa contemplación no es desde un punto distante, sino desde dentro. Mi espíritu y mi cuerpo están juntos en este proceso. Ayer me decías que echas de menos la ilusión de inmortalidad de la juventud. Yo no. Estoy disfrutando mi realidad de hombre maduro, por no decir viejo. Si me fuera a morir dentro de tres días, ¿qué pondría en esos días? ¡Nada! Me vaciaría de todo menos del amor.

Hemos dicho muchas veces que amarnos es nuestro destino, nos amamos en vidas anteriores y seguiremos encontrándonos en vidas futuras. O tal vez no hay pasado ni futuro y todo sucede simultáneamente en las infinitas dimensiones del universo. En ese caso estamos juntos constantemente, para siempre.

Es fantástico estar vivo. Todavía tenemos diecisiete años, Alma mía.

Ichi

El papel utilizado para la impresión de este libro
ha sido fabricado a partir de madera
procedente de bosques y plantaciones
gestionados con los más altos estándares ambientales,
garantizando una explotación de los recursos
sostenible con el medio ambiente
y beneficiosa para las personas.
Por este motivo, Greenpeace acredita que
este libro cumple los requisitos ambientales y sociales
necesarios para ser considerado
un libro «amigo de los bosques».
El proyecto «Libros amigos de los bosques» promueve
la conservación y el uso sostenible de los bosques,
en especial de los Bosques Primarios,
los últimos bosques vírgenes del planeta.

Papel certificado por el Forest Stewardship Council®

M H Roach

THE MACMILLAN COMPANY
NEW YORK · BOSTON · CHICAGO
DALLAS · SAN FRANCISCO

MACMILLAN & CO., LIMITED
LONDON · BOMBAY · CALCUTTA
MELBOURNE

THE MACMILLAN CO. OF CANADA, LTD.
TORONTO

The Tudor Shakespeare is published in thirty-nine volumes, including all of the plays and poems, each under the special editorship of an American scholar. The general editors are WILLIAM ALLAN NEILSON, Ph.D., LL.D., President of Smith College, and ASHLEY HORACE THORNDIKE, Ph.D., L.H.D., of Columbia University.

Romeo and Juliet — The GENERAL EDITORS.

A Midsummer-Night's Dream — JOHN W. CUNLIFFE, D.Lit., Professor of English, Columbia University.

Macbeth — ARTHUR C. L. BROWN, Ph.D., Professor of English, Northwestern University.

Henry IV, Part I — FRANK W. CHANDLER, Ph.D., Professor of English and Comparative Literature, University of Cincinnati.

Troilus and Cressida — JOHN S. P. TATLOCK, Ph.D., Professor of English, University of Michigan.

Henry V — LEWIS F. MOTT, Ph.D., Professor of English, College of the City of New York.

The Merchant of Venice — HARRY M. AYRES, Ph.D., Assistant Professor of English, Columbia University.

As You Like It — MARTHA H. SHACKFORD, Ph.D., Associate Professor of English Literature, Wellesley College.

Coriolanus — STUART P. SHERMAN, Ph.D., Professor of English, University of Illinois.

Henry VI, Part I — LOUISE POUND, Ph.D., Assistant Professor of English, University of Nebraska.

Henry VIII — CHARLES G. DUNLAP, Litt.D., Professor of English Literature, University of Kansas.

Comedy of Errors — FREDERICK MORGAN PADELFORD, Ph.D., Professor of English, University of Washington.

King John — HENRY M. BELDEN, Ph.D., Professor of English, University of Missouri.

King Lear — VIRGINIA C. GILDERSLEEVE, Ph.D., Dean of Barnard College.

Much Ado About Nothing — WILLIAM W. LAWRENCE, Ph.D., Associate Professor of English, Columbia University.

Love's Labour's Lost — JAMES F. ROYSTER, Ph.D., Professor of English, University of North Carolina.

Henry IV, Part II — ELIZABETH DEERING HANSCOM, Ph.D., Professor of English, Smith College.

Richard III — GEORGE B. CHURCHILL, Ph.D., Professor of English, Amherst College.

James the First

After the portrait by Paul van Somer

THE TUDOR SHAKESPEARE

The Winter's Tale

EDITED BY

LAURA J. WYLIE, Ph.D.

PROFESSOR OF ENGLISH IN VASSAR COLLEGE

New York
The Macmillan Company
1924

Introduction

Text. — *The Winter's Tale* was first published in the Folio of 1623, where it stands last among the comedies. There is no quarto edition of it, nor any mention of it in the Stationers' Register before that year. It is printed with remarkable care and intelligence, the text, in spite of involved constructions and frequent obscurity, being unusually accurate.

Date of Composition. — The first known reference to this play is Dr. Simon Forman's note in his *Booke of Plaies* that he was present at a performance of *The Winter's Tale* at the Globe Theater, May 15, 1611. That it was then comparatively new appears probable from an entry in the *Office Book* of Sir Henry Herbert, Master of the Revels, which reads: "For the king's players. An olde playe called Winters Tale, formerly allowed of by Sir George Bucke . . . ; this 19th of August, 1623." Sir George Buc, though he is known to have licensed plays earlier, was appointed to office in August, 1610; and there is hence a strong likelihood that he licensed *The Winter's Tale* in the latter part of that year or the beginning of 1611. A date early in 1611 is suggested for its first performance by the plausible supposition that the dance of the twelve satyrs (IV. iv. 345–346), "one three" of whom had "danc'd before the King," was borrowed from the anti-masque in Jonson's *Masque of Oberon,* performed at

court on the first of January of that year.[1] All internal
tests confirm the external evidence that would place this
among the latest plays written by Shakespeare. Its
condensed thought and frequently strained language,
"the lawless pliancy" of the verse, the absence of rhym-
ing couplets, the run-on lines, the large proportion of
light and weak endings, indicate unmistakably the late
date of the play and further justify us in accepting it as
belonging to the early part of 1611 or the end of 1610.

Source of the Plot. . — Shakespeare took the plot of
The Winter's Tale directly from Robert Greene's *Pandosto: The Triumph of Time,* "wherein," according to
the title, "is discovered by a pleasant Historie, that
although by the meanes of sinister fortune Truth may be
concealed, yet by Time in spight of fortune it is most mani-
festly revealed." This romance, in which Greene paid
both Sidney and Lyly the tribute of imitation, became im-
mensely popular. A third edition of it was issued in 1609,
and after 1636 it was frequently published as *The History
of Dorastus and Fawnia,* as well as under the original
title. The story continued to be printed, most frequently
as a chap-book, till almost the end of the eighteenth century, appearing in all in fourteen or more editions. The
fact that it was paraphrased in Sabie's *Fisher's Tale* in
1595 and in *Fortune's Tennis Ball,* written about 1656, is
still further proof of its popularity. Its success was even
more remarkable abroad than at home. It was translated
from English into French in 1615, 1626, and 1722; and

[1] See *The Influence of Beaumont and Fletcher on Shakespeare.*
A. H. Thorndike, 1901, pp. 32–35.

the story in its French form gave the subjects for two dramas, La Serre's *Pandoste, ou la Princesse malheureuse* (1631), and a lost play by Hardy of which we have left only the sketches for the stage scenery made by the director. Its influence extended, indeed, far beyond France; it was not only the original of the Dutch play *Alcinea,* but appears again and again as a possible source of drama or legend.

Shakespeare made many changes in Greene's story. The characters are all renamed; Mopsa, a name possibly borrowed by Greene from the *Arcadia,* is kept by Shakespeare, but bestowed on a character invented by him. Bohemia and Sicily are interchanged, Greene's Pandosto (Leontes) being King of Bohemia, and Egistus (Polixenes) King of Sicily. The action is modified in many particulars. Perdita (Fawnia) is exposed on a desert shore instead of being put to sea in a boat, a change that allows for the invention both of Antigonus and of the bear that devoured him. Leontes sends to the oracle, whereas in the story Bellaria (Hermione) implores that it be consulted; yet Pandosto accepts the answer at once, while Leontes refuses to believe the oracle till its truth is proved by the death of Mamillius (Garinter) and the supposed death of his wife. Hermione, instead of dying heartbroken on hearing of the death of her son, as in Greene, is saved by a romantic miracle of friendship. For Mopsa, the Shepherd's wife, Shakespeare substitutes the Clown. While Dorastus is helped in his flight by a servant (Capnio), Florizel depends on Camillo (Franion) and Autolycus. Florizel on reaching Sicily at once declares himself the son of Polixenes, whereas Dorastus conceals his name and is thrown into prison. Leontes, true to the memory of the lost Hermione, sees in Perdita only the reminder of her; while Pandosto first falls in love with his unknown daughter, and after the recognition and the reconciliation of the Prince with his father, puts an end to his own life. The restoration of Hermione is, of course, Shakespeare's, and the statue scene with its striking dramatic possibilities makes her rather than Perdita and Florizel the center of interest in the happy ending of the play.

The changes made by Shakespeare in the framework of his story are all such as allow for the fuller development and freer play of individuality, and the characters invented by him are accordingly even more significant as increasing the human interest than for their part in carrying on the action. Paulina and, in less degree, Antigonus and Emilia are not only singularly outspoken in their loyalty, but singularly realistic even among Shakespeare's more realistic characters; Dorcas, Mopsa, and the Clown add an uncouth but genuine rusticity to the Arcadian wooing; Autolycus, prince of rogues and good fellows, moralizes life in the familiar vocabulary of his profession. The characters borrowed or inherited by Shakespeare are given by his treatment an individuality before undreamed of. Leontes appears as the almost insane victim of ignoble passions; Mamillius becomes the most real and perhaps the most winning of Shakespeare's children; Perdita is the very incarnation of the poetry of youth; Hermione is perfect in simplicity and dignity.

And these fundamental changes are the more noticeable because Shakespeare clings to his original in many matters of detail. The Shepherd, when he finds the little Perdita, is looking for the sheep that in the play, as in the story, are by the seaside, browsing on ivy. Though the kingdoms of Bohemia and Sicily are interchanged, Bohemia still keeps its apocryphal seacoast; and Delphos remains an island. In dramatizing the story Shakespeare, in fact, not only accepted its incongruities, but delighted to heighten them; and in the statue scene he certainly outdid them all "by devising a closing situation, theatrically effective, indeed, but more defiant of likelihood than anything in his source."

Other Sources or Parallels. — Though the claims made for other sources of *The Winter's Tale* are inconclusive, a few are interesting for their probability or for the light they throw on some phase of Shakespeare's work. The Polish history of Duke Ziemovit, supposed to have been brought into England through Russia and to have been known to both Greene and Shakespeare, and the Dutch tale of *Abel spel van Esmoreit* prove at least how widespread in folk-lore and legend were the chief elements of the story that in Greene's handling took on a new lease of popularity. It seems possible that both the novel and the play were directly influenced by the *Amadis de Gaule,* from which Shakespeare is supposed to have taken the name of Florizel and Greene that of Garinter, and parts of which might have suggested something of the atmosphere of the love scenes. Much more definite is the relationship recently pointed out by W. A. Neilson between

Autolycus and Tom Beggar in Robert Wilson's *Three Ladies of London.* The song sung by him and his merry companions on their entrance has the care-free delight in life that marks Autolycus; and the lines —

> Our fingers are lime twigs, and barbers we be
> To catch sheets from hedges most pleasant to see —

remind one of Autolycus's soliloquizing description of his occupation: "My traffic is sheets; when the kite builds look to lesser linen." But the rogue was an important figure in the life of the time, and every characteristic of the inimitable Autolycus can be found in current descriptions of the exploits of the fraternity to which he belonged.

In his choice of title for *The Winter's Tale,* Shakespeare, though he followed no one example, was distinctly speaking in the fashion of his time. That he considered it significant is proved by his frequent use of some modification of it, from Mamillius's choice of "a sad tale" as "best for winter" to Paulina's

> That she is living,
> Were it but told you, should be hooted at
> Like an old tale.

But a *winter's tale* or an *old wives' tale,* common expressions for a story of marvels, had already suggested a parallel title for Peele's *Old Wives' Tale,* printed in 1595 and a favorite of the stage for several years. A play called *A Wynters nightes pastime* was entered in the Stationers' Register for 1594; and the *Noches de Invierno,* a volume of Spanish tales published in 1609–1610, though it may not have been known to Shakespeare, offers an interesting parallel to his title. Even more strikingly in the current literary and dramatic mode was his use of the statue for the *dénouement* of the play. In Lope de Vega's *El Marmol de Felisardo,* the likeness of which to *The Winter's Tale* has been much dwelt upon, the Prince obtains his father's consent to marry a statue, which is, of course, his disguised love; in Lyly's *Woman in the Moon* (1597) a statue is brought to life, and in *The Tryall by Chivalry* (1605) the Prince of Navarre wins the lady of his choice, when, impersonating his own statue, he hears her protestations of penitence and love. Marston's *Metamorphosis of Pigmalion's Image* (1598) was extremely popular, and perhaps left its impress both on *The Winter's Tale* and on *The Tryall by Chivalry.*

Stage History. — The first recorded performance of the play took place on May 15, 1611. It was repeated in November of the same year, was played before the King in 1612–1613, was performed in 1624, and again in 1634, when it is recorded that it was "likt" by the courtly audience. To this first period of relative popularity there succeeded a long eclipse. Its wild adventure and loose structure were inevitably baffling even to the best critics of the next generations; and when it was revived at Goodman's Fields in January, 1741, it was announced as not having been played for nearly one hundred years. It was apparently then given in something like the form in which Shakespeare wrote it, and was enough of a success to be repeated in the same year and to be presented at Covent Garden in that year and the next. In 1754, when the

Shakespeare play was again revived for a short time, Morgan's version of it, known as *Florizel and Perdita, or The Sheep-Shearing*, was put on the stage. But this version was entirely superseded, as it deserved to be, by Garrick's production in 1756 of *A Comedy Altered from Shakespeare*, called *The Winter's Tale or Florizel and Perdita*. "Shakespeare was Garrick's God," says an acute critic, "but a god whom he took under his protection." And certainly the actor-manager of the eighteenth century frankly adapted the work of his deity to the popular taste. He kept only the last half of the play, the first being given in the opening scene by conversation; and even the part that he retained was altered by a few additions, subtractions, and substitutions. But there can be no doubt that Garrick was sincere in the loyalty he professed to the poet: —

> 'Tis my chief   ish, my joy, my only plan,
> To lose no drop of that immortal man.

His adaptation was cordially, even enthusiastically, welcomed by such admirers of Shakespeare as the great Warburton; and, unquestionably, by familiarizing the public with a part of it as well as by his admirable acting, he laid the foundations for a later more intelligent appreciation of the play. *Florizel and Perdita* kept the stage for about forty years, being last performed in London in 1795, and in New York in 1796.

Between the production of *Florizel and Perdita* and the close of the century the Shakespearean play was performed only once. But since the beginning of the nineteenth cen-

ty to the actual in character is nowhere more
an in Hermione. The victim of strange for-
with a story as romantically unreal as that of
ale, she is yet as fully individualized a person-
en Cleopatra or Lady Macbeth; and the radiant
of her character, which forms the central
the end as of the beginning of the play, is per-
more lustrous for its contrast with the wild
f her story.

tury, *The Winter's Tale,* though almost always in an
adapted form, has been frequently put upon the stage. In
Kemble's presentation of it in Drury Lane in 1802, he
himself took the part of Leontes; and Mrs. Siddons, in
her wonderful interpretation of Hermione in the statue
scene, first revealed its full measure of enchantment.
In 1856 Charles Keene, in what Sir Henry Irving records
as perhaps the most famous of all presentations of the
play, attempted to present it with complete archeological
correctness. It was announced as a Greek play, and was
in every part as consistently Greek in character as study
could make it: the scene was laid in Syracuse, and Bohemia was, for the sake of accuracy, changed to Bithynia;
the actors in the opening scene reclined as at a Greek
banquet, with slaves and music girls in attendance;
Time was represented by Cronus, and the Sheep-Shearing
feast was introduced by a dance of satyrs in honor of
Bacchus; a Pyrrhic dance and music as nearly Greek as
possible were among its most noted features. Though
such a presentation was an "archeological absurdity"
and totally misrepresented the spirit of the play, its scenes
were in themselves effective and beautiful. It is interesting to notice that Miss Terry, who fifty years later
appeared in Mr. Tree's presentation as Hermione, made
her first appearance on the stage as the boy Mamillius.

Few of the many later revivals of *The Winter's Tale* have
been of marked significance. In 1887 Mary Anderson
made a new departure by playing the double rôle of Hermione and Perdita, an attempt condemned by most critics
in spite of the beauty of the presentation and its great

popularity. The most interesting experiment of recent years has been the adoption of a simpler staging, in the attempt to reproduce in some degree the effect of the Elizabethan theater, by the Ben Greet players in 1895, by the actors of the New Theater in New York in 1910, and by the members of the Oxford University Dramatic Society and the British Empire Shakespeare Society in 1911.

The stage history of *The Winter's Tale* on the continent has been brief, and only in Germany and during the last half-century has it been particularly significant. There is no evidence that it was performed by the English actors who visited that country in the sixteenth and seventeenth centuries; the tradition of its performance in 1695 remains a tradition, and its supposed influence can with greater probability be traced to the French version of *Pandosto* or to some other source. But since Dingelstedt presented his adaptation of it in 1861, it has not only been performed every year in Germany, but has been one of the most popular plays in that Shakespeare-loving country.

Interpretation. — No play of Shakespeare's shows more plainly than *The Winter's Tale* the imaginative license and the profound understanding of human nature that were characteristic of the last years of his dramatic career. It is compact of marvels and contradictions. A courtier is devoured by a bear; a shepherdess turns out to be a princess in disguise; a statue comes to life; a capricious tyrant continues for sixteen years a remorseful penitent. Its geography and chronology defy

criticism. Delphi is an isl
Puritans are singing " psa
Romano makes a statue; wh
of Apollo, and Paulina ba
second marriage on the a
from the limitations of time
scenes in which it is laid.
connected halves; perhap
nected plays, the second t
arated from it by sixteen
romantic fairyland we me
lifelike than any we kno
sharply accentuated by co
roundings. Appearing he
demands, they leave the
on our mind. Polixenes
shadow; Leontes, even in
to the realm of pathology
as a whole are singularl
And this reality appears n
less Shepherd and the wil
young hero and heroine,
as they are. Perdita, ever
shearing feast, tempers th
thing of her mother's ser
Florizel meets the rebuff
ness: —

     Why look
I am but sorry, n
But nothing alt'r

This fideli
marked th
tunes, and
any fairy t
ality as ev
loveliness
beauty of
haps the
romance o

The Winter's Tale

Things work out in a nice way by chance.

Perhaps S. as critics say is physically tired of writing tragedy.

[DRAMATIS PERSONÆ]

LEONTES, King of Sicilia.
MAMILLIUS, young prince of Sicilia.
CAMILLO,
ANTIGONUS,
CLEOMENES, } lords of Sicilia.
DION,
POLIXENES, King of Bohemia.
FLORIZEL, prince of Bohemia.
ARCHIDAMUS, a lord of Bohemia.
Old Shepherd, reputed father of Perdita.
Clown, his son.
AUTOLYCUS, a rogue. — *most colorful.*
[A Mariner.]
[A Gaoler.]

HERMIONE, queen to Leontes.
PERDITA, daughter to Leontes and Hermione.
PAULINA, wife to Antigonus.
EMILIA, a lady [attending on Hermione].
[MOPSA,
[DORCAS, } shepherdesses.]

[TIME, as Chorus.]

Other Lords and Gentlemen [Ladies, Officers] and Servants, Shepherds, and Shepherdesses.

[SCENE: *Sicilia and Bohemia.*]

2

The Winter's Tale

ACT FIRST

SCENE I

[Sicilia.   Ante-chamber in the palace of Leontes.]

Enter Camillo and Archidamus.

Arch. If you shall chance, Camillo, to visit Bohemia on the like occasion whereon my services
are now on foot, you shall see, as I have said,
great difference betwixt our Bohemia and your
Sicilia.   5

Cam. I think, this coming summer, the King of
Sicilia means to pay Bohemia the visitation
which he justly owes him.

Arch. Wherein our entertainment shall shame us
we will be justified in our loves ; for indeed —   10

Cam. Beseech you, —

Arch. Verily, I speak it in the freedom of my
knowledge. We cannot with such magnifi-
cence — in so rare — I know not what to say.

We will give you sleepy drinks, that your 15
senses, unintelligent of our insufficience, may,
though they cannot praise us, as little accuse us.

Cam. You pay a great deal too dear for what's
given freely.

Arch. Believe me, I speak as my understanding 20
instructs me and as mine honesty puts it to
utterance.

Cam. Sicilia cannot show himself over-kind to
Bohemia. They were train'd together in their
childhoods; and there rooted betwixt them 25
then such an affection, which cannot choose
but branch now. Since their more mature
dignities and royal necessities made separation
of their society, their encounters, though not
personal, hath been royally attorneyed with 30
interchange of gifts, letters, loving embassies;
that they have seem'd to be together, though
absent; shook hands, as over a vast; and
embrac'd, as it were, from the ends of opposed
winds. The heavens continue their loves! 35

Arch. I think there is not in the world either
malice or matter to alter it. You have an
unspeakable comfort of your young prince
Mamillius. It is a gentleman of the greatest
promise that ever came into my note. 40

Cam. I very well agree with you in the hopes of
him. It is a gallant child; one that indeed

physics the subject, makes old hearts fresh.
They that went on crutches ere he was born
desire yet their life to see him a man.   45

Arch. Would they else be content to die?

Cam. Yes; if there were no other excuse why they
should desire to live.

Arch. If the King had no son, they would desire to
live on crutches till he had one.   50

Exeunt.

SCENE II

[A room of state in the same.]

*Enter Leontes, Hermione, Mamillius, Polixenes, Camillo
[and Attendants].*

Pol. Nine changes of the watery star hath been
The shepherd's note since we have left our throne
Without a burden; time as long again
Would be fill'd up, my brother, with our thanks,
And yet we should, for perpetuity,   5
Go hence in debt; and therefore, like a cipher,
Yet standing in rich place, I multiply
With one "We thank you" many thousands moe
That go before it.

Leon.   Stay your thanks a while,   9
And pay them when you part.

Pol.   Sir, that's to-morrow.
I am question'd by my fears, of what may chance

*oth. needs proof to make him
jealous. Leon. jealous & will throws
aside evidence of Her. virtue*

Or breed upon our absence; that may blow

No sneaping winds at home, to make us say,

"This is put forth too truly." Besides, I have
  stay'd

To tire your Royalty.

Leon.   We are tougher, brother, 15

Than you can put us to't.

Pol.   No longer stay.

Leon. One seven-night longer.

Pol.   Very sooth, to-morrow.

Leon. We'll part the time between's then; and in that
  I'll no gainsaying.

Pol.   Press me not, beseech you, so.

There is no tongue that moves, none, none i' the
  world,   20

So soon as yours could win me. So it should now,

Were there necessity in your request, although

'Twere needful I deni'd it. My affairs

Do even drag me homeward; which to hinder

Were in your love a whip to me; my stay 25

To you a charge and trouble. To save both,

Farewell, our brother.

Leon.   Tongue-tied our Queen? Speak you.

Her. I had thought, sir, to have held my peace until

You had drawn oaths from him not to stay. You,
  sir,

Charge him too coldly. Tell him, you are sure 30

All in Bohemia's well; this satisfaction

        The by-gone day proclaim'd. Say this to him,
        He's beat from his best ward.

Leon.   Well said, Hermione.

Her. To tell, he longs to see his son, were strong;
        But let him say so then, and let him go;   35
        But let him swear so, and he shall not stay;
        We'll thwack him hence with distaffs.
        Yet of your royal presence I'll adventure
        The borrow of a week. When at Bohemia
        You take my lord, I'll give him my commission 40
        To let him there a month behind the gest
        Prefix'd for 's parting; yet, good deed, Leontes,
        I love thee not a jar o' the clock behind
        What lady she her lord. You'll stay?

Pol.   No, madam.

Her. Nay, but you will?

Pol.   I may not, verily.   45

Her. Verily!
        You put me off with limber vows; but I,
        Though you would seek to unsphere the stars
             with oaths,
        Should yet say, "Sir, no going." Verily,
        You shall not go; a lady's "Verily" 's   50
        As potent as a lord's. Will you go yet?
        Force me to keep you as a prisoner,
        Not like a guest; so you shall pay your fees
        When you depart, and save your thanks. How
            say you?

My prisoner or my guest? By your dread
   "Verily,"   55
One of them you shall be.

Pol.   Your guest, then, madam.
To be your prisoner should import offending,
Which is for me less easy to commit
Than you to punish.

Her.   Not your gaoler, then,
But your kind hostess.   Come, I'll question you
Of my lord's tricks and yours when you were
   boys.   61
You were pretty lordings then?

Pol.   We were, fair Queen,
Two lads that thought there was no more behind
But such a day to-morrow as to-day,
And to be boy eternal.

Her.   Was not my lord   65
The verier wag o' the two?

Pol.   We were as twinn'd lambs that did frisk i' the sun,
And bleat the one at the other.   What we chang'd
Was innocence for innocence; we knew not
The doctrine of ill-doing, no, nor dream'd   70
That any did.   Had we pursu'd that life,
And our weak spirits ne'er been higher rear'd
With stronger blood, we should have answer'd
   Heaven
Boldly, "Not guilty"; the imposition clear'd
Hereditary ours.

Her.   By this we gather   75
    You have tripp'd since.

Pol.   O my most sacred lady!
    Temptations have since then been born to's; for
    In those unfledg'd days was my wife a girl;
    Your precious self had then not cross'd the eyes
    Of my young play-fellow.

Her.   Grace to boot!   80
    Of this make no conclusion, lest you say
    Your Queen and I are devils. Yet go on;
    The offences we have made you do we'll answer,
    If you first sinn'd with us, and that with us
    You did continue fault, and that you slipp'd not
    With any but with us.

Leon.   Is he won yet?   86

Her. He'll stay, my lord.

Leon.   At my request he would not.
    Hermione, my dearest, thou never spok'st
    To better purpose.

Her.   Never?

Leon.   Never, but once.

Her. What! have I twice said well? When was't
       before?   90
    I prithee tell me; cram 's with praise, and make 's
    As fat as tame things. One good deed dying
       tongueless
    Slaughters a thousand waiting upon that.
    Our praises are our wages; you may ride 's

      With one soft kiss a thousand furlongs ere   95
      With spur we heat an acre. But to the goal:
      My last good deed was to entreat his stay;
      What was my first? It has an elder sister,
      Or I mistake you. O, would her name were Grace!
      But once before I spoke to the purpose; when?
      Nay, let me have't; I long.

Leon.   Why, that was when
      Three crabbed months had sour'd themselves to
           death,   102
      Ere I could make thee open thy white hand
      And clap thyself my love; then didst thou utter,
      "I am yours for ever."

Her.   'Tis grace indeed.   105
      Why, lo you now, I have spoke to the purpose
           twice:
      The one for ever earn'd a royal husband;
      The other for some while a friend.

                            [*Gives her hand to Polixenes.*]

Leon.   [*Aside.*] Too hot, too hot!
      To mingle friendship far is mingling bloods.
      I have *tremor cordis* on me; my heart dances, 110
      But not for joy; not joy. This entertainment
      May a free face put on, derive a liberty
      From heartiness, from bounty, fertile bosom,
      And well become the agent; 't may, I grant;
      But to be paddling palms and pinching fingers, 115
      As now they are, and making practis'd smiles,

As in a looking-glass ; and then to sigh, as 'twere
The mort o' the deer ; — O, that is entertainment
My bosom likes not, nor my brows !   Mamillius,
Art thou my boy ?

Mam.   Ay, my good lord.

Leon.   I' fecks !

Why, that's my bawcock.   What, hast smutch'd
     thy nose ?   121
They say it is a copy out of mine.   Come, captain,
We must be neat ; not neat, but cleanly, captain :
And yet the steer, the heifer, and the calf
Are all call'd neat. — Still virginalling   125
Upon his palm ! — How now, you wanton calf !
Art thou my calf ?

Mam.   Yes, if you will, my lord.

Leon. Thou want'st a rough pash and the shoots that
     I have,
To be full like me ; yet they say we are
Almost as like as eggs ; women say so,   130
That will say anything.   But were they false
As o'er-dy'd blacks, as wind, as waters, false
As dice are to be wish'd by one that fixes
No bourn 'twixt his and mine, yet were it true
To say this boy were like me.   Come, sir page, 135
Look on me with your welkin eye.   Sweet villain !
Most dear'st ! my collop !   Can thy dam ? —
     may't be ? —

Affection ! thy intention stabs the centre.

Thou dost make possible things not so held,
Communicat'st with dreams; — how can this
　　be? — 140
With what's unreal thou coactive art,
And fellow'st nothing. Then 'tis very credent
Thou mayst co-join with something; and thou dost,
And that beyond commission, and I find it,
And that to the infection of my brains 145
And hardening of my brows.

Pol. 　　　　　　　　　　What means Sicilia?
Her. He something seems unsettled.
Pol. 　　　　　　　　　　How, my lord!
Leon. What cheer? How is't with you, best brother?
Her. 　　　　　　　　　　You look
As if you held a brow of much distraction.
Are you mov'd, my lord?
Leon. 　　　　　　　　No, in good earnest.
How sometimes nature will betray its folly, 151
Its tenderness, and make itself a pastime
To harder bosoms! Looking on the lines
Of my boy's face, methoughts I did recoil
Twenty-three years, and saw myself unbreech'd
In my green velvet coat, my dagger muzzl'd, 156
Lest it should bite its master, and so prove,
As ornaments oft do, too dangerous.
How like, methought, I then was to this kernel,
This squash, this gentleman. Mine honest friend,
Will you take eggs for money? 161

Proof

Mam. No, my lord, I'll fight.

Leon. You will! Why, happy man be 's dole! My
    brother,
    Are you so fond of your young prince as we
    Do seem to be of ours?

Pol.   If at home, sir,   165
    He's all my exercise, my mirth, my matter,
    Now my sworn friend and then mine enemy,
    My parasite, my soldier, statesman, all.
    He makes a July's day short as December,
    And with his varying childness cures in me   170
    Thoughts that would thick my blood.

Leon.   So stands this squire
    Offic'd with me. We two will walk, my lord,
    And leave you to your graver steps. Hermione,
    How thou lov'st us, show in our brother's wel-
        come;
    Let what is dear in Sicily be cheap.   175
    Next to thyself and my young rover, he's
    Apparent to my heart.

Her.   If you would seek us,
    We are yours i' the garden. Shall 's attend you
      there?

Leon. To your own bents dispose you; you'll be
    found,
    Be you beneath the sky. [*Aside.*] I am angling
    now,   180
    Though you perceive me not how I give line.

Go to, go to!
How she holds up the neb, the bill to him!
And arms her with the boldness of a wife
To her allowing husband!

    [*Exeunt Polixenes, Hermione, and attendants.*]

                Gone already!　185
Inch-thick, knee-deep, o'er head and ears a fork'd
    one!
Go, play, boy, play. Thy mother plays, and I
Play too, but so disgrac'd a part, whose issue
Will hiss me to my grave; contempt and clamour
Will be my knell. Go, play, boy, play. There
    have been,　190
Or I am much deceiv'd, cuckolds ere now;
And many a man there is, even at this present,
Now while I speak this, holds his wife by the arm,
That little thinks she has been sluic'd in 's ab-
    sence
And his pond fish'd by his next neighbour, by　195
Sir Smile, his neighbour. Nay, there's comfort
    in 't
Whiles other men have gates, and those gates
    open'd,
As mine, against their will. Should all despair
That have revolted wives, the tenth of mankind
Would hang themselves. Physic for't there is
    none.　200
It is a bawdy planet, that will strike

Where 'tis predominant; and 'tis powerful, think it,
From east, west, north, and south. Be it concluded,
No barricado for a belly; know't;
It will let in and out the enemy   205
With bag and baggage. Many thousand on 's
Have the disease, and feel't not. How now, boy!

Mam. I am like you, they say.

Leon.   Why, that's some comfort.
What, Camillo there?

Cam. Ay, my good lord.   210

Leon. Go play, Mamillius; thou'rt an honest man.

                                    [Exit Mamillius.]

Camillo, this great sir will yet stay longer.

Cam. You had much ado to make his anchor hold.
When you cast out, it still came home.

Leon.   Didst note it?

Cam. He would not stay at your petitions; made 215
His business more material.

Leon.   Didst perceive it?

[Aside.] They're here with me already, whispering,
    rounding,
"Sicilia is a so-forth." 'Tis far gone,
When I shall gust it last. How came't, Camillo,
That he did stay?

Cam.   At the good Queen's entreaty.

Leon. At the Queen's be't; "good" should be perti-
    nent;
                                        221
But, so it is, it is not. Was this taken

By any understanding pate but thine?
For thy conceit is soaking, — will draw in
More than the common blocks. Not noted, is't, 225
But of the finer natures? By some severals
Of head-piece extraordinary? Lower messes
Perchance are to this business purblind? Say.

Cam. Business, my lord! I think most understand
Bohemia stays here longer.

Leon.   Ha!

Cam.   Stays here longer.

Leon. Ay, but why?   231

Cam. To satisfy your Highness and the entreaties
Of our most gracious mistress.

Leon.   Satisfy!
The entreaties of your mistress! Satisfy!   234
Let that suffice. I have trusted thee, Camillo,
With all the nearest things to my heart, as well
My chamber-councils, wherein, priest-like, thou
Hast cleans'd my bosom, I from thee departed
Thy penitent reform'd; but we have been
Deceiv'd in thy integrity, deceiv'd   240
In that which seems so.

Cam.   Be it forbid, my lord!

Leon. To bide upon't, thou art not honest, or,
If thou inclin'st that way, thou art a coward,
Which hoxes honesty behind, restraining
From course requir'd; or else thou must be
        counted   245

3 A servant grafted in my serious trust
4 And therein negligent; or else a fool
That seest a game play'd home, the rich stake
    drawn,
And tak'st it all for jest.

Cam.   My gracious lord,
7 I may be negligent, foolish, and fearful;   250
In every one of these no man is free
But that his negligence, his folly, fear,
Among the infinite doings of the world,
Sometime puts forth. In your affairs, my lord,
If ever I were wilful-negligent,   255
It was my folly; if industriously
I play'd the fool, it was my negligence,
Not weighing well the end; if ever fearful
To do a thing, where I the issue doubted,
Whereof the execution did cry out   260
Against the non-performance, 'twas a fear
Which oft infects the wisest: these, my lord,
Are such allow'd infirmities that honesty
Is never free of. But, beseech your Grace,
Be plainer with me; let me know my trespass 265
By its own visage. If I then deny it,
'Tis none of mine.

Leon.   Ha' not you seen, Camillo, —
But that's past doubt, you have, or your eye-glass
Is thicker than a cuckold's horn, — or heard, —
For to a vision so apparent rumour   270

    c

Cannot be mute, — or thought, — for cogitation
Resides not in that man that does not think, —
My wife is slippery ? If thou wilt confess,
Or else be impudently negative,
To have nor eyes nor ears nor thought, then say
My wife's a hobby-horse, — deserves a name   276
As rank as any flax-wench that puts to
Before her troth-plight : say't and justify't.

Cam. I would not be a stander-by to hear
My sovereign mistress clouded so, without   280
My present vengeance taken. Shrew my heart,
You never spoke what did become you less
Than this ; which to reiterate were sin
As deep as that, though true.

Leon.   Is whispering nothing ?
Is leaning cheek to cheek ? Is meeting noses ? 285
Kissing with inside lip ? stopping the career
Of laughter with a sigh ? — a note infallible
Of breaking honesty ; — horsing foot on foot ?
Skulking in corners ? wishing clocks more swift ?
Hours, minutes ? noon, midnight ? and all eyes 290
Blind with the pin-and-web but theirs, theirs only,
That would unseen be wicked ? Is this nothing ?
Why, then the world and all that's in't is nothing ;
The covering sky is nothing ; Bohemia nothing ;
My wife is nothing ; nor nothing have these noth-
       ings,   295
If this be nothing.

[Handwritten margin note: Compare to Oth. demand for absolute proof.]

Cam.   Good my lord, be cur'd

  > Of this diseas'd opinion, and betimes ;

     For 'tis most dangerous.

Leon.   Say it be, 'tis true.

Cam.   No, no, my lord.

Leon.   It is ; you lie, you lie !

     I say thou liest, Camillo, and I hate thee,   300

     Pronounce thee a gross lout, a mindless slave,

     Or else a hovering temporizer, that

     Canst with thine eyes at once see good and evil,

     Inclining to them both.   Were my wife's liver

     Infected as her life, she would not live   305

     The running of one glass.

Cam.   Who does infect her ?

Leon.   Why, he that wears her like her medal, hanging

     About his neck, Bohemia ; who, if I

     Had servants true about me, that bare eyes

     To see alike mine honour as their profits,   310

     Their own particular thrifts, they would do that

     Which should undo more doing ; ay, and thou,

     His cup-bearer, — whom I from meaner form *lower rank*

     Have bench'd and rear'd to worship, who mayst see

     Plainly as heaven sees earth and earth sees heaven,

     How I am gall'd, — mightst bespice a cup,   316

     To give mine enemy a lasting wink ;

     Which draught to me were cordial.

Cam.   Sir, my lord,

     I could do this, and that with no rash potion,

But with a lingering dram that should not work
Maliciously like poison; but I cannot   321
Believe this crack to be in my dread mistress,
So sovereignly being honourable.
I have lov'd thee, —

Leon.   Make that thy question, and go rot!
Dost think I am so muddy, so unsettled,   325
To appoint myself in this vexation, sully
The purity and whiteness of my sheets,
Which to preserve is sleep, which being spotted
Is goads, thorns, nettles, tails of wasps,
Give scandal to the blood o' the Prince my son,
Who I do think is mine and love as mine,   331
Without ripe moving to't? Would I do this?
Could man so blench?

Cam.   I must believe you, sir;
I do; and will fetch off Bohemia for't;
Provided that, when he's removed, your Highness
Will take again your queen as yours at first,   336
Even for your son's sake; and thereby forsealing
The injury of tongues in courts and kingdoms
Known and allied to yours.

Leon.   Thou dost advise me
Even so as I mine own course have set down.   340
I'll give no blemish to her honour, none.

Cam. My lord,
Go then; and with a countenance as clear
As friendship wears at feasts, keep with Bohemia

And with your queen.   I am his cupbearer: 345
If from me he have wholesome beverage,
Account me not your servant.

Leon.   This is all.
Do't and thou hast the one half of my heart;
Do't not, thou split'st thine own.

Cam.   I'll do't, my lord.

Leon.   I will seem friendly, as thou hast advis'd me. 350

                                   Exit.

Cam.   O miserable lady!   But, for me,
What case stand I in?   I must be the poisoner
Of good Polixenes; and my ground to do't
Is the obedience to a master, one
Who in rebellion with himself will have   355
All that are his so too.   To do this deed,
Promotion follows.   If I could find example
Of thousands that had struck anointed kings
And flourish'd after, I'd not do't; but since
Nor brass nor stone nor parchment bears not one,
Let villainy itself forswear't.   I must   361
Forsake the court.   To do't, or no, is certain
To me a break-neck.   Happy star reign now!
Here comes Bohemia.

Re-enter Polixenes.

Pol.   This is strange; methinks
My favour here begins to warp.   Not speak!   365
Good day, Camillo.

Cam. Hail, most royal sir!

Pol. What is the news i' the court?

Cam. None rare, my lord.

Pol. The King hath on him such a countenance
As he had lost some province and a region
Lov'd as he loves himself.   Even now I met him
With customary compliment; when he,   371
Wafting his eyes to the contrary and falling
A lip of much contempt, speeds from me, and
So leaves me to consider what is breeding
That changeth thus his manners.   375

Cam. I dare not know, my lord.

Pol. How! dare not! Do not. Do you know, and
          dare not?
Be intelligent to me: 'tis thereabouts;
For, to yourself, what you do know, you must,
And cannot say, you dare not.   Good Camillo, 380
Your chang'd complexions are to me a mirror
Which shows me mine chang'd too; for I must be
A party in this alteration, finding
Myself thus alter'd with't.

Cam. There is a sickness
Which puts some of us in distemper, but   385
I cannot name the disease; and it is caught
Of you that yet are well.

Pol. How! caught of me!
Make me not sighted like the basilisk.
I have look'd on thousands, who have sped the better

By my regard, but kill'd none so.   Camillo, — 390
As you are certainly a gentleman, thereto
Clerk-like experienc'd, which no less adorns
Our gentry than our parents' noble names,
In whose success we are gentle, — I beseech you,
If you know aught which does behove my know-
          ledge   395
Thereof to be inform'd, imprison't not
In ignorant concealment.

Cam.   I may not answer.
Pol. A sickness caught of me, and yet I well !
I must be answer'd.   Dost thou hear, Camillo ?
I conjure thee, by all the parts of man   400
Which honour does acknowledge, whereof the
          least
Is not this suit of mine, that thou declare
What incidency thou dost guess of harm
Is creeping toward me ; how far off, how near ;
Which way to be prevented, if to be ;   405
If not, how best to bear it.

Cam.   Sir, I will tell you,
Since I am charg'd in honour and by him
That I think honourable ; therefore mark my
          counsel,
Which must be even as swiftly follow'd as
I mean to utter it, or both yourself and me   410
Cry lost, and so good night !

Pol.   On, good Camillo.

Cam. **I** am appointed <u>him</u> to murder you.

Pol. By whom, Camillo?

Cam.   By the King.

Pol.   For what?

Cam. He thinks, nay, with all confidence he swears,
    As he had seen't or been an instrument   415
      To vice you to't, that you have touch'd his
         queen
    Forbiddenly.

Pol.   O, then my best blood turn
    To an infected jelly, and my name
    Be yok'd with his that did betray the Best!
    Turn then my freshest reputation to   420
    A savour that may strike the dullest nostril
    Where I arrive, and my approach be shunn'd,
    Nay, hated too, worse than the great'st infection
    That e'er was heard or read!

Cam.   Swear <u>his thought over</u>
    By each particular star in heaven and   425
    By all their influences, you may as well
    Forbid the sea for to obey the moon
    As or by oath remove or counsel shake
    The fabric of his folly, whose foundation
    Is pil'd upon his faith and will continue   430
    The standing of his body.

Pol.   How should this grow?

Cam. I know not; but I am sure 'tis safer to
    Avoid what's grown than question how 'tis born.

If therefore you dare trust my honesty,
That lies enclosed in this trunk which you   435
Shall bear along impawn'd, away to-night!
Your followers I will whisper to the business,
And will by twos and threes at several posterns
Clear them o' the city. For myself, I'll put
My fortunes to your service, which are here   440
By this discovery lost. Be not uncertain;
For, by the honour of my parents, I
Have utt'red truth, which if you seek to prove,
I dare not stand by; nor shall you be safer
Than one condemn'd by the King's own mouth, thereon   445
His execution sworn.

Pol.   I do believe thee;
I saw his heart in 's face. Give me thy hand.
Be pilot to me, and thy places shall
Still neighbour mine. My ships are ready and
My people did expect my hence departure   450
Two days ago. This jealousy
Is for a precious creature. As she's rare,
Must it be great; and as his person's mighty,
Must it be violent; and as he does conceive
He is dishonour'd by a man which ever   455
Profess'd to him, why, his revenges must
In that be made more bitter. Fear o'ershades me.
Good expedition be my friend, and comfort

The gracious queen;— part of his theme, but
  nothing
Of his ill-ta'en suspicion! Come, Camillo;   460
I will respect thee as a father if
Thou bear'st my life off hence. Let us avoid.
Cam. It is in mine authority to command
  The keys of all the posterns. Please your High-
  ness
  To take the urgent hour. Come, sir, away.   465
                                        Exeunt.

ACT SECOND

SCENE I

[Sicilia.   A room in the palace.]

Enter Hermione, Mamillius, and Ladies.

Her. Take the boy to you; he so troubles me,
    'Tis past enduring.

[1.] Lady.   Come, my gracious lord,
    Shall I be your playfellow?

Mam.   No, I'll none of you.

[1.] Lady. Why, my sweet lord?

Mam. You'll kiss me hard and speak to me as if   5
    I were a baby still. — I love you better.

2. Lady. And why so, my lord?

Mam.   Not for because
    Your brows are blacker; yet black brows, they say,
    Become some women best, so that there be not
    Too much hair there, but in a semicircle,   10
    Or a half-moon made with a pen.

2. Lady.   Who taught this?

Mam. I learnt it out of women's faces.   Pray now
    What colour are your eyebrows?

[1.] Lady.   Blue, my lord.

Mam. Nay, that's a mock.   I have seen a lady's nose
    That has been blue, but not her eyebrows.

[1.] *Lady.*　　　　　　　　　　　　　　　Hark ye;
　　The Queen your mother rounds apace. We
　　　shall　　　　　　　　　　　　　　　　16
　　Present our services to a fine new prince
　　One of these days; and then you'd wanton with
　　　us,
　　If we would have you.

2. Lady.　　　　　　　　　　　　　She is spread of late
　　Into a goodly bulk.　Good time encounter her! 20

Her. What wisdom stirs amongst you? Come, sir,
　　　now
　　I am for you again.　Pray you, sit by us,
　　And tell 's a tale.

Mam.　　　　　　　　Merry or sad shall't be?

Her. As merry as you will.

Mam. A sad tale's best for winter.　I have one　　25
　　Of sprites and goblins.

Her.　　　　　　　　　　　Let's have that, good sir.
　　Come on, sit down; come on, and do your
　　　best
　　To fright me with your sprites; you're powerful
　　　at it.

Mam. There was a man —

Her.　　　　　　　　　Nay, come, sit down; then on.

Mam. Dwelt by a churchyard.　I will tell it softly;
　　Yond crickets shall not hear it.

Her.　　　　　　　　　　　　Come on, then,
　　And give't me in mine ear.　　　　　　　　32

[*Enter Leontes, with Antigonus, Lords, and others.*]

Leon. Was he met there? his train? Camillo with
      him?

[*1.*] *Lord.* Behind the tuft of pines I met them;
      never

      Saw I men scour so on their way. I eyed   35

      Them even to their ships.

Leon.   How blest am I

      In my just censure, in my true opinion!

      Alack, for lesser knowledge! How accurs'd

      In being so blest! There may be in the cup

      A spider steep'd, and one may drink, depart,   40

      And yet partake no venom, for his knowledge

      Is not infected; but if one present

      The abhorr'd ingredient to his eye, make known

      How he hath drunk, he cracks his gorge, his sides,

      With violent hefts. I have drunk, and seen the
          spider.   45

      Camillo was his help in this, his pander.

      There is a plot against my life, my crown.

      All's true that is mistrusted. That false villain

      Whom I employ'd was pre-employ'd by him.

      He has discover'd my design, and I   50

      Remain a pinch'd thing; yea, a very trick

      For them to play at will. How came the posterns

      So easily open?

[*1.*] *Lord.*   By his great authority;

Which often hath no less prevail'd than so
On your command.

Leon.   I know't too well.   55
Give me the boy. I am glad you did not nurse
    him.
Though he does bear some signs of me, yet you
Have too much blood in him.

Her.   What is this? Sport?

Leon. Bear the boy hence; he shall not come about
    her.
Away with him! and let her sport herself   60
With that she's big with; for 'tis Polixenes
Has made thee swell thus.

Her.   But I'd say he had not,
And I'll be sworn you would believe my saying,
Howe'er you lean to the nayward.

Leon.   You, my lords,
Look on her, mark her well; be but about   65
To say she is a goodly lady, and
The justice of your hearts will thereto add
'Tis pity she's not honest, honourable.
Praise her but for this her without-door form,
Which on my faith deserves high speech, and
    straight   70
The shrug, the hum or ha, these petty brands
That calumny doth use — O, I am out —
That mercy does, for calumny will sear
Virtue itself; these shrugs, these hums and has,

When you have said she's goodly, come between
Ere you can say she's honest : but be't known, 76
From him that has most cause to grieve it should
    be,
She's an adulteress.

Her.   Should a villain say so,
The most replenish'd villain in the world,
He were as much more villain : you, my lord, 80
Do but mistake.

Leon.   You have mistook, my lady,
Polixenes for Leontes. O thou thing !
Which I'll not call a creature of thy place,
Lest barbarism, making me the precedent,
Should a like language use to all degrees, 85
And mannerly distinguishment leave out
Betwixt the prince and beggar. I have said
She's an adulteress ; I have said with whom ;
More, she's a traitor, and Camillo is
A fedary with her, and one that knows 90
What she should shame to know herself
But with her most vile principal, that she's
A bed-swerver, even as bad as those
That vulgars give bold'st titles ; ay, and privy
To this their late escape.

Her.   No, by my life, 95
Privy to none of this. How will this grieve you,
When you shall come to clearer knowledge, that
You thus have publish'd me ! Gentle, my lord,

You scarce can right me throughly then to say
You did mistake.

Leon.   No ; if I mistake   100
In those foundations which I build upon,
The centre is not big enough to bear
A school-boy's top.   Away with her, to prison !
He who shall speak for her is afar off guilty
But that he speaks.

Her.   There's some ill planet reigns ;
I must be patient till the heavens look   106
With an aspect more favourable.   Good my lords,
I am not prone to weeping, as our sex
Commonly are, the want of which vain dew
Perchance shall dry your pities ; but I have   110
That honourable grief lodg'd here which burns
Worse than tears drown.   Beseech you all, my
          lords,
With thoughts so qualified as your charities
Shall best instruct you, measure me ; and so
The King's will be perform'd !

Leon.   Shall I be heard ?

Her. Who is't that goes with me ?   Beseech your
          Highness,   116
My women may be with me ; for you see
My plight requires it.   Do not weep, good fools ;
There is no cause.   When you shall know your
          mistress
Has deserv'd prison, then abound in tears   120

As I come out ; this action I now go on
Is for my better grace. Adieu, my lord.
I never wish'd to see you sorry ; now
I trust I shall. My women, come ; you have
    leave.

Leon. Go, do our bidding ; hence !   125
       [*Exit Queen guarded, with Ladies.*]

[1.] Lord. Beseech your Highness, call the Queen again.

Ant. Be certain what you do, sir, lest your justice
   Prove violence ; in the which three great ones
     suffer,
   Yourself, your queen, your son.

[1.] Lord.   For her, my lord,
I dare my life lay down and will do't, sir,   130
Please you to accept it, that the Queen is spotless
I' the eyes of Heaven and to you ; I mean,
In this which you accuse her.

Ant.   If it prove
   She's otherwise, I'll keep my stables where
   I lodge my wife ; I'll go in couples with her ;   135
   Than when I feel and see her no farther trust her ;
   For every inch of woman in the world,
 > Ay, every dram of woman's flesh is false,
   If she be.

Leon.   Hold your peaces.

[1.] Lord.   Good my lord, —

Ant. It is for you we speak, not for ourselves.   140
   You are abus'd, and by some putter-on

   D

That will be damn'd for't; would I knew the
    villain,
I would land-damn him. Be she honour-flaw'd,
I have three daughters; the eldest is eleven;
The second and the third, nine, and some five;
If this prove true, they'll pay for't. By mine
    honour,   146
I'll geld 'em all; fourteen they shall not see
To bring false generations. They are co-heirs;
And I had rather glib myself than they
Should not produce fair issue.

Leon.   Cease; no more.
You smell this business with a sense as cold   151
As is a dead man's nose; but I do see't and feel't,
As you feel doing thus; and see withal
The instruments that feel.

Ant.   If it be so,
We need no grave to bury honesty.   155
There's not a grain of it the face to sweeten
Of the whole dungy earth.

Leon.   What! lack I credit?

[1.] *Lord.* I had rather you did lack than I, my lord,
Upon this ground; and more it would content me
To have her honour true than your suspicion,   160
Be blam'd for't how you might.

Leon.   Why, what need we
Commune with you of this, but rather follow
Our forceful instigation? Our prerogative

Calls not your counsels, but our natural goodness
Imparts this ; which if you, or stupefied   165
Or seeming so in skill, cannot or will not
Relish a truth like us, inform yourselves
We need no more of your advice.   The matter,
The loss, the gain, the ord'ring on't, is all
Properly ours.

Ant.   And I wish, my liege,   170
You had only in your silent judgement tried it,
Without more overture.

Leon.   How could that be ?
Either thou art most ignorant by age,
Or thou wert born a fool.   Camillo's flight,
Added to their familiarity,   175
Which was as gross as ever touch'd conjecture,   *roused.*
That lack'd sight only, nought for approbation   *suspicion*
But only seeing, all other circumstances
Made up to the deed, doth push on this proceeding.
Yet, for a greater confirmation,   180
For in an act of this importance 'twere
Most piteous to be wild, I have dispatch'd in post
To sacred Delphos, to Apollo's temple,
Cleomenes and Dion, whom you know
Of stuff'd sufficiency.   Now from the oracle   185
They will bring all ; whose spiritual counsel had,
I shall stop or spur me.   Have I done well ?

[*1.*] *Lord.* Well done, my lord.

Leon. Though I am satisfi'd and need no more

Than what I know, yet shall the oracle   190
Give rest to the minds of others, such as he
Whose ignorant credulity will not
Come up to the truth.   So have we thought it good
From our free person she should be confin'd,
Lest that the treachery of the two fled hence   195
Be left her to perform.   Come, follow us ;
We are to speak in public, for this business
Will raise us all.

Ant. [*Aside.*] To laughter, as I take it,   199
    If the good truth were known.   *Exeunt.*

Scene II

[Outer ward of a prison.]

Enter Paulina, a Gentleman, and Attendants.

Paul. The keeper of the prison, call to him ;
    Let him have knowledge who I am.   [*Exit Gent.*]
                       Good lady,
No court in Europe is too good for thee ;
What dost thou then in prison ?

[Re-enter Gentleman, with the Gaoler.]

                             Now, good sir,
You know me, do you not ?

Gaol.   For a worthy lady, 5
    And one who much I honour.

Paul.   Pray you then,
Conduct me to the Queen.
Gaol.   I may not, madam.
To the contrary I have express commandment.
Paul. Here's ado,
To lock up honesty and honour from   10
The access of gentle visitors ! Is't lawful, pray you,
To see her women ?   Any of them ?   Emilia ?
Gaol. So please you, madam,
To put apart these your attendants, I
Shall bring Emilia forth.
Paul.   I pray now, call her.
Withdraw yourselves.

                    [*Exeunt Gentleman and attendants.*]
Gaol.   And, madam,   16
I must be present at your conference.
Paul. Well, be't so, prithee.   [*Exit Gaoler.*]
Here's such ado to make no stain a stain
As passes colouring.

        [*Re-enter Gaoler, with Emilia.*]

                    Dear gentlewoman,   20
How fares our gracious lady ?
Emil. As well as one so great and so forlorn
May hold together.   On her frights and griefs,   *as result of*
Which never tender lady hath borne greater,
She is something before her time deliver'd.   25
Paul. A boy ?

Emil.   A daughter, and a goodly babe,
     Lusty and like to live.   The Queen receives
     Much comfort in't ; says, "My poor prisoner,
     I am innocent as you."

Paul.   I dare be sworn.
     These dangerous unsafe lunes i' the King, beshrew
        them !   30
     He must be told on't, and he shall.   The office
     Becomes a woman best ; I'll take't upon me.
     If I prove honey-mouth'd, let my tongue blister
     And never to my red-look'd anger be
     The trumpet any more.   Pray you, Emilia,   35
     Commend my best obedience to the Queen.
     If she dares trust me with her little babe,
     I'll show't the King and undertake to be
     Her advocate to the loud'st.   We do not know
     How he may soften at the sight o' the child.   40
     The silence often of pure innocence
     Persuades when speaking fails.

Emil.   Most worthy madam,
     Your honour and your goodness is so evident
     That your free undertaking cannot miss
     A thriving issue.   There is no lady living   45
     So meet for this great errand.   Please your lady-
        ship
     To visit the next room, I'll presently
     Acquaint the Queen of your most noble offer ;
     Who but to-day hammer'd of this design,

But durst not tempt a minister of honour,   50
Lest she should be deni'd.

Paul.   Tell her, Emilia,
I'll use that tongue I have.   If wit flow from't
As boldness from my bosom, let't not be doubted
I shall do good.

Emil.   Now be you blest for it !
I'll to the Queen.   Please you, come something
     nearer.   55

Gaol. Madam, if't please the Queen to send the babe,
I know not what I shall incur to pass it,
Having no warrant.

Paul.   You need not fear it, sir.
This child was prisoner to the womb and is
By law and process of great Nature thence   60
Freed and enfranchis'd, not a party to
The anger of the King nor guilty of,
If any be, the trespass of the Queen.

Gaol. I do believe it.

Paul. Do not you fear.   Upon mine honour, I   65
Will stand betwixt you and danger.   *Exeunt.*

SCENE III

[A room in Leontes' palace.]

Enter Leontes, Antigonus, Lords, and Servants.

Leon. Nor night nor day no rest.   It is but weakness
To bear the matter thus ; mere weakness.   If

The cause were not in being, — part o' the cause,
She the adulteress; for the harlot king
Is quite beyond mine arm, out of the blank   5
And level of my brain, plot-proof; but she
I can hook to me: say that she were gone,
Given to the fire, a moiety of my rest
Might come to me again.   Who's there?

[1.] Serv.   My lord?
Leon. How does the boy?
[1.] Serv.   He took good rest to-night;
   'Tis hop'd his sickness is discharg'd.   11
Leon. To see his nobleness!
   Conceiving the dishonour of his mother,
   He straight declin'd, droop'd, took it deeply,
   Fasten'd and fix'd the shame on't in himself,   15
   Threw off his spirit, his appetite, his sleep,
   And downright languish'd.   Leave me solely; go,
   See how he fares. *[Exit Serv.]* Fie, fie! no thought
      of him;
   The very thought of my revenges that way
   Recoil upon me: in himself too mighty,   20
   And in his parties, his alliance.   Let him be
   Until a time may serve; for present vengeance,
   Take it on her.   Camillo and Polixenes
   Laugh at me, make their pastime at my sorrow.
   They should not laugh if I could reach them,
      nor   25
   Shall she within my power.

Enter Paulina [with a babe].

[1.] *Lord.* You must not enter.

Paul. Nay, rather, good my lords, be second to
     me.

   Fear you his tyrannous passion more, alas,

   Than the Queen's life? A gracious innocent soul,

   More free than he is jealous.

Ant. That's enough.

[2.] *Serv.* Madam, he hath not slept to-night; com-
     manded   31

   None should come at him.

Paul. Not so hot, good sir;

   I come to bring him sleep. 'Tis such as you,

   That creep like shadows by him and do sigh

   At each his needless heavings, such as you   35

   Nourish the cause of his awaking. I

   Do come with words as medicinal as true,

   Honest as either, to purge him of that humour

   That presses him from sleep.

Leon. What noise there, ho?

Paul. No noise, my lord; but needful conference   40

   About some gossips for your Highness.

Leon. How!

   Away with that audacious lady! Antigonus,

   I charg'd thee that she should not come about me:

   I knew she would.

Ant. I told her so, my lord,

On your displeasure's peril and on mine,   45
She should not visit you.

Leon.   What, canst not rule her?

Paul. From all dishonesty he can. In this,
    Unless he take the course that you have
        done,
    Commit me for committing honour, trust it,
    He shall not rule me.

Ant.   La you now, you hear.
    When she will take the rein I let her run;   51
    But she'll not stumble.

Paul.   Good my liege, I come;
    And, I beseech you, hear me, who professes
    Myself your loyal servant, your physician,
    Your most obedient counsellor, yet that dares   55
    Less appear so in comforting your evils,
    Than such as most seem yours. I say, I come
    From your good queen.

Leon.   Good queen!

Paul.   Good queen, my lord,
    Good queen; I say good queen;   59
    And would by combat make her good, so were I
    A man, the worst about you.

Leon.   Force her hence.

Paul. Let him that makes but trifles of his eyes
    First hand me. On mine own accord I'll off,
    But first I'll do my errand. The good queen, 64
    For she is good, hath brought you forth a daughter;

Here 'tis; commends it to your blessing.

              [*Laying down the child.*]

Leon.   Out!

A mankind witch! Hence with her, out o' door!

A most intelligencing bawd!

Paul.   Not so.

I am as ignorant in that as you

In so entitling me, and no less honest   70

Than you are mad; which is enough, I'll war-
       rant,

As this world goes, to pass for honest.

Leon.   Traitors!

Will you not push her out? Give her the bastard.

Thou dotard! thou art woman-tir'd, unroosted

By thy dame Partlet here. Take up the bastard;

Take't up, I say; give't to thy crone.

Paul.   For ever

Unvenerable be thy hands, if thou   77

Tak'st up the Princess by that forced baseness

Which he has put upon't!

Leon.   He dreads his wife.

Paul. So I would you did; then 'twere past all doubt

You'd call your children yours.

Leon.   A nest of traitors!

Ant. I am none, by this good light.

Paul.   Nor I, nor any   82

But one that's here, and that's himself; for he

The sacred honour of himself, his queen's,

His hopeful son's, his babe's, betrays to slander, 85
Whose sting is sharper than the sword's, and will
     not —
For, as the case now stands, it is a curse
He cannot be compell'd to't — once remove
The root of his opinion, which is rotten
As ever oak or stone was sound.

Leon.   A callat   90
Of boundless tongue, who late hath beat her husband
And now baits me ! This brat is none of mine ;
It is the issue of Polixenes.
Hence with it, and together with the dam
Commit them to the fire !

Paul.   It is yours ;   95
And, might we lay the old proverb to your charge,
So like you, 'tis the worse.   Behold, my lords,
Although the print be little, the whole matter
And copy of the father, eye, nose, lip,
The trick of's frown, his forehead, nay, the valley,
The pretty dimples of his chin and cheek,   101
His smiles,
The very mould and frame of hand, nail, finger ;
And thou, good goddess Nature, which hast made
     it
So like to him that got it, if thou hast   105
The ordering of the mind too, 'mongst all colours
No yellow in't, lest she suspect, as he does,
Her children not her husband's !

color of jealousy

Leon.   A gross hag !

And, lozel, thou art worthy to be hang'd,   109

That wilt not stay her tongue.

Ant.   Hang all the husbands

That cannot do that feat, you'll leave yourself

Hardly one subject.

Leon.   Once more, take her hence.

Paul. A most unworthy and unnatural lord

Can do no more.

Leon.   I'll ha' thee burnt.

Paul.

                                         I care not ;

It is an heretic that makes the fire,   115

Not she which burns in't.   I'll not call you tyrant ;

But this most cruel usage of your queen,

Not able to produce more accusation

Than your own weak-hing'd fancy, something savours

Of tyranny and will ignoble make you,   120

Yea, scandalous to the world.

Leon.   On your allegiance,

Out of the chamber with her !   Were I a tyrant,

Where were her life ?   She durst not call me so,

If she did know me one.   Away with her !

Paul. I pray you, do not push me ; I'll be gone.   125

Look to your babe, my lord ; 'tis yours.   Jove send her

A better guiding spirit !   What needs these hands ?

You, that are thus so tender o'er his follies,

Will never do him good, not one of you.
    So, so; farewell; we are gone.   *Exit.*

Leon. Thou, traitor, hast set on thy wife to this.   131
    My child? Away with't! Even thou, that hast
    A heart so tender o'er it, take it hence
    And see it instantly consum'd with fire;
    Even thou and none but thou. Take it up straight.
    Within this hour bring me word 'tis done,   136
    And by good testimony, or I'll seize thy life,
    With what thou else call'st thine. If thou refuse
    And wilt encounter with my wrath, say so;
    The bastard brains with these my proper hands
    Shall I dash out. Go, take it to the fire;   141
    For thou set'st on thy wife.

Ant.   I did not, sir.
    These lords, my noble fellows, if they please,
    Can clear me in't.

Lords.   We can. My royal liege,
    He is not guilty of her coming hither.   145

Leon. You're liars all.

1. Lord. Beseech your Highness, give us better credit.
    We have always truly serv'd you, and beseech
    So to esteem of us, and on our knees we beg,
    As recompense of our dear services   150
    Past and to come, that you do change this purpose,
    Which being so horrible, so bloody, must
    Lead on to some foul issue. We all kneel.

Leon. I am a feather for each wind that blows.

Shall I live on to see this bastard kneel 155
And call me father? Better burn it now
Than curse it then. But be it; let it live.
It shall not neither. You, sir, come you hither;
You that have been so tenderly officious
With Lady Margery, your midwife there, 160
To save this bastard's life, — for 'tis a bastard,
So sure as this beard's gray, — what will you adventure
To save this brat's life?

Ant.   Anything, my lord,
That my ability may undergo
And nobleness impose; at least thus much: 165
I'll pawn the little blood which I have left
To save the innocent. Anything possible.

Leon. It shall be possible. Swear by this sword
Thou wilt perform my bidding.

Ant.   I will, my lord.

Leon. Mark and perform it; see'st thou? for the fail
Of any point in't shall not only be 171
Death to thyself but to thy lewd-tongu'd wife,
Whom for this time we pardon. We enjoin thee,
As thou art liege-man to us, that thou carry
This female bastard hence, and that thou bear it 175
To some remote and desert place quite out
Of our dominions, and that there thou leave it,
Without more mercy, to it own protection
And favour of the climate. As by strange fortune

It came to us, I do in justice charge thee,   180
On thy soul's peril and thy body's torture,
That thou commend it strangely to some place
Where chance may nurse or end it.   Take it up.

Ant. I swear to do this, though a present death
Had been more merciful.   Come on, poor babe. 185
Some powerful spirit instruct the kites and ravens
To be thy nurses! Wolves and bears, they
      say,
Casting their savageness aside, have done
Like offices of pity.   Sir, be prosperous
In more than this deed does require!   And bless-
      ing   190
Against this cruelty fight on thy side,
Poor thing, condemn'd to loss!

                           Exit [with the babe].

Leon.   No, I'll not rear
Another's issue.

Enter a Servant.

Serv.   Please your Highness, posts
From those you sent to the oracle are come
An hour since.   Cleomenes and Dion,   195
Being well arriv'd from Delphos, are both landed,
Hasting to the court.

[1.] Lord.   So please you, sir, their speed
Hath been beyond accompt.

Leon.   Twenty-three days

They have been absent ; 'tis good speed ; foretells

The great Apollo suddenly will have   200

The truth of this appear.   Prepare you, lords ;

Summon a session, that we may arraign

Our most disloyal lady, for, as she hath

Been publicly acc'usd, so shall she have

A just and open trial.   While she lives   205

My heart will be a burden to me.   Leave me,

And think upon my bidding.   *Exeunt.*

ACT THIRD

SCENE I

[A street in a Sicilian town.]

Enter Cleomenes and Dion.

Cleo. The climate's delicate, the air most sweet,
Fertile the isle, the temple much surpassing
The common praise it bears.

Dion.   I shall report,
For most it caught me, the celestial habits,
Methinks I so should term them, and the reverence
Of the grave wearers.   O, the sacrifice !   6
How ceremonious, solemn, and unearthly
It was i' the offering !

Cleo.   But of all, the burst
And the ear-deaf'ning voice o' the oracle,
Kin to Jove's thunder, so surpris'd my sense,   10
That I was nothing.

Dion.   If the event o' the journey
Prove as successful to the Queen, — O be't so ! —
As it hath been to us rare, pleasant, speedy,
The time is worth the use on't.

Cleo.   Great Apollo
Turn all to the best !   These proclamations,   15
So forcing faults upon Hermione,
I little like.

Dion.   The violent carriage of it
    Will clear or end the business.   When the oracle,
    Thus by Apollo's great divine seal'd up,
    Shall the contents discover, something rare   20
    Even then will rush to knowledge.   Go; fresh horses !
    And gracious be the issue !   *Exeunt.*

SCENE II

[Sicilia.   A place of justice.]

Enter Leontes, Lords, and Officers.

Leon. This sessions (to our great grief we pronounce)
    Even pushes 'gainst our heart, — the party tried
    The daughter of a king, our wife, and one
    Of us too much belov'd.   Let us be clear'd
    Of being tyrannous, since we so openly   5
    Proceed in justice, which shall have due course
    Even to the guilt or the purgation.
    Produce the prisoner.

Off. It is his Highness' pleasure that the Queen
    Appear in person here in court.   Silence !   10

[Enter Hermione (as to her trial);   Paulina and Ladies attending.]

Leon. Read the indictment.

Off. *[Reads.]* "Hermione, Queen to the worthy

Leontes, King of Sicilia, thou art here accused
and arraigned of high treason, in committing
adultery with Polixenes, King of Bohemia, and   15
conspiring with Camillo to take away the life
of our sovereign lord the King, thy royal husband : the pretence whereof being by circumstances partly laid open, thou, Hermione,
contrary to the faith and allegiance of a true   20
subject, didst counsel and aid them, for their
better safety, to fly away by night."

Her. Since what I am to say must be but that
Which contradicts my accusation, and
The testimony on my part no other   25
But what comes from myself, it shall scarce boot
     me
To say "Not guilty." Mine integrity
Being counted falsehood, shall, as I express it,
Be so receiv'd. But thus :— If powers divine
Behold our human actions, as they do,   30
I doubt not then but innocence shall make
False accusation blush, and tyranny
Tremble at patience. You, my lord, best know,
(Whom least will seem to do so,) my past life
Hath been as continent, as chaste, as true,   35
As I am now unhappy ; which is more
Than history can pattern, though devis'd
And play'd to take spectators. For behold me,
A fellow of the royal bed, which owe

A moiety of the throne, a great king's daughter, 40
The mother to a hopeful prince, here standing
To prate and talk for life and honour 'fore
Who please to come and hear. For life, I prize it
As I weigh grief, which I would spare; for honour,
'Tis a derivative from me to mine, 45
And only that I stand for. I appeal
To your own conscience, sir, before Polixenes
Came to your court, how I was in your grace,
How merited to be so; since he came,
With what encounter so uncurrent I 50
Have strain'd to appear thus; if one jot beyond
The bound of honour, or in act or will
That way inclining, hard'ned be the hearts
Of all that hear me, and my near'st of kin
Cry fie upon my grave!

Leon.   I ne'er heard yet 55
That any of these bolder vices wanted
Less impudence to gainsay what they did
Than to perform it first.

Her.   That's true enough;
Though 'tis a saying, sir, not due to me.

Leon. You will not own it.

Her.   More than mistress of 60
Which comes to me in name of fault, I must not
At all acknowledge. For Polixenes,
With whom I am accus'd, I do confess
I lov'd him as in honour he requir'd,

With such a kind of love as might become   65
A lady like me, with a love even such,
So and no other, as yourself commanded;
Which not to have done I think had been in me
Both disobedience and ingratitude
To you and toward your friend, whose love had
     spoke,   70
Even since it could speak, from an infant, freely
That it was yours. Now, for conspiracy,
I know not how it tastes; though it be dish'd
For me to try how. All I know of it
Is that Camillo was an honest man;   75
And why he left your court, the gods themselves,
Wotting no more than I, are ignorant.

Leon. You knew of his departure, as you know
    What you have underta'en to do in's absence.

Her. Sir,   80
    You speak a language that I understand not.
    My life stands in the level of your dreams,
    Which I'll lay down.

Leon.   Your actions are my dreams;
    You had a bastard by Polixenes,
    And I but dream'd it. As you were past all
     shame, —   85
    Those of your fact are so, — so past all truth,
    Which to deny concerns more than avails; for as
    Thy brat hath been cast out, like to itself, *as it ought to be*
    No father owning it, — which is, indeed,

More criminal in thee than it, — so thou   90
Shalt feel our justice, in whose easiest passage
Look for no less than death.

Her.   Sir, spare your threats.
The bug which you would fright me with I seek;
To me can life be no commodity.
The crown and comfort of my life, your favour,   95
I do give lost; for I do feel it gone,
But know not how it went.   My second joy
And first-fruits of my body, from his presence
I am barr'd, like one infectious.   My third comfort,
Starr'd most unluckily, is from my breast,   100
The innocent milk in it most innocent mouth,
Hal'd out to murder; myself on every post
Proclaim'd a strumpet; with immodest hatred
The child-bed privilege deni'd, which longs
To women of all fashion; lastly, hurried   105
Here to this place, i' the open air, before
I have got strength of limit.   Now, my liege,
Tell me what blessings I have here alive,
That I should fear to die?   Therefore proceed.
But yet hear this: mistake me not; no life,   110
I prize it not a straw, but for mine honour,
Which I would free, — if I shall be condemn'd
Upon surmises, all proofs sleeping else
But what your jealousies awake, I tell you
'Tis rigour and not law.   Your honours all,   115

    I do refer me to the oracle :
    Apollo be my judge !

[1.] Lord.   This your request
    Is altogether just ; therefore bring forth,
    And in Apollo's name, his oracle.

                        [Exeunt certain Officers.]

Her. The Emperor of Russia was my father :   120
    O that he were alive, and here beholding
    His daughter's trial ! that he did but see
    The flatness of my misery, yet with eyes
    Of pity, not revenge !

[Re-enter Officers, with Cleomenes and Dion.]

Off. You here shall swear upon this sword of justice, 125
    That you, Cleomenes and Dion, have
    Been both at Delphos, and from thence have
        brought
    This seal'd-up oracle, by the hand deliver'd
    Of great Apollo's priest, and that since then
    You have not dar'd to break the holy seal   130
    Nor read the secrets in't.

Cleo. Dion.   All this we swear.

Leon. Break up the seals and read.

Off. [Reads.] "Hermione is chaste ; Polixenes
    blameless ; Camillo a true subject ; Leontes a
    jealous tyrant ; his innocent babe truly begot- 135
    ten ; and the King shall live without an heir,
    if that which is lost be not found."

Lords. Now blessed be the great Apollo !

Her.   Praised !

Leon. Hast thou read truth ?

Off.   Ay, my lord ; even so
     As it is here set down.   140

Leon. There is no truth at all i' the oracle.
     The sessions shall proceed ; this is mere falsehood.

           [*Enter a Servant.*]

Serv. My lord the King, the King !

Leon.   What is the business ?

Serv. O sir, I shall be hated to report it !   144
     The Prince your son, with mere conceit and fear
     Of the Queen's speed, is gone.

Leon.   How ! gone ?

Serv.   Is dead.

Leon. Apollo's angry ; and the heavens themselves
     Do strike at my injustice. [*Hermione swoons.*]
        How now there !

Paul. This news is mortal to the Queen. Look down
     And see what Death is doing.

Leon.   Take her hence ; 150
     Her heart is but o'ercharg'd ; she will recover.
     I have too much believ'd mine own suspicion.
     Beseech you, tenderly apply to her
     Some remedies for life.
          [*Exeunt Paulina and Ladies, with Her-
             mione.*]

Apollo, pardon

My great profaneness 'gainst thine oracle !   155
I'll reconcile me to Polixenes,
New woo my queen, recall the good Camillo,
Whom I proclaim a man of truth, of mercy ;
For, being transported by my jealousies
To bloody thoughts and to revenge, I chose   160
Camillo for the minister to poison
My friend Polixenes ; which had been done,
But that the good mind of Camillo tardied
My swift command, though I with death and with
Reward did threaten and encourage him,   165
Not doing't and being done. He, most humane
And fill'd with honour, to my kingly guest
Unclasp'd my practice, quit his fortunes here,
Which you knew great, and to the hazard
Of all incertainties himself commended,   170
No richer than his honour. How he glisters
Through my [dark] rust ! And how his piety
Does my deeds make the blacker !

[*Re-enter Paulina.*]

Paul.   Woe the while !
O, cut my lace, lest my heart, cracking it,
Break too !

[1.] *Lord.*   What fit is this, good lady ?   175

Paul. What studied torments, tyrant, hast for me ?

remarkable to work up such a passion.

What wheels? racks? fires? What flaying? boiling
 In leads or oils? What old or newer torture
Must I receive, whose every word deserves
To taste of thy most worst? Thy tyranny   180
Together working with thy jealousies,
Fancies too weak for boys, too green and idle
For girls of nine, O, think what they have done
And then run mad indeed, stark mad! for all
Thy by-gone fooleries were but spices of it.   185
That thou betray'dst Polixenes, 'twas nothing;
That did but show thee of a fool, inconstant
And damnable ingrateful: nor was't much,
Thou wouldst have poison'd good Camillo's honour,
To have him kill a king; poor trespasses,   190
More monstrous standing by; whereof I reckon
The casting forth to crows thy baby-daughter
To be or none or little, though a devil
Would have shed water out of fire ere done't:
Nor is't directly laid to thee, the death   195
Of the young Prince, whose honourable thoughts,
Thoughts high for one so tender, cleft the heart
That could conceive a gross and foolish sire
Blemish'd his gracious dam; this is not, no,
Laid to thy answer: but the last, — O lords,   200
When I have said, cry "Woe!" — the Queen, the Queen,

Tears from burning eyes.

The sweet'st, dear'st creature's dead, and vengeance for't

Not dropp'd down yet.

[1.] Lord.   The higher powers forbid !

Paul. I say she's dead; I'll swear't. If word nor
oath

Prevail not, go and see. If you can bring   205

Tincture or lustre in her lip, her eye,

Heat outwardly or breath within, I'll serve you

As I would do the gods. But, O thou tyrant !

Do not repent these things, for they are heavier

Than all thy woes can stir ; therefore betake
thee   210

To nothing but despair. A thousand knees

Ten thousand years together, naked, fasting,

Upon a barren mountain, and still winter

In storm perpetual, could not move the gods

To look that way thou wert.

Leon.   Go on, go on ;   215

Thou canst not speak too much. I have deserv'd

All tongues to talk their bitt'rest.

[1.] Lord.   Say no more.

Howe'er the business goes, you have made fault

I' the boldness of your speech.

Paul.   I am sorry for't.

All faults I make, when I shall come to know
them,   220

I do repent.   Alas ! I have show'd too much
The rashness of a woman ; he is touch'd
To the noble heart.   What's gone and what's past
    help
Should be past grief.   Do not receive affliction
At my petition ; I beseech you, rather   225
Let me be punish'd, that have minded you
Of what you should forget.   Now, good my liege,
Sir, royal sir, forgive a foolish woman.
The love I bore your queen — lo, fool again ! —
I'll speak of her no more, nor of your children ; 230
I'll not remember you of my own lord,
Who is lost too.   Take your patience to you,
And I'll say nothing.

Leon.   Thou didst speak but well
    When most the truth ; which I receive much
      better
Than to be pitied of thee.   Prithee, bring me   235
To the dead bodies of my queen and son.
One grave shall be for both ; upon them shall
The causes of their death appear, unto
Our shame perpetual.   Once a day I'll visit
The chapel where they lie, and tears shed
    there
                              240
Shall be my recreation.   So long as nature
Will bear up with this exercise, so long
I daily vow to use it.   Come and lead me
To these sorrows.   *Exeunt.*

SCENE III

[*Bohemia. A desert country near the sea.*]

Enter Antigonus, with the Babe, and a Mariner.

Ant. Thou art perfect then, our ship hath touch'd upon
    The deserts of Bohemia ?

Mar.   Ay, my lord ; and fear
    We have landed in ill time : the skies look grimly
    And threaten present blusters. In my conscience,
    The heavens with that we have in hand are angry 5
    And frown upon 's.

Ant. Their sacred wills be done ! Go, get aboard ;
    Look to thy bark. I'll not be long before
    I call upon thee.

Mar. Make your best haste, and go not   10
    Too far i' the land ; 'tis like to be loud weather.
    Besides, this place is famous for the creatures
    Of prey that keep upon 't.

Ant.   Go thou away ;
    I'll follow instantly.

Mar.   I am glad at heart
    To be so rid o' the business.   *Exit.*

Ant.   Come, poor babe.
    I have heard, but not believ'd, the spirits o' the
        dead   16
    May walk again. If such thing be, thy mother
    Appear'd to me last night, for ne'er was dream

So like a waking.   To me comes a creature,
Sometimes her head on one side, some another ;   20
I never saw a vessel of like sorrow,
So fill'd and so becoming ; in pure white robes,
Like very sanctity, she did approach
My cabin where I lay ; thrice bow'd before me,
And, gasping to begin some speech, her eyes   25
Became two spouts ; the fury spent, anon
Did this break from her : "Good Antigonus,
Since fate, against thy better disposition,
Hath made thy person for the thrower-out
Of my poor babe, according to thine oath,   30
Places remote enough are in Bohemia,
There weep and leave it crying ; and, for the babe
Is counted lost for ever, Perdita,
I prithee, call 't.   For this ungentle business,
Put on thee by my lord, thou ne'er shalt see   35
Thy wife Paulina more."   And so, with shrieks,
She melted into air.   Affrighted much,
I did in time collect myself and thought
This was so, and no slumber.   Dreams are toys ;
Yet for this once, yea, superstitiously,   40
I will be squar'd by this.   I do believe
Hermione hath suffer'd death, and that
Apollo would, this being indeed the issue
Of King Polixenes, it should here be laid,
Either for life or death, upon the earth   45
Of its right father.   Blossom, speed thee well !

There lie, and there thy character; there these,
Which may, if Fortune please, both breed thee,
    pretty,

      [*Laying down the babe, with a paper and a
        bundle.*]

And still rest thine. The storm begins, poor
    wretch,
That for thy mother's fault art thus expos'd   50
To loss and what may follow! Weep I cannot,
But my heart bleeds; and most accurs'd am I
To be by oath enjoin'd to this. Farewell!
The day frowns more and more; thou'rt like to
    have
A lullaby too rough. I never saw   55
The heavens so dim by day. A savage clamour!
Well may I get aboard! This is the chase;
I am gone for ever.   *Exit, pursued by a bear.*

[*Enter a Shepherd.*]

Shep. I would there were no age between ten and
    three-and-twenty, or that youth would sleep   60
    out the rest; for there is nothing in the be-
    tween but getting wenches with child, wrong-
    ing the ancientry, stealing, fighting — [*Horns.*]
    Hark you now! Would any but these boil'd
    brains of nineteen and two-and-twenty hunt   65
    this weather? They have scar'd away two of
    my best sheep, which I fear the wolf will sooner

find than the master. If anywhere I have
them, 'tis by the seaside, browsing of ivy.
Good luck, an't be thy will! what have we   70
here? Mercy on 's, a barne; a very pretty
barne! A boy or a child, I wonder? A pretty
one; a very pretty one: sure, some scape.
Though I am not bookish, yet I can read wait-
ing-gentlewoman in the scape. This has been
some stairwork, some trunk-work, some be-   75
hind-door-work; they were warmer that got
this than the poor thing is here. I'll take it up
for pity: yet I'll tarry till my son come; he
halloo'd but even now. Whoa, ho, hoa!

Enter Clown.

Clo. Hilloa, loa!   80
Shep. What, art so near? If thou'lt see a thing
    to talk on when thou art dead and rotten,
    come hither. What ail'st thou, man?
Clo. I have seen two such sights, by sea and by
    land! But I am not to say it is a sea, for it is   85
    now the sky; betwixt the firmament and it
    you cannot thrust a bodkin's point.
Shep. Why, boy, how is it?
Clo. I would you did but see how it chafes,
    how it rages, how it takes up the shore! But   90
    that's not to the point. O, the most piteous
    cry of the poor souls! Sometimes to see 'em,

F

and not to see 'em ; now the ship boring the
moon with her mainmast, and anon swallowed
with yeast and froth, as you'd thrust a cork   95
into a hogshead. And then for the land-ser-
vice, to see how the bear tore out his shoulder-
bone ; how he cried to me for help and said
his name was Antigonus, a nobleman. But to
make an end of the ship, to see how the sea flap-   100
dragon'd it ; but, first, how the poor souls
roared, and the sea mock'd them ; and how the
poor gentleman roared and the bear mock'd him,
both roaring louder than the sea or weather.

Shep. Name of mercy, when was this, boy ?   105

Clo. Now, now ; I have not wink'd since I saw
these sights. The men are not yet cold under
water, nor the bear half din'd on the gentleman. He's at it now.

Shep. Would I had been by, to have help'd the old   110
man !

Clo. I would you had been by the ship side, to
have help'd her ; there your charity would
have lack'd footing.

Shep. Heavy matters ! heavy matters ! But look   115
thee here, boy. Now bless thyself ; thou
met'st with things dying, I with things new-
born. Here's a sight for thee ; look thee, a
bearing-cloth for a squire's child ! Look thee
here ; take up, take up, boy ; open't. So,   120

let's see. It was told me I should be rich by
the fairies. This is some changeling; open't.
What's within, boy?

Clo. You're a made old man; if the sins of your
youth are forgiven you, you're well to live. 125
Gold! all gold!

Shep. This is fairy gold, boy, and 'twill prove
so. Up with't, keep it close. Home, home,
the next way. We are lucky, boy; and to
be so still requires nothing but secrecy. Let 130
my sheep go. Come, good boy, the next way
home.

Clo. Go you the next way with your findings. I'll
go see if the bear be gone from the gentleman
and how much he hath eaten. They are
never curst but when they are hungry. If 135
there be any of him left, I'll bury it.

Shep. That's a good deed. If thou mayest discern
by that which is left of him what he is, fetch
me to the sight of him.

Clo. Marry, will I; and you shall help to put him 140
i' the ground.

Shep. 'Tis a lucky day, boy, and we'll do good
deeds on't.   *Exeunt.*

*so far this is a typical
Eliz tragedy? S. goes on
and makes a "Tale" of it.
I would need stronger character
Hermione. Lacks pity - feat.
sympathy, without at fault Leontes*

ACT FOURTH

SCENE I

Enter Time, the Chorus.

Time. I, that please some, try all, both joy and
    terror
    Of good and bad, that makes and unfolds error,
    Now take upon me, in the name of Time,
    To use my wings. Impute it not a crime
    To me or my swift passage, that I slide   5
    O'er sixteen years and leave the growth untri'd
    Of that wide gap, since it is in my power
    To o'erthrow law and in one self-born hour
    To plant and o'erwhelm custom. Let me pass
    The same I am, ere ancient'st order was   10
    Or what is now receiv'd. I witness to
    The times that brought them in ; so shall I do
    To the freshest things now reigning, and make
    stale
    The glistering of this present, as my tale
    Now seems to it. Your patience this allowing,   15
    I turn my glass and give my scene such grow-
    ing
    As you had slept between. Leontes leaving,
    The effects of his fond jealousies so grieving

That he shuts up himself, imagine me,
Gentle spectators, that I now may be   20
In fair Bohemia; and remember well,
I mentioned a son o' the King's, which Florizel
I now name to you; and with speed so pace
To speak of Perdita, now grown in grace
Equal with wond'ring. What of her ensues   25
I list not prophesy; but let Time's news
Be known when 'tis brought forth. A shepherd's
     daughter,
And what to her adheres, which follows after,
Is the argument of Time. Of this allow,
If ever you have spent time worse ere now;   30
If never, yet that Time himself doth say
He wishes earnestly you never may.   *Exit.*

SCENE II

[*Bohemia. The palace of Polixenes.*]

Enter Polixenes and Camillo.

Pol. I pray thee, good Camillo, be no more impor-
tunate. 'Tis a sickness denying thee anything; a death to grant this.

Cam. It is fifteen years since I saw my country;
though I have for the most part been aired   5
abroad, I desire to lay my bones there.
Besides, the penitent king, my master, hath

sent for me ; to whose feeling sorrows I might
be some allay, or I o'erween to think so, which
is another spur to my departure.   10

Pol. As thou lov'st me, Camillo, wipe not out
the rest of thy services by leaving me now.
The need I have of thee thine own goodness
hath made.   Better not to have had thee than
thus to want thee.   Thou, having made me   15
businesses which none without thee can suffi-
ciently manage, must either stay to execute
them thyself or take away with thee the very
services thou hast done ; which if I have not
enough considered, (as too much I cannot,) to   20
be more thankful to thee shall be my study,
and my profit therein the heaping friendships.
Of that fatal country, Sicilia, prithee speak no
more ; whose very naming punishes me with
the remembrance of that penitent, as thou   25
call'st him, and reconciled king, my brother ;
whose loss of his most precious queen and children are even now to be afresh lamented.   Say
to me, when saw'st thou the Prince Florizel,
my son ? Kings are no less unhappy, their issue   30
not being gracious, than they are in losing
them when they have approved their virtues.

Cam. Sir, it is three days since I saw the Prince.
What his happier affairs may be, are to me
unknown : but I have missingly noted, he is   35

of late much retired from court and is less
frequent to his princely exercises than formerly
he hath appeared.

Pol. I have considered so much, Camillo, and with
some care; so far that I have eyes under   40
my service which look upon his removedness;
from whom I have this intelligence, that he is
seldom from the house of a most homely shepherd, a man, they say, that from very nothing,
and beyond the imagination of his neighbours,   45
is grown into an unspeakable estate.

Cam. I have heard, sir, of such a man, who hath a
daughter of most rare note. The report of her
is extended more than can be thought to begin
from such a cottage.   50

Pol. That's likewise part of my intelligence; but,
I fear, the angle that plucks our son thither.
Thou shalt accompany us to the place;
where we will, not appearing what we are,
have some question with the shepherd; from   55
whose simplicity I think it not uneasy to get
the cause of my son's resort thither. Prithee,
be my present partner in this business, and lay
aside the thoughts of Sicilia.

Cam. I willingly obey your command.   60

Pol. My best Camillo! We must disguise ourselves.

Exeunt.

SCENE III

[A road near the Shepherd's cottage.]

Enter Autolycus [very ragged], singing.

"When daffodils begin to peer,
    With heigh ! the doxy over the dale,
Why, then comes in the sweet o' the year ;
    For the red blood reigns in the winter's pale.

"The white sheet bleaching on the hedge,   5
    With heigh ! the sweet birds, O, how they sing !
Doth set my pugging tooth on edge ;
    For a quart of ale is a dish for a king.

"The lark, that tirra-lyra chants,
    With heigh ! [with heigh !] the thrush and the jay,
Are summer songs for me and my aunts,   11
    While we lie tumbling in the hay."

I have serv'd Prince Florizel, and in my time
wore three-pile ; but now I am out of service.

"But shall I go mourn for that, my dear ?   15
    The pale moon shines by night ;
And when I wander here and there,
    I then do most go right.

"If tinkers may have leave to live,
  And bear the sow-skin budget,
Then my account I well may give,
  And in the stocks avouch it."
20

My traffic is sheets; when the kite builds, look
to lesser linen. My father nam'd me Autolycus, who being, as I am, litter'd under Mer-
cury, was likewise a snapper-up of unconsidered trifles. With die and drab I purchas'd
this caparison, and my revenue is the silly
cheat. Gallows and knock are too powerful on
the highway; beating and hanging are ter-
rors to me; for the life to come, I sleep out the
thought of it. A prize! a prize!
25
30

Enter Clown.

Clo. Let me see: every 'leven wether tods;
every tod yields pound and odd shilling; fifteen hundred shorn, what comes the wool to?
35
Aut. [*Aside.*] If the springe hold, the cock's
mine.
Clo. I cannot do't without counters. Let me see:
what am I to buy for our sheep-shearing feast?
Three pound of sugar, five pound of currants,
rice, — what will this sister of mine do with
rice? But my father hath made her mistress
of the feast, and she lays it on. She hath
40

made me four-and-twenty nosegays for the
shearers, three-man song-men all, and very
good ones; but they are most of them   45
means and bases; but one puritan amongst
them, and he sings psalms to hornpipes. I
must have saffron to colour the warden pies;
mace; dates — none, that's out of my note;
nutmegs, seven; a race or two of ginger, but   50
that I may beg; four pounds of prunes, and
as many of raisins o' the sun.

Aut. O that ever I was born!

> [*Grovelling on the ground.*]

Clo. I' the name of me —

Aut. O, help me, help me! Pluck but off these   55
rags, and then, death, death!

Clo. Alack, poor soul! thou hast need of more
rags to lay on thee, rather than have these off.

Aut. O sir, the loathsomeness of them offend me
more than the stripes I have received, which   60
are mighty ones and millions.

Clo. Alas, poor man! a million of beating may
come to a great matter.

Aut. I am robb'd, sir, and beaten; my money and
apparel ta'en from me, and these detestable   65
things put upon me.

Clo. What, by a horseman, or a footman?

Aut. A footman, sweet sir, a footman.

Clo. Indeed, he should be a footman by the gar-

ments he has left with thee. If this be a   70
horseman's coat, it hath seen very hot service.
Lend me thy hand, I'll help thee. Come, lend
me thy hand.

Aut. O, good sir, tenderly, O !

Clo. Alas, poor soul !   75

Aut. O, good sir, softly, good sir ! I fear, sir, my
shoulder-blade is out.

Clo. How now ! canst stand ?

Aut. Softly, dear sir ; [*picking his pocket*] good
sir, softly. You ha' done me a charitable of-   80
fice.

Clo. Dost lack any money ? I have a little money
for thee.

Aut. No, good sweet sir ; no, I beseech you, sir.
I have a kinsman not past three quarters of a   85
mile hence, unto whom I was going. I shall
there have money, or anything I want. Offer
me no money, I pray you ; that kills my heart.

Clo. What manner of fellow was he that robb'd
you ?   90

Aut. A fellow, sir, that I have known to go about
with troll-my-dames. I knew him once a
servant of the Prince. I cannot tell, good sir,
for which of his virtues it was, but he was
certainly whipp'd out of the court.   95

Clo. His vices, you would say ; there's no virtue
whipp'd out of the court. They cherish it to

make it stay there ; and yet it will no more
but abide.

Aut. Vices, I would say, sir. I know this man 100
well. He hath been since an ape-bearer ;
then a process-server, a bailiff ; then he compass'd a motion of the Prodigal Son, and married a tinker's wife within a mile where my land
and living lies ; and, having flown over many 105
knavish professions, he settled only in rogue.
Some call him Autolycus.

Clo. Out upon him ! prig, for my life, prig. He
haunts wakes, fairs, and bear-baitings.

Aut. Very true, sir ; he, sir, he. That's the rogue 110
that put me into this apparel.

Clo. Not a more cowardly rogue in all Bohemia.
If you had but look'd big and spit at him, he'd
have run.

Aut. I must confess to you, sir, I am no fighter. I 115
am false of heart that way ; and that he knew,
I warrant him.

Clo. How do you now ?

Aut. Sweet sir, much better than I was ; I can
stand and walk. I will even take my leave 120
of you, and pace softly towards my kinsman's.

Clo. Shall I bring thee on the way ?

Aut. No, good-fac'd sir ; no, sweet sir.

Clo. Then fare thee well. I must go buy spices 124
for our sheep-shearing. *Exit.*

Aut. Prosper you, sweet sir ! — Your purse is not
hot enough to purchase your spice.   I'll be with
you at your sheep-shearing too.   If I make
not this cheat bring out another and the
shearers prove sheep, let me be unroll'd and   130
my name put in the book of virtue !

(*Sings.*) "Jog on, jog on, the foot-path way,
　　　　And merrily hent the stile-a ;
　　　A merry heart goes all the day,　　　134
　　　　Your sad tires in a mile-a."　　　*Exit.*

SCENE IV

[*Bohemia.   The Shepherd's cottage.*]

Enter Florizel and Perdita.

Flo. These your unusual weeds to each part of you
Does give a life ; no shepherdess, but Flora,
Peering in April's front.   This your sheep-shearing
Is as a meeting of the petty gods,
And you the queen on't.
Per. 　　　　　　　Sir, my gracious lord,
To chide at your extremes it not becomes me.   6
O, pardon, that I name them !   Your high self,
The gracious mark o' the land, you have obscur'd
With a swain's wearing, and me, poor lowly
　　　maid,

Most goddess-like prank'd up. But that our feasts   10
In every mess have folly, and the feeders
Digest it with a custom, I should blush
To see you so attir'd; sworn, I think,
To show myself a glass.

Flo.   I bless the time
When my good falcon made her flight across   15
Thy father's ground.

Per.   Now Jove afford you cause!
To me the difference forges dread; your greatness
Hath not been us'd to fear. Even now I tremble
To think your father, by some accident,
Should pass this way as you did. O, the Fates! 20
How would he look, to see his work so noble
Vilely bound up? What would he say? Or how
Should I, in these my borrowed flaunts, behold
The sternness of his presence?

Flo.   Apprehend
Nothing but jollity. The gods themselves,   25
Humbling their deities to love, have taken
The shapes of beasts upon them. Jupiter
Became a bull, and bellow'd; the green Neptune
A ram, and bleated; and the fire-rob'd god,
Golden Apollo, a poor humble swain,   30
As I seem now. Their transformations
Were never for a piece of beauty rarer,

Nor in a way so chaste, since my desires
Run not before mine honour, nor my lusts
Burn hotter than my faith.

Per.   O, but, sir,   35
Your resolution cannot hold, when 'tis
Oppos'd, as it must be, by the power of the King.
One of these two must be necessities,
Which then will speak, that you must change this
      purpose,
Or I my life.

Flo.   Thou dearest **Perdita**,   40
With these forc'd thoughts, I prithee, darken not
The mirth o' the feast. Or I'll be thine, my fair,
Or not my father's. For I cannot be
Mine own, nor anything to any, if
I be not thine. To this I am most constant,   45
Though destiny say no. Be merry, gentle!
Strangle such thoughts as these with anything
That you behold the while. Your guests are com-
      ing.
Lift up your countenance, as it were the day
Of celebration of that nuptial which   50
We two have sworn shall come.

Per.   O lady Fortune,
Stand you auspicious!

Flo.   See, your guests approach.
Address yourself to entertain them sprightly,
And let's be red with mirth.

[*Enter Shepherd, Clown, Mopsa, Dorcas, and others, with
          Polixenes and Camillo disguised.*]

Shep. Fie, daughter ! when my old wife liv'd, upon 55
    This day she was both pantler, butler, cook,
    Both dame and servant ; welcom'd all, serv'd all ;
    Would sing her song and dance her turn ; now here,
    At upper end o' the table, now i' the middle ;
    On his shoulder, and his ; her face o' fire 60
    With labour ; and the thing she took to quench it,
    She would to each one sip.   You are retired,
    As if you were a feasted one and not
    The hostess of the meeting.   Pray you, bid
    These unknown friends to 's welcome, for it is 65
    A way to make us better friends, more known.
    Come, quench your blushes, and present yourself
    That which you are, mistress o' the feast.   Come
       on,
    And bid us welcome to your sheep-shearing,
    As your good flock shall prosper.

Per.   [*To Pol.*] Sir, welcome.
    It is my father's will I should take on me 71
    The hostess-ship o' the day. [*To Cam.*]   You're
      welcome, sir.
    Give me those flowers there, Dorcas.   Reverend
      sirs,
    For you there's rosemary and rue ; these keep
    Seeming and savour all the winter long. 75

      Grace and remembrance be to you both,
      And welcome to our shearing !

Pol.   Shepherdess, —
      A fair one are you — well you fit our ages
      With flowers of winter.

Per.   Sir, the year growing ancient,
      Not yet on summer's death, nor on the birth   80
      Of trembling winter, the fairest flowers o' the season
      Are our carnations and streak'd gillyvors,
      Which some call Nature's bastards. Of that kind
      Our rustic garden's barren ; and I care not   84
      To get slips of them.

Pol.   Wherefore, gentle maiden,
      Do you neglect them ?

Per.   For I have heard it said
      There is an art which in their piedness shares
      With great creating Nature.

Pol.   Say there be ;
      Yet Nature is made better by no mean
      But Nature makes that mean ; so, over that art   90
      Which you say adds to Nature, is an art
      That Nature makes. You see, sweet maid, we
          marry
      A gentler scion to the wildest stock,
      And make conceive a bark of baser kind
      By bud of nobler race. This is an art   95
      Which does mend Nature, change it rather, but
      The art itself is Nature.
       G

Per.   So it is.

Pol. Then make your garden rich in gillyflowers,
    And do not call them bastards.

Per.   I'll not put
    The dibble in earth to set one slip of them;   100
    No more than were I painted I would wish
    This youth should say 'twere well, and only there-
        fore
    Desire to breed by me. Here's flowers for you;
    Hot lavender, mints, savory, marjoram;
    The marigold, that goes to bed wi' the sun   105
    And with him rises weeping. These are flowers
    Of middle summer, and I think they are given
    To men of middle age. You're very welcome.

Cam. I should leave grazing, were I of your flock,
    And only live by gazing.

Per.   Out, alas!   110
    You'd be so lean, that blasts of January
    Would blow you through and through. Now, my
        fair'st friend,
    I would I had some flowers o' the spring that
        might
    Become your time of day; and yours, and yours,
    That wear upon your virgin branches yet   115
    Your maidenheads growing. O Proserpina,
    For the flowers now, that frighted thou let'st fall
    From Dis's waggon! daffodils,
    That come before the swallow dares, and take

The winds of March with beauty; violets dim, 120
But sweeter than the lids of Juno's eyes
Or Cytherea's breath; pale primroses,
That die unmarried, ere they can behold
Bright Phœbus in his strength — a malady
Most incident to maids; bold oxlips and   125
The crown imperial; lilies of all kinds,
The flower-de-luce being one! O, these I lack,
To make you garlands of, and my sweet friend,
To strew him o'er and o'er !

Flo.   What, like a corse ?
Per. No, like a bank for love to lie and play on;   130
Not like a corse; or if, not to be buried,
But quick and in mine arms. Come, take your
     flowers.
Methinks I play as I have seen them do
In Whitsun pastorals. Sure this robe of mine
Does change my disposition.

Flo.   What you do 135
Still betters what is done. When you speak, sweet,
I'd have you do it ever; when you sing,
I'd have you buy and sell so, so give alms,
Pray so; and for the ord'ring your affairs,
To sing them too. When you do dance, I wish
     you   140
A wave o' the sea, that you might ever do
Nothing but that; move still, still so,
And own no other function. Each your doing,

Has strength of character of her mother.

So singular in each particular,
Crowns what you are doing in the present deeds, 145
That all your acts are queens.

Per.   O Doricles,
Your praises are too large. But that your youth,
And the true blood which peeps [so] fairly through't,
Do plainly give you out an unstain'd shepherd,
With wisdom I might fear, my Doricles,   150
You woo'd me the false way.

Flo.   I think you have
As little skill to fear as I have purpose
To put you to't. But come ; our dance, I pray.
Your hand, my Perdita. So turtles pair,
That never mean to part.

Per.   I'll swear for 'em. 155

Pol. This is the prettiest low-born lass that ever
Ran on the green-sward. Nothing she does or
         seems
But smacks of something greater than herself,
Too noble for this place.

Cam.   He tells her something
That makes her blood look out. Good sooth, she
         is   160
The queen of curds and cream.

Clo.   Come on, strike up !

Dor. Mopsa must be your mistress ; marry, garlic,
To mend her kissing with !

Mop.   Now, in good time !

Clo. Not a word, a word ; we stand upon our manners.
　　Come, strike up !　　　　　　　　　　　　165
　　　　[*Music.*]　*Here a dance of Shepherds and Shep-*
　　　　　　herdesses.

Pol. Pray, good shepherd, what fair swain is this
　　Which dances with your daughter ?

Shep. They call him Doricles ; and boasts himself
　　To have a worthy feeding ; but I have it
　　Upon his own report, and I believe it.　　170
　　He looks like sooth. He says he loves my
　　　　daughter.
　　I think so too ; for never gaz'd the moon
　　Upon the water as he'll stand and read,
　　As 'twere, my daughter's eyes ; and, to be plain,
　　I think there is not half a kiss to choose　175
　　Who loves another best.

Pol.　　　　　　　　　　She dances featly.

Shep. So she does anything, though I report it,
　　That should be silent. If young Doricles
　　Do light upon her, she shall bring him that
　　Which he not dreams of.　　　　　　180

Enter a Servant.

Serv. O master, if you did but hear the pedlar at
　　the door, you would never dance again after a
　　tabor and pipe ; no, the bagpipe could not
　　move you. He sings several tunes faster than
　　you'll tell money. He utters them as he had 185

eaten ballads and all men's ears grew to his tunes.

Clo. He could never come better ; he shall come in. I love a ballad but even too well, if it be doleful matter merrily set down, or a very pleasant thing indeed and sung lamentably. 190

Serv. He hath songs for man or woman, of all sizes ; no milliner can so fit his customers with gloves. He has the prettiest love-songs for maids ; so without bawdry, which is strange ; with such delicate burdens of dildos and fadings, "jump 195 her and thump her ;" and where some stretch-mouth'd rascal would, as it were, mean mischief and break a foul gap into the matter, he makes the maid to answer, "Whoop, do me no harm, good man ;" puts him off, slights him, 200 with "Whoop, do me no harm, good man."

Pol. This is a brave fellow.

Clo. Believe me, thou talkest of an admirable conceited fellow. Has he any unbraided wares ?

Serv. He hath ribbons of all the colours i' the rain- 205 bow ; points more than all the lawyers in Bohemia can learnedly handle, though they come to him by the gross ; inkles, caddises, cambrics, lawns. Why, he sings 'em over as they were gods or goddesses ; you would think a smock 210 were a she-angel, he so chants to the sleeve-hand and the work about the square on't.

Clo. Prithee bring him in; and let him approach
     singing.

Per. Forewarn him that he use no scurrilous words   215
     in 's tunes.   [*Exit Servant.*]

Clo. You have of these pedlars, that have more in
     them than you'd think, sister.

Per. Ay, good brother, or go about to think.

Enter Autolycus, singing.

  "Lawn as white as driven snow;   220
     Cypress black as e'er was crow;
     Gloves as sweet as damask roses;
     Masks for faces and for noses;
     Bugle bracelet, necklace amber,
     Perfume for a lady's chamber;   225
     Golden quoifs and stomachers
     For my lads to give their dears;
     Pins and poking-sticks of steel;
     What maids lack from head to heel.
     Come buy of me, come; come buy, come buy;   230
     Buy, lads, or else your lasses cry.
     Come buy."

Clo. If I were not in love with Mopsa, thou
     shouldst take no money of me; but being en-
     thrall'd as I am, it will also be the bondage of   235
     certain ribbons and gloves.

Mop. I was promis'd them against the feast ; but they come not too late now.

Dor. He hath promis'd you more than that, or there be liars.   240

Mop. He hath paid you all he promis'd you. May be he has paid you more, which will shame you to give him again.

Clo. Is there no manners left among maids ? Will they wear their plackets where they should 245 bear their faces ? Is there not milking-time, when you are going to bed, or kiln-hole, to whistle off these secrets, but you must be tittle-tattling before all our guests ? 'Tis well they are whisp'ring. Clamour your tongues, 250 and not a word more.

Mop. I have done. Come, you promis'd me a tawdry-lace and a pair of sweet gloves.

Clo. Have I not told thee how I was cozen'd by the way and lost all my money ?   255

Aut. And indeed, sir, there are cozeners abroad ; therefore it behoves men to be wary.

Clo. Fear not thou, man, thou shalt lose nothing here.

Aut. I hope so, sir ; for I have about me many 260 parcels of charge.

Clo. What hast here ? Ballads ?

Mop. Pray now, buy some. I love a ballad in print, o' life, for then we are sure they are true.

How differ from Pal.
1. Has love for maitures
2. More poetic than Pal.

Sc. IV The Winter's Tale 89

Aut. Here's one to a very doleful tune, how a usur- 265
er's wife was brought to bed of twenty money-
bags at a burden, and how she long'd to eat
adders' heads and toads carbonado'd.

Mop. Is it true, think you?

Aut. Very true, and but a month old. 270

Dor. Bless me from marrying a usurer!

Aut. Here's the midwife's name to't, one Mistress
Tale-porter, and five or six honest wives that
were present. Why should I carry lies
abroad? 275

Mop. Pray you now, buy it.

Clo. Come on, lay it by, and let's first see moe
ballads. We'll buy the other things anon.

Aut. Here's another ballad of a fish that appeared
upon the coast on Wednesday the fourscore of 280
April, forty thousand fathom above water, and
sung this ballad against the hard hearts of
maids. It was thought she was a woman and
was turned into a cold fish for she would not
exchange flesh with one that lov'd her. The 285
ballad is very pitiful and as true.

Dor. Is it true too, think you?

Aut. Five justices' hands at it, and witnesses more
than my pack will hold.

Clo. Lay it by too. Another. 290

Aut. This is a merry ballad, but a very pretty
one.

3. Aut. alone - does not run with clan
4. " does not have old rogue
attitude - rather little sings. attitude
comes closer to universal type

Mop. Let's have some merry ones.

Aut. Why, this is a passing merry one and goes to
    the tune of "Two maids wooing a man."   295
    There's scarce a maid westward but she sings
    it. 'Tis in request, I can tell you.

Mop. We can both sing it. If thou'lt bear a part,
    thou shalt hear. 'Tis in three parts.

Dor. We had the tune on't a month ago.   300

Aut. I can bear my part; you must know 'tis my
    occupation. Have at it with you.

Song.

A. Get you hence, for I must go
    Where it fits not you to know.

D. Whither?   *M.* O, whither?   *D.* Whither?   305
    M. It becomes thy oath full well,
        Thou to me thy secrets tell.

D. Me too, let me go thither.
    M. Or thou goest to the grange or mill.
    D. If to either, thou dost ill.   310

A. Neither.   *D.* What, neither?   *A.* Neither.
    D. Thou hast sworn my love to be.
    M. Thou hast sworn it more to me.
    Then whither goest? Say, whither?

Clo. We'll have this song out anon by ourselves. 315
    My father and the gentlemen are in sad talk,
    and we'll not trouble them. Come, bring

away thy pack after me.   Wenches, I'll buy
for you both.   Pedlar, let's have the first
choice.   Follow me, girls.   320

[*Exit with Dorcas and Mopsa.*]

Aut. And you shall pay well for 'em.

"Will you buy any tape,
Or lace for your cape,
My dainty duck, my dear-a?
Any silk, any thread,   325
Any toys for your head,
Of the new'st and fin'st, fin'st wear-a?
Come to the pedlar;
Money's a meddler,
That doth utter all men's ware-a."   330

Exit.

[*Re-enter Servant.*]

Serv. Master, there is three carters, three shepherds, three neat-herds, three swine-herds,
that have made themselves all <u>men of hair</u>. *dressed in skins.*
They call themselves Saltiers; and they have
a dance which the wenches say is a gallimaufry 335
of gambols, because they are not in't; but
they themselves are o' the mind, if it be not
too rough for some that know little but bowl-
ing, it will please plentifully.

Shep. Away! we'll none on't.   Here has been too 340

much homely foolery already. I know, sir,
we weary you.

Pol. You weary those that refresh us. Pray, let's
see these four threes of herdsmen.

Serv. One three of them, by their own report, sir, 345
hath danc'd before the King; and not the
worst of the three but jumps twelve foot and a
half by the squire.

Shep. Leave your prating. Since these good men
are pleas'd, let them come in; but quickly 350
now.

Serv. Why, they stay at door, sir.   [*Exit.*]

Here a dance of twelve Satyrs.

Pol. O, father, you'll know more of that hereafter.
[*To Cam.*] Is it not too far gone? 'Tis time to
part them.
He's simple and tells much. [*To Flor.*] How now,
fair shepherd!   355
Your heart is full of something that does take
Your mind from feasting. Sooth, when I was
young
And handed love as you do, I was wont
To load my she with knacks. I would have ran-
sack'd
The pedlar's silken treasury and have pour'd it
To her acceptance; you have let him go   361
And nothing marted with him. If your lass

Interpretation should abuse and call this
Your lack of love or bounty, you were straited
For a reply ; at least if you make a care   365
Of happy holding her.

Flo.   Old sir, I know
She prizes not such trifles as these are.
The gifts she looks from me are pack'd and lock'd
Up in my heart ; which I have given already,
But not deliver'd.   O, hear me breathe my life   370
Before this ancient sir, who, it should seem,
Hath sometime lov'd !   I take thy hand, this hand,
As soft as dove's down and as white as it,
Or Ethiopian's tooth, or the fann'd snow that's
     bolted   374
By the northern blasts twice o'er.

Pol.   What follows this ?
How prettily the young swain seems to wash
The hand was fair before !   I have put you out.
But to your protestation ; let me hear
What you profess.

Flo.   Do, and be witness to't.   379

Pol. And this my neighbour too ?

Flo.   And he, and more
Than he, and men, the earth, the heavens, and all :
That, were I crown'd the most imperial monarch,
Thereof most worthy, were I the fairest youth
That ever made eye swerve, had force and know-
     ledge   384

More than was ever man's, I would not prize them
Without her love; for her employ them all;
Commend them and condemn them to her service
Or to their own perdition.

Pol.   Fairly offer'd.

Cam. This shows a sound affection.

Shep.   But, my daughter,
Say you the like to him?

Per.   I cannot speak   390
So well, nothing so well; no, nor mean better.
By the pattern of mine own thoughts I cut out
The purity of his.

Shep.   Take hands, a bargain!
And, friends unknown, you shall bear witness to't:
I give my daughter to him, and will make   395
Her portion equal his.

Flo.   O, that must be
I' the virtue of your daughter. One being dead,
I shall have more than you can dream of yet.
Enough then for your wonder. But, come on,
Contract us 'fore these witnesses.

Shep.   Come, your hand; 400
And, daughter, yours.

Pol.   Soft, swain, a while, beseech you.
Have you a father?

Flo.   I have; but what of him?

Pol. Knows he of this?

Flo.   He neither does nor shall.

Pol. Methinks a father
    Is at the nuptial of his son a guest   405
    That best becomes the table.   Pray you once more,
    Is not your father grown incapable
    Of reasonable affairs ?   Is he not stupid
    With age and alt'ring rheums ?   Can he speak ? hear ?
    Know man from man ? dispute his own estate ?
    Lies he not bed-rid ? and again does nothing   411
    But what he did being childish ?

Flo.   No, good sir ;
    He has his health, and ampler strength indeed
    Than most have of his age.

Pol.   By my white beard,
    You offer him, if this be so, a wrong   415
    Something unfilial.   Reason my son
    Should choose himself a wife, but as good reason
    The father, all whose joy is nothing else
    But fair posterity, should hold some counsel
    In such a business.

Flo.   I yield all this ;   420
    But for some other reasons, my grave sir,
    Which 'tis not fit you know, I not acquaint
    My father of this business.

Pol.   Let him know't.

Flo. He shall not.

Pol.   Prithee, let him.

Flo.   No, he must not.

Shep.　Let him, my son.　He shall not need to grieve
　　At knowing of thy choice.

Flo.　　　　　　　　　Come, come, he must not.
　　Mark our contract.

Pol.　　　　　　　　Mark your divorce, young sir,
　　　　　　　　　　　　　　[*Discovering himself.*]
　　Whom son I dare not call.　Thou art too base 428
　　To be acknowledg'd.　Thou a sceptre's heir,
　　That thus affects a sheep-hook !　Thou old traitor,
　　I am sorry that by hanging thee I can　　431
　　But shorten thy life one week.　And thou, fresh
　　　　piece
　　Of excellent witchcraft, who of force must know
　　The royal fool thou cop'st with, —

Shep.　　　　　　　　　　　O, my heart !

Pol.　I'll have thy beauty scratch'd with briers, and
　　　　made　　　　　　　　　　　　435
　　More homely than thy state.　For thee, fond boy,
　　If I may ever know thou dost but sigh
　　That thou no more shalt see this knack, as never
　　I mean thou shalt, we'll bar thee from succession,
　　Not hold thee of our blood, no, not our kin,　440
　　Far than Deucalion off.　Mark thou my words.
　　Follow us to the court.　Thou churl, for this time,
　　Though full of our displeasure, yet we free thee
　　From the dead blow of it.　And you, enchant-
　　　　ment, —
　　Worthy enough a herdsman, yea, him too,　445

That makes himself, but for our honour therein,
Unworthy thee, — if ever henceforth thou
These rural latches to his entrance open,
Or hoop his body more with thy embraces,
I will devise a death as cruel for thee   450
As thou art tender to't.   *Exit.*

Per.   Even here undone !
I was not much afeard ; for once or twice
I was about to speak, and tell him plainly
The self-same sun that shines upon his court
Hides not his visage from our cottage, but   455
Looks on alike.   Will't please you, sir, be gone ?
I told you what would come of this.   Beseech you,
Of your own state take care.   This dream of
     mine, —
Being now awake, I'll queen it no inch farther,
But milk my ewes and weep.

Cam.   Why, how now, father !   460
Speak ere thou diest.

Shep.   I cannot speak, nor think,
Nor dare to know that which I know.   O sir !
You have undone a man of fourscore three,
That thought to fill his grave in quiet, yea,
To die upon the bed my father died,   465
To lie close by his honest bones ; but now
Some hangman must put on my shroud and lay
     me
Where no priest shovels in dust.   O cursed wretch,

H

That knew'st this was the Prince, and wouldst
    adventure
To mingle faith with him! Undone! undone!
If I might die within this hour, I have liv'd   471
To die when I desire.   *Exit.*

Flo.   Why look you so upon me?
I am but sorry, not afeard; delay'd,
But nothing alt'red. What I was, I am;
More straining on for plucking back, not follow-
    ing
My leash unwillingly.

Cam.   Gracious my lord,   476
You know your father's temper. At this time
He will allow no speech, which I do guess
You do not purpose to him; and as hardly
Will he endure your sight as yet, I fear.   480
Then, till the fury of his Highness settle,
Come not before him.

Flo.   I not purpose it.
I think, Camillo?

Cam.   Even he, my lord.

Per. How often have I told you 'twould be thus!
How often said, my dignity would last   485
But till 'twere known!

Flo.   It cannot fail but by
The violation of my faith; and then
Let Nature crush the sides o' the earth together
And mar the seeds within! Lift up thy looks.

From my succession wipe me, father; I   490
Am heir to my affection.

Cam.   Be advis'd.

Flo. I am, and by my fancy. If my reason
Will thereto be obedient, I have reason;
If not, my senses, better pleas'd with madness,
Do bid it welcome.

Cam.   This is desperate, sir.   495

Flo. So call it, but it does fulfil my vow;
I needs must think it honesty. Camillo,
Not for Bohemia, nor the pomp that may
Be thereat glean'd, for all the sun sees or
The close earth wombs or the profound seas hides
In unknown fathoms, will I break my oath   501
To this my fair belov'd; therefore, I pray you,
As you have ever been my father's honour'd friend,
When he shall miss me, — as, in faith, I mean not
To see him any more, — cast your good counsels
Upon his passion; let myself and Fortune   506
Tug for the time to come. This you may know
And so deliver: I am put to sea
With her who here I cannot hold on shore;
And most opportune to our need I have   510
A vessel rides fast by, but not prepar'd
For this design. What course I mean to hold
Shall nothing benefit your knowledge, nor
Concern me the reporting.

Cam.   O my lord!

I would your spirit were easier for advice, 515
Or stronger for your need.

Flo.   Hark, Perdita !
                                        [*Drawing her aside.*]
I'll hear you [*to Cam.*] by and by.

Cam.   He's irremoveable,
Resolv'd for flight.   Now were I happy, if
His going I could frame to serve my turn,
Save him from danger, do him love and honour, 520
Purchase the sight again of dear Sicilia
And that unhappy king, my master, whom
I so much thirst to see.

Flo.   Now, good Camillo;
I am so fraught with curious business that
I leave out ceremony.

Cam.   Sir, I think 525
You have heard of my poor services, i' the love
That I have borne your father?

Flo.   Very nobly
Have you deserv'd.   It is my father's music
To speak your deeds, not little of his care
To have them recompens'd as thought on.

Cam.   Well, my lord,
If you may please to think I love the King 531
And through him what's nearest to him, which is
Your gracious self, embrace but my direction.
If your more ponderous and settled project
May suffer alteration, on mine honour, 535

I'll point you where you shall have such receiving
As shall become your Highness; where you may
Enjoy your mistress, from the whom, I see,
There's no disjunction to be made, but by —
As heavens forfend! — your ruin; marry her, 540
And, with my best endeavours in your absence,
Your discontenting father strive to qualify
And bring him up to liking.

Flo.   How, Camillo,
May this, almost a miracle, be done?
That I may call thee something more than man 545
And after that trust to thee.

Cam.   Have you thought on
A place whereto you'll go?

Flo.   Not any yet:
But as the unthought-on accident is guilty
To what we wildly do, so we profess
Ourselves to be the slaves of chance, and flies 550
Of every wind that blows.

Cam.   Then list to me.
This follows: if you will not change your purpose
But undergo this flight, make for Sicilia,
And there present yourself and your fair princess,
For so I see she must be, 'fore Leontes. 555
She shall be habited as it becomes
The partner of your bed. Methinks I see
Leontes opening his free arms and weeping
His welcomes forth; asks thee, the son, forgiveness,

As 'twere i' the father's person ; kisses the hands
Of your fresh princess ; o'er and o'er divides him
'Twixt his unkindness and his kindness ; the one
He chides to hell and bids the other grow
Faster than thought or time.

Flo.   Worthy Camillo,
What colour for my visitation shall I   565
Hold up before him ?

Cam.   Sent by the King your father
To greet him and to give him comforts.   Sir,
The manner of your bearing towards him, with
What you as from your father shall deliver,
Things known betwixt us three, I'll write you
        down ;   570
The which shall point you forth at every sitting
What you must say ; that he shall not perceive
But that you have your father's bosom there
And speak his very heart.

Flo.   I am bound to you.
There is some sap in this.

Cam.   A cause more promising
Than a wild dedication of yourselves   576
To unpath'd waters, undream'd shores, most cer-
        tain
To miseries enough ; no hope to help you,
But as you shake off one to take another ;
Nothing so certain as your anchors, who   580
Do their best office, if they can but stay you

Where you'll be loath to be. Besides, you know,
Prosperity's the very bond of love,
Whose fresh complexion and whose heart together
Affliction alters.

Per.   One of these is true.   585
I think affliction may subdue the cheek,
But not take in the mind.

Cam.   Yea, say you so?
There shall not at your father's house these seven
    years
Be born another such.

Flo.   My good Camillo,
She is as forward of her breeding as   590
She is i' the rear o' our birth.

Cam.   I cannot say 'tis pity
She lacks instructions, for she seems a mistress
To most that teach.

Per.   Your pardon, sir; for this
I'll blush you thanks.

Flo.   My prettiest Perdita!
But O, the thorns we stand upon! Camillo,   595
Preserver of my father, now of me,
The medicine of our house, how shall we do?
We are not furnish'd like Bohemia's son,
Nor shall appear in Sicilia.

Cam.   My lord,
Fear none of this. I think you know my fortunes
Do all lie there. It shall be so my care   601

To have you royally appointed as if
The scene you play were mine.   For instance, sir,
That you may know you shall not want, one word.
                                    [*They talk aside.*]

Re-enter Autolycus.

Aut. Ha, ha ! what a fool Honesty is ! and Trust, 605
his sworn brother, a very simple gentleman !
I have sold all my trumpery ; not a counter-
feit stone, not a ribbon, glass, pomander,
brooch, table-book, ballad, knife, tape, glove,
shoe-tie, bracelet, horn-ring, to keep my pack 610
from fasting.   They throng who should buy
first, as if my trinkets had been hallowed, and
brought a benediction to the buyer ; by which
means I saw whose purse was best in picture,
and what I saw, to my good use I rememb'red. 615
My clown, who wants but something to be
a reasonable man, grew so in love with the
wenches' song, that he would not stir his pettitoes till he had both tune and words ; which so
drew the rest of the herd to me that all their
other senses stuck in ears.   You might have 620
pinched a placket, it was senseless ; 'twas nothing to geld a codpiece of a purse ; I would have
fil'd keys off that hung in chains.   No hearing,
no feeling, but my sir's song, and admiring the
nothing of it.   So that in this time of lethargy 625

I pick'd and cut most of their festival purses;
and had not the old man come in with a whoo-
bub against his daughter and the King's son
and scar'd my choughs from the chaff, I had
not left a purse alive in the whole army.   630

[*Camillo, Florizel, and Perdita come forward.*]

Cam. Nay, but my letters, by this means being
     there
So soon as you arrive, shall clear that doubt.

Flo. And those that you'll procure from King Leontes?

Cam. Shall satisfy your father.

Per.   Happy be you!
All that you speak shows fair.

Cam.   Who have we here?

[*Seeing Autolycus.*]

We'll make an instrument of this, omit   636
Nothing may give us aid.

Aut. If they have overheard me now, why, hang-
     ing.

Cam. How now, good fellow! why shak'st thou   640
so? Fear not, man; here's no harm intended
to thee.

Aut. I am a poor fellow, sir.

Cam. Why, be so still; here's nobody will steal that
from thee. Yet for the outside of thy poverty   645
we must make an exchange; therefore discase
thee instantly, — thou must think there's a necessity in't, — and change garments with this

gentleman. Though the pennyworth on his side
be the worst, yet hold thee, there's some boot. 650

Aut. I am a poor fellow, sir. [*Aside.*] I know ye
well enough.

Cam. Nay, prithee, dispatch. The gentleman is
half flay'd already.

Aut. Are you in earnest, sir? [*Aside.*] I smell the 655
trick on't.

Flo. Dispatch, I prithee.

Aut. Indeed, I have had earnest; but I cannot
with conscience take it.

Cam. Unbuckle, unbuckle.   660

     [*Florizel and Autolycus exchange garments.*]

     Fortunate mistress, — let my prophecy
Come home to ye! — you must retire yourself
Into some covert. Take your sweetheart's hat
And pluck it o'er your brows, muffle your face,
Dismantle you, and, as you can, disliken   665
The truth of your own seeming; that you
       may —
For I do fear eyes over — to shipboard
Get undescri'd.

Per.   I see the play so lies
That I must bear a part.

Cam.   No remedy.   669
Have you done there?

Flo.   Should I now meet my father,
He would not call me son.

Cam.   Nay, you shall have no hat.

                     [*Giving it to Perdita.*]

   Come, lady, come.   Farewell, my friend.

Aut.   Adieu, sir.

Flo.   O Perdita, what have we twain forgot!

   Pray you, a word.

Cam. [*Aside.*]   What I do next, shall be to tell the King

   Of this escape and whither they are bound;   676

   Wherein my hope is I shall so prevail

   To force him after; in whose company

   I shall re-view Sicilia, for whose sight

   I have a woman's longing.

Flo.   Fortune speed us!

   Thus we set on, Camillo, to the sea-side.   681

Cam.   The swifter speed the better.

        Exeunt [*Florizel, Perdita, and Camillo*].

Aut.   I understand the business, I hear it.   To
have an open ear, a quick eye, and a nimble
hand, is necessary for a cut-purse; a good nose   685
is requisite also, to smell out work for the
other senses.   I see this is the time that the un-
just man doth thrive.   What an exchange had
this been without boot!   What a boot is here
with this exchange!   Sure the gods do this   690
year connive at us, and we may do anything ex-
tempore. The Prince himself is about a piece of
iniquity, stealing away from his father with his
clog at his heels   If I thought it were a piece

of honesty to acquaint the King withal, I would   695
not do't. I hold it the more knavery to conceal
it ; and therein am I constant to my profession.

Re-enter Clown and Shepherd.

Aside, aside ; here is more matter for a hot
brain. Every lane's end, every shop, church,   700
session, hanging, yields a careful man work.

Clo. See, see ; what a man you are now ! There
is no other way but to tell the King she's
a changeling and none of your flesh and
blood.   705

Shep. Nay, but hear me.

Clo. Nay, but hear me.

Shep. Go to, then.

Clo. She being none of your flesh and blood, your
flesh and blood has not offended the King ; and   710
so your flesh and blood is not to be punish'd
by him. Show those things you found about
her, those secret things, all but what she has
with her. This being done, let the law go
whistle. I warrant you.   715

Shep. I will tell the King all, every word, yea, and
his son's pranks too ; who, I may say, is no
honest man, neither to his father nor to me,
to go about to make me the King's brother-
in-law.   720

Clo. Indeed, brother-in-law was the farthest off

you could have been to him, and then your
blood had been the dearer by I know how
much an ounce.

Aut. [*Aside.*] Very wisely, puppies!   725

Shep. Well, let us to the King. There is that in
this fardel will make him scratch his beard.

Aut. [*Aside.*] I know not what impediment this
complaint may be to the flight of my master.

Clo. Pray heartily he be at palace.   730

Aut. [*Aside.*] Though I am not naturally honest,
I am so sometimes by chance. Let me pocket
up my pedlar's excrement. [*Takes off his false
beard.*] How now, rustics! whither are you
bound?   735

Shep. To the palace, an it like your worship.

Aut. Your affairs there? What, with whom, the
condition of that fardel, the place of your
dwelling, your names, your ages, of what having, breeding, and anything that is fitting to be   740
known, discover?

Clo. We are but plain fellows, sir.

Aut. A lie; you are rough and hairy. Let me
have no lying. It becomes none but tradesmen, and they often give us soldiers the lie;   745
but we pay them for it with stamped coin, not
stabbing steel; therefore they do not give us
the lie.

Clo. Your worship had like to have given us

one, if you had not taken yourself with the
manner. 750

Shep. Are you a courtier, an't like you,
sir ?

Aut. Whether it like me or no, I am a courtier.
Seest thou not the air of the court in these en-
foldings ? Hath not my gait in it the measure 755
of the court ? Receives not thy nose court-
odour from me ? Reflect I not on thy baseness
court-contempt ? Think'st thou, for that I insinuate, or touse from thee thy business, I am
therefore no courtier ? I am courtier cap-a- 760
pie, and one that will either push on or pluck
back thy business there ; whereupon I command thee to open thy affair.

Shep. My business, sir, is to the King.

Aut. What advocate hast thou to him ? 765

Shep. I know not, an't like you.

Clo. Advocate's the court-word for a pheasant.
Say you have none.

Shep. None, sir ; I have no pheasant, cock nor
hen. 770

Aut. How blessed are we that are not simple men !
Yet Nature might have made me as these are,
Therefore I will not disdain.

Clo. This cannot be but a great courtier.

Shep. His garments are rich, but he wears them 775
not handsomely.

Clo. He seems to be the more noble in being fan-
    tastical. A great man, I'll warrant; I know
    by the picking on 's teeth.

Aut. The fardel there? What's i' the fardel?   **780**
    Wherefore that box?

Shep. Sir, there lies such secrets in this fardel and
    box, which none must know but the King; and
    which he shall know within this hour, if I may
    come to the speech of him.   **785**

Aut. Age, thou hast lost thy labour.

Shep. Why, sir?

Aut. The King is not at the palace. He is gone
    aboard a new ship to purge melancholy and
    air himself; for, if thou be'st capable of things   **790**
    serious, thou must know the King is full of grief.

Shep. So 'tis said, sir; about his son, that should
    have married a shepherd's daughter.

Aut. If that shepherd be not in hand-fast, let him
    fly. The curses he shall have, the tortures he   **795**
    shall feel, will break the back of man, the heart
    of monster.

Clo. Think you so, sir?

Aut. Not he alone shall suffer what wit can make
    heavy and vengeance bitter, but those that are   **800**
    germane to him, though remov'd fifty times,
    shall all come under the hangman; which
    though it be great pity, yet it is necessary. An
    old sheep-whistling rogue, a ram-tender, to offer

to have his daughter come into grace ! Some say   805
he shall be ston'd ; but that death is too soft for
him, say I.   Draw our throne into a sheep-cote !
All deaths are too few, the sharpest too easy.

Clo.   Has the old man e'er a son, sir, do you hear,
an't like you, sir ?   810

Aut.   He has a son, who shall be flay'd alive ; then
'nointed over with honey, set on the head of a
wasp's nest ; then stand till he be three quarters and a dram dead ; then recover'd again
with aqua-vitæ or some other hot infusion ;   815
then, raw as he is, and in the hottest day
prognostication proclaims, shall he be set
against a brick-wall, the sun looking with a
southward eye upon him, where he is to behold
him with flies blown to death.   But what talk   820
we of these traitorly rascals, whose miseries are
to be smil'd at, their offences being so capital ?
Tell me, for you seem to be honest plain men,
what you have to the King.   Being something
gently consider'd, I'll bring you where he is   825
aboard, tender your persons to his presence,
whisper him in your behalfs ; and if it be in man
besides the King to effect your suits, here is
man shall do it.

Clo.   He seems to be of great authority.   Close
with him, give him gold ; and though author-   830
ity be a stubborn bear, yet he is oft led by the
nose with gold.   Show the inside of your purse

to the outside of his hand, and no more ado.
Remember "ston'd," and "flay'd alive."

Shep. An't please you, sir, to undertake the busi-   835
ness for us, here is that gold I have. I'll
make it as much more, and leave this young
man in pawn till I bring it you.

Aut. After I have done what I promised?

Shep. Ay, sir.   840

Aut. Well, give me the moiety. Are you a party
in this business?

Clo. In some sort, sir; but though my case be a
pitiful one, I hope I shall not be flay'd out of it.

Aut. O, that's the case of the shepherd's son.   845
Hang him, he'll be made an example.

Clo. Comfort, good comfort! We must to the
King and show our strange sights. He must
know 'tis none of your daughter nor my sister;
we are gone else. Sir, I will give you as much   850
as this old man does when the business is performed, and remain, as he says, your pawn till
it be brought you.

Aut. I will trust you. Walk before toward the
sea-side; go on the right hand. I will but   855
look upon the hedge and follow you.

Clo. We are blest in this man, as I may say, even
blest.

Shep. Let's before as he bids us. He was provided to do us good.   860

    I   *[Exeunt Shepherd and Clown.]*

Aut. If I had a mind to be honest, I see Fortune
would not suffer me ; she drops booties in my
mouth.   I am courted now with a double occasion, gold and a means to do the Prince my
master good ; which who knows how that 865
may turn back to my advancement ?   I will
bring these two moles, these blind ones, aboard
him.   If he think it fit to shore them again,
and that the complaint they have to the King
concerns him nothing, let him call me rogue for 870
being so far officious ; for I am proof against
that title and what shame else belongs to't.
To him will I present them.   There may be
matter in it.   *Exit.*

ACT FIFTH

Scene I

[*A room in Leontes' palace.*]

Enter Leontes, Cleomenes, Dion, Paulina, and Servants.

Cleo. Sir, you have done enough, and have perform'd
    A saint-like sorrow. No fault could you make,
    Which you have not redeem'd; indeed, paid
down
    More penitence than done trespass. At the last
    Do as the heavens have done, forget your evil; 5
    With them forgive yourself.

Leon.   Whilst I remember
    Her and her virtues, I cannot forget
    My blemishes in them, and so still think of
    The wrong I did myself; which was so much
    That heirless it hath made my kingdom, and   10
    Destroy'd the sweet'st companion that e'er man
    Bred his hopes out of.

Paul.   True, too true, my lord.
    If, one by one, you wedded all the world,
    Or, from the all that are, took something good
    To make a perfect woman, she you kill'd   15
    Would be unparallel'd.

115

Leon.   I think so.   Kill'd!
    She I kill'd!   I did so; but thou strik'st me
    Sorely, to say I did.   It is as bitter
    Upon thy tongue as in my thought.   Now, good,
        now,
    Say so but seldom.

Cleo.   Not at all, good lady.   20
    You might have spoken a thousand things that
        would
    Have done the time more benefit and grac'd
    Your kindness better.

Paul.   You are one of those
    Would have him wed again.

Dion.   If you would not so,
    You pity not the state, nor the remembrance   25
    Of his most sovereign name; consider little
    What dangers, by his Highness' fail of issue,
    May drop upon his kingdom and devour
    Incertain lookers on.   What were more holy
    Than to rejoice the former queen is well?   30
    What holier than, for royalty's repair,
    For present comfort and for future good,
    To bless the bed of majesty again
    With a sweet fellow to't?

Paul.   There is none worthy,
    Respecting her that's gone.   Besides, the gods   35
    Will have fulfill'd their secret purposes;
    For has not the divine Apollo said,

Is't not the tenour of his oracle,
That King Leontes shall not have an heir
Till his lost child be found? which that it shall,
Is all as monstrous to our human reason   41
As my Antigonus to break his grave
And come again to me; who, on my life,
Did perish with the infant. 'Tis your counsel
My lord should to the heavens be contrary,   45
Oppose against their wills. [*To Leontes.*] Care
    not for issue;
The crown will find an heir. Great Alexander
Left his to the worthiest; so his successor
Was like to be the best.

Leon.   Good Paulina,
Who hast the memory of Hermione,   50
I know, in honour, O, that ever I
Had squar'd me to thy counsel! then, even now,
I might have look'd upon my queen's full eyes,
Have taken treasure from her lips —

Paul.   And left them
More rich for what they yielded.

Leon.   Thou speak'st truth.
No more such wives; therefore, no wife. One
    worse,   56
And better us'd, would make her sainted spirit
Again possess her corpse, and on this stage
(Where we offenders now appear), soul-vex'd,
Begin, "And why to me — ?"

Paul.   Had she such power,   60
    She had just cause.

Leon.   She had ; and would incense me
    To murder her I married.

Paul.   I should so.
    Were I the ghost that walk'd, I'd bid you mark
    Her eye, and tell me for what dull part in't
    You chose her ; then I'd shriek, that even your
        ears   65
    Should rift to hear me ; and the words that
        follow'd
    Should be "Remember mine."

Leon.   Stars, stars,
    And all eyes else dead coals ! Fear thou no wife ;
    I'll have no wife, Paulina.

Paul.   Will you swear
    Never to marry but by my free leave ?   70

Leon. Never, Paulina ; so be blest my spirit !

Paul. Then, good my lords, bear witness to his oath.

Cleo. You tempt him over-much.

Paul.   Unless another,
    As like Hermione as is her picture,   74
    Affront his eye.

Cleo.   Good madam, —

Paul.   I have done.
    Yet, if my lord will marry, — if you will, sir,
    No remedy, but you will, — give me the office
    To choose you a queen. She shall not be so young

As was your former ; but she shall be such
As, walk'd your first queen's ghost, it should take
    joy   80
To see her in your arms.

Leon.   My true Paulina,
We shall not marry till thou bid'st us.

Paul.   That
Shall be when your first queen's again in breath ;
Never till then.

Enter a Servant.

Serv. One that gives out himself Prince Florizel,   85
Son of Polixenes, with his princess, she
The fairest I have yet beheld, desires access
To your high presence.

Leon.   What with him ?   He comes not
Like to his father's greatness.   His approach,
So out of circumstance and sudden, tells us   90
'Tis not a visitation fram'd, but forc'd
By need and accident.   What train ?

Serv.   But few,
And those but mean.

Leon.   His princess, say you, with him ?

Serv. Ay, the most peerless piece of earth, I think,
That e'er the sun shone bright on.

Paul.   O Hermione,
As every present time doth boast itself   96
Above a better gone, so must thy grave

Give way to what's seen now! Sir, you yourself
Have said and writ so, but your writing now
Is colder than that theme, "She had not been, 100
Nor was not to be equall'd;" — thus your verse
Flow'd with her beauty once. 'Tis shrewdly
    ebb'd,
To say you have seen a better.

Serv.   Pardon, madam:
The one I have almost forgot, — your pardon, —
The other, when she has obtain'd your eye,   105
Will have your tongue too. This is a creature,
Would she begin a sect, might quench the zeal
Of all professors else, make proselytes
Of who she but bid follow.

Paul.   How? Not women!

Serv. Women will love her, that she is a woman   110
More worth than any man; men, that she is
The rarest of all women.

Leon.   Go, Cleomenes;
Yourself, assisted with your honour'd friends,
Bring them to our embracement. Still, 'tis
    strange   114

             Exeunt [Cleomenes and others].
He thus should steal upon us.

Paul.   Had our prince,
Jewel of children, seen this hour, he had pair'd
Well with this lord. There was not full a month
Between their births.

Leon. Prithee, no more ; cease. Thou know'st
    He dies to me again when talk'd of. Sure,   120
    When I shall see this gentleman, thy speeches
    Will bring me to consider that which may
    Unfurnish me of reason. They are come.

Re-enter Cleomenes and others, with Florizel and Perdita.

    Your mother was most true to wedlock, Prince,
    For she did print your royal father off,   125
    Conceiving you. Were I but twenty-one,
    Your father's image is so hit in you,
    His very air, that I should call you brother,
    As I did him, and speak of something wildly   129
    By us perform'd before. Most dearly welcome !
    And your fair princess, — goddess ! — O, alas !
    I lost a couple, that 'twixt heaven and earth
    Might thus have stood begetting wonder as
    You, gracious couple, do ; and then I lost —
    All mine own folly — the society,   135
    Amity too, of your brave father, whom,
    Though bearing misery, I desire my life
    Once more to look on him.

Flo.   By his command
    Have I here touch'd Sicilia, and from him
    Give you all greetings that a king, at friend,   140
    Can send his brother ; and, but infirmity
    Which waits upon worn times hath something
        seiz'd

His wish'd ability, he had himself
The lands and waters 'twixt your throne and his
Measur'd to look upon you ; whom he loves —
He bade me say so — more than all the sceptres
And those that bear them living.

Leon.   O my brother,
    Good gentleman ! the wrongs I have done thee
        stir
    Afresh within me, and these thy offices,
    So rarely kind, are as interpreters   150
    Of my behind-hand slackness.   Welcome hither,
    As is the spring to the earth.   And hath he too
    Expos'd this paragon to the fearful usage,
    (At least ungentle,) of the dreadful Neptune,
    To greet a man not worth her pains, much less 155
    The adventure of her person ?

Flo.   Good my lord,
    She came from Libya.

Leon.   Where the warlike Smalus,
    That noble honour'd lord, is fear'd and lov'd ?

Flo. Most royal sir, from thence ; from him, whose
        daughter
    His tears proclaim'd his, parting with her ; thence,
    A prosperous south-wind friendly, we have
        cross'd,   161
    To execute the charge my father gave me
    For visiting your Highness.   My best train
    I have from your Sicilian shores dismiss'd ;

Who for Bohemia bend, to signify   165
Not only my success in Libya, sir,
But my arrival and my wife's in safety
Here where we are.

Leon.   The blessed gods
Purge all infection from our air whilst you
Do climate here ! You have a holy father,   170
A graceful gentleman, against whose person,
So sacred as it is, I have done sin ;
For which the heavens, taking angry note,
Have left me issueless ; and your father's blest,
As he from heaven merits it, with you   175
Worthy his goodness. What might I have been,
Might I a son and daughter now have look'd on,
Such goodly things as you ?

Enter a Lord.

Lord.   Most noble sir,
That which I shall report will bear no credit,
Were not the proof so nigh. Please you, great
      sir,   180
Bohemia greets you from himself by me ;
Desires you to attach his son, who has —
His dignity and duty both cast off —
Fled from his father, from his hopes, and with
A shepherd's daughter.

Leon.   Where's Bohemia ? Speak.

Lord. Here in your city ; I now came from him.   186
　　I speak amazedly ; and it becomes
　　My marvel and my message.   To your court
　　Whiles he was hast'ning, in the chase, it seems,
　　Of this fair couple, meets he on the way   190
　　The father of this seeming lady, and
　　Her brother, having both their country quitted
　　With this young prince.

Flo.　　　　　　　Camillo has betray'd me ;
　　Whose honour and whose honesty till now
　　Endur'd all weathers.

Lord.　　　　　　Lay't so to his charge : 195
　　He's with the King your father.

Leon.　　　　　　　Who ? Camillo ?

Lord. Camillo, sir ; I spake with him ; who now
　　Has these poor men in question.   Never saw I
　　Wretches so quake.   They kneel, they kiss the
　　　　earth,
　　Forswear themselves as often as they speak.   200
　　Bohemia stops his ears, and threatens them
　　With divers deaths in death.

Per.　　　　　　　O my poor father !
　　The heaven sets spies upon us, will not have
　　Our contract celebrated.

Leon.　　　　　　You are married ?

Flo. We are not, sir, nor are we like to be.   205
　　The stars, I see, will kiss the valleys first ;
　　The odds for high and low's alike.

Leon.   My lord,
  Is this the daughter of a king?

Flo.   She is,
  When once she is my wife.

Leon. That "once," I see by your good father's speed,
  Will come on very slowly. I am sorry,   211
  Most sorry, you have broken from his liking
  Where you were tied in duty, and as sorry
  Your choice is not so rich in worth as beauty,
  That you might well enjoy her.

Flo.   Dear, look up.
  Though Fortune, visible an enemy,   216
  Should chase us with my father, power no jot
  Hath she to change our loves.   Beseech you, sir,
  Remember since you ow'd no more to time
  Than I do now.   With thought of such affections,
  Step forth mine advocate.   At your request   221
  My father will grant precious things as trifles.

Leon. Would he do so, I'd beg your precious mistress,
  Which he counts but a trifle.

Paul.   Sir, my liege,
  Your eye hath too much youth in't.   Not a month
  'Fore your queen died, she was more worth such
          gazes   226
  Than what you look on now.

Leon.   I thought of her,
  Even in these looks I made. [*To Florizel.*] But
          your petition

Is yet unanswer'd.   I will to your father.
Your honour not o'erthrown by your desires,   230
I am friend to them and you ; upon which errand
I now go toward him ; therefore follow me
And mark what way I make.   Come, good my
    lord.   *Exeunt.*

SCENE II

[Before Leontes' palace.]

Enter Autolycus and a Gentleman.

Aut. Beseech you, sir, were you present at this
  relation ?

1. Gent. I was by at the opening of the fardel,
  heard the old shepherd deliver the manner
  how he found it ; whereupon, after a little   5
  amazedness, we were all commanded out of
  the chamber ; only this methought I heard the
  shepherd say, he found the child.

Aut. I would most gladly know the issue of it.

1. Gent. I make a broken delivery of the business ;   10
  but the changes I perceived in the King and
  Camillo were very notes of admiration.   They
  seem'd almost, with staring on one another,
  to tear the cases of their eyes.   There was
  speech in their dumbness, language in their   15
  very gesture ; they look'd as they had heard
  of a world ransom'd, or one destroyed.   A

Reunion told to keep it on high serious plane.

notable passion of wonder appeared in them;
but the wisest beholder, that knew no more but
seeing, could not say if the importance were   20
joy or sorrow; but in the extremity of the
one, it must needs be.

Enter another Gentleman.

Here comes a gentleman that haply knows
more.   The news, Rogero?

2. *Gent.* Nothing but bonfires.   The oracle is
fulfill'd; the King's daughter is found; such   25
a deal of wonder is broken out within this hour
that ballad-makers cannot be able to express it.

Enter a third Gentleman.

Here comes the Lady Paulina's steward: he
can deliver you more.   How goes it now, sir?
This news which is call'd true is so like an old   30
tale, that the verity of it is in strong suspicion.
Has the King found his heir?

3. *Gent.* Most true, if ever truth were pregnant
by circumstance.   That which you hear you'll
swear you see, there is such unity in the proofs.   35
The mantle of Queen Hermione's, her jewel
about the neck of it, the letters of Antigonus
found with it, which they know to be his character, the majesty of the creature in resem-
blance of the mother, the affection of noble-   40

ness which nature shows above her breeding,
and many other evidences proclaim her with
all certainty to be the King's daughter. Did
you see the meeting of the two kings?

2. Gent. No.   45

3. Gent. Then have you lost a sight which was to be
seen, cannot be spoken of. There might you
have beheld one joy crown another, so and in
such manner that it seem'd sorrow wept to
take leave of them, for their joy waded in   50
tears. There was casting up of eyes, holding
up of hands, with countenances of such distraction that they were to be known by garment,
not by favour. Our king, being ready to leap
out of himself for joy of his found daughter,
as if that joy were now become a loss, cries,   55
"O, thy mother, thy mother!" then asks
Bohemia forgiveness; then embraces his son-
in-law; then again worries he his daughter
with clipping her; now he thanks the old shepherd, which stands by like a weather-bitten   60
conduit of many kings' reigns. I never heard
of such another encounter, which lames report
to follow it and undoes description to do it.

2. Gent. What, pray you, became of Antigonus,
that carried hence the child?   65

3. Gent. Like an old tale still, which will have
matter to rehearse, though credit be asleep and

not an ear open. He was torn to pieces with a
bear; this avouches the shepherd's son, who
has not only his innocence, which seems much,   70
to justify him, but a handkerchief and rings
of his that Paulina knows.

1. Gent. What became of his bark and his followers?

3. Gent. Wreck'd the same instant of their
master's death and in the view of the shep-   75
herd; so that all the instruments which aided
to expose the child were even then lost when it
was found. But O, the noble combat that
'twixt joy and sorrow was fought in Paulina!
She had one eye declin'd for the loss of her   80
husband, another elevated that the oracle was
fulfill'd. She lifted the Princess from the
earth, and so locks her in embracing, as if she
would pin her to her heart that she might
no more be in danger of losing.   85

1. Gent. The dignity of this act was worth the
audience of kings and princes; for by such
was it acted.

3. Gent. One of the prettiest touches of all, and
that which angl'd for mine eyes, caught the   90
water though not the fish, was when, at the
relation of the Queen's death, with the manner
how she came to't bravely confess'd and
lamented by the King, how attentiveness
wounded his daughter; till, from one sign of   95

K

dolour to another, she did with an "Alas," I
would fain say, bleed tears, for I am sure my
heart wept blood. Who was most marble there
changed colour; some swooned, all sorrowed.
If all the world could have seen't, the woe had 100
been universal.

1. Gent. Are they returned to the court?

3. Gent. No. The Princess hearing of her mother's
statue, which is in the keeping of Paulina, —
a piece many years in doing and now newly perform'd by that rare Italian master, Julio Ro- 105
mano, who, had he himself eternity and could
put breath into his work, would beguile Nature
of her custom, so perfectly he is her ape. He so
near to Hermione hath done Hermione that
they say one would speak to her and stand in 110
hope of answer. Thither with all greediness
of affection are they gone, and there they
intend to sup.

2. Gent. I thought she had some great matter
there in hand; for she hath privately twice or
thrice a day, ever since the death of Hermione, 115
visited that removed house. Shall we thither
and with our company piece the rejoicing?

1. Gent. Who would be thence that has the benefit
of access? Every wink of an eye some new grace
will be born. Our absence makes us unthrifty 120
to our knowledge. Let's along. *Exeunt* [*Gentlemen*].

Aut. Now, had I not the dash of my former life in
　　me, would preferment drop on my head. I
　　brought the old man and his son aboard the
　　Prince, told him I heard them talk of a far- 125
　　del and I know not what; but he at that time,
　　overfond of the shepherd's daughter, so he then
　　took her to be, who began to be much sea-
　　sick, and himself little better, extremity of
　　weather continuing, this mystery remained un- 130
　　discover'd. But 'tis all one to me; for had I
　　been the finder out of this secret, it would not
　　have relish'd among my other discredits.

Enter Shepherd and Clown.

Here come those I have done good to against
my will, and already appearing in the blossoms 135
of their fortune.

Shep. Come, boy; I am past moe children, but thy
　　sons and daughters will be all gentlemen born.

Clo. You are well met, sir. You deni'd to fight
　　with me this other day, because I was no 140
　　gentleman born. See you these clothes? Say
　　you see them not and think me still no gentle-
　　man born. You were best say these robes are not
　　gentlemen born. Give me the lie, do, and try
　　whether I am not now a gentleman born. 145

Aut. I know you are now, sir, a gentleman born.

Clo. Ay, and have been so any time these four
    hours.

Shep. And so have I, boy.

Clo. So you have; but I was a gentleman born 150
    before my father. For the King's son took
    me by the hand, and call'd me brother; and
    then the two kings call'd my father brother;
    and then the Prince my brother and the
    Princess my sister call'd my father father;
    and so we wept, and there was the first gentle- 155
    man-like tears that ever we shed.

Shep. We may live, son, to shed many more.

Clo. Ay, or else 'twere hard luck, being in so pre-
    posterous estate as we are.

Aut. I humbly beseech you, sir, to pardon me all 160
    the faults I have committed to your worship,
    and to give me your good report to the Prince
    my master.

Shep. Prithee, son, do; for we must be gentle,
    now we are gentlemen.   165

Clo. Thou wilt amend thy life?

Aut. Ay, an it like your good worship.

Clo. Give me thy hand: I will swear to the
    Prince thou art as honest a true fellow as any
    is in Bohemia.   170

Shep. You may say it, but not swear it.

Clo. Not swear it, now I am a gentleman? Let
    boors and franklins say it, I'll swear it.

Shep. How if it be false, son?

Clo. If it be ne'er so false, a true gentleman may 175
     swear it in the behalf of his friend; and I'll
     swear to the Prince thou art a tall fellow of
     thy hands and that thou wilt not be drunk;
     but I know thou art no tall fellow of thy hands
     and that thou wilt be drunk; but I'll swear it, 180
     and I would thou wouldst be a tall fellow of
     thy hands.

Aut. I will prove so, sir, to my power.

Clo. Ay, by any means prove a tall fellow. If I
     do not wonder how thou dar'st venture to be 185
     drunk, not being a tall fellow, trust me not.
     Hark! the kings and the princes, our kindred,
     are going to see the Queen's picture. Come,
     follow us; we'll be thy good masters.

                                    Exeunt.

SCENE III

[A chapel in Paulina's house.]

Enter Leontes, Polixenes, Florizel, Perdita, Camillo,
Paulina, Lords, etc.

Leon. O grave and good Paulina, the great comfort
     That I have had of thee!

Paul.   What, sovereign sir,
     I did not well I meant well. All my services
     You have paid home; but that you have vouchsaf'd,

With your crown'd brother and these your con-
    tracted   5
Heirs of your kingdoms, my poor house to visit,
It is a surplus of your grace, which never
My life may last to answer.

Leon.   O Paulina,
We honour you with trouble.   But we came
To see the statue of our queen.   Your gallery   10
Have we pass'd through, not without much con-
    tent
In many singularities; but we saw not
That which my daughter came to look upon,
The statue of her mother.

Paul.   As she liv'd peerless,
So her dead likeness, I do well believe,   15
Excels whatever yet you look'd upon
Or hand of man hath done; therefore I keep
    it
Lonely, apart.   But here it is.   Prepare
To see the life as lively mock'd as ever
Still sleep mock'd death.   Behold, and say 'tis
    well.   20

       [*Paulina draws a curtain, and discovers*
           Hermione standing like a statue.]

I like your silence; it the more shows off
Your wonder; but yet speak.   First, you, my
    liege;
Comes it not something near?

Leon.   Her natural posture !
     Chide me, dear stone, that I may say indeed
     Thou art Hermione; or rather, thou art she   25
     In thy not chiding, for she was as tender
     As infancy and grace. But yet, Paulina,
     Hermione was not so much wrinkled, nothing
     So aged as this seems.

Pol.   O, not by much.

Paul. So much the more our carver's excellence,   30
     Which lets go by some sixteen years and makes her
     As she liv'd now.

Leon.   As now she might have done,
     So much to my good comfort, as it is
     Now piercing to my soul. O, thus she stood,
     Even with such life of majesty, warm life,   35
     As now it coldly stands, when first I woo'd her !
     I am asham'd; does not the stone rebuke me
     For being more stone than it ? O royal piece
     There's magic in thy majesty, which has
     My evils conjur'd to remembrance, and   40
     From thy admiring daughter took the spirits,
     Standing like stone with thee.

Per.   And give me leave,
     And do not say 'tis superstition, that
     I kneel and then implore her blessing. Lady,
     Dear queen, that ended when I but began,   45
     Give me that hand of yours to kiss.

Paul.   O, patience !
    The statue is but newly fix'd, the colour's
    Not dry.

Cam. My lord, your sorrow was too sore laid on,
    Which sixteen winters cannot blow away,   50
    So many summers dry. Scarce any joy
    Did ever so long live ; no sorrow
    But kill'd itself much sooner.

Pol.   Dear my brother,
    Let him that was the cause of this have power
    To take off so much grief from you as he   55
    Will piece up in himself.

Paul.   Indeed, my lord,
    If I had thought the sight of my poor image
    Would thus have wrought you, — for the stone
       is mine —
    I'd not have show'd it.

Leon.   Do not draw the curtain.

Paul. No longer shall you gaze on't, lest your fancy
    May think anon it moves.

Leon.   Let be, let be.   61
    Would I were dead, but that, methinks, already —
    What was he that did make it ? See, my lord,
    Would you not deem it breath'd, and that those
       veins
    Did verily bear blood ?

Pol.   Masterly done !   65
    The very life seems warm upon her lip.

Leon. The fixure of her eye has motion in't,
     As we are mock'd with art.
Paul.   I'll draw the curtain.
     My lord's almost so far transported that
     He'll think anon it lives.
Leon.   O sweet Paulina,   70
     Make me to think so twenty years together!
     No settled senses of the world can match
     The pleasure of that madness.   Let 't alone.
Paul. I am sorry, sir, I have thus far stirr'd you; but
     I could afflict you farther.
Leon.   Do, Paulina;   75
     For this affliction has a taste as sweet
     As any cordial comfort.   Still, methinks,
     There is an air comes from her.   What fine chisel
     Could ever yet cut breath?   Let no man mock me,
     For I will kiss her.
Paul.   Good my lord, forbear.   80
     The ruddiness upon her lip is wet;
     You'll mar it if you kiss it, stain your own
     With oily painting.   Shall I draw the curtain?
Leon. No, not these twenty years.
Per.   So long could I
     Stand by, a looker on.
Paul.   Either forbear,   85
     Quit presently the chapel, or resolve you
     For more amazement.   If you can behold it,
     I'll make the statue move indeed, descend

And take you by the hand ; but then you'll think —
Which I protest against — I am assisted　　　90
By wicked powers.

Leon.   What you can make her do,
I am content to look on ; what to speak,
I am content to hear ; for 'tis as easy
To make her speak as move.

Paul.   It is requir'd
You do awake your faith. Then all stand still ;
Or, those that think it is unlawful business　　96
I am about, let them depart.

Leon.   Proceed ;
No foot shall stir.

Paul.   Music, awake her ; strike !
                            [*Music.*]
'Tis time ; descend ; be stone no more ; approach.
Strike all that look upon with marvel. Come, 100
I'll fill your grave up. Stir, nay, come away,
Bequeath to death your numbness ; for from him
Dear life redeems you. You perceive she stirs.
               [*Hermione comes down.*]
Start not ; her actions shall be holy as
You hear my spell is lawful. Do not shun her 105
Until you see her die again, for then
You kill her double. Nay, present your hand.
When she was young you woo'd her ; now in age
Is she become the suitor ?

Leon.   O, she's warm !

If this be magic, let it be an art   110
Lawful as eating.

Pol.   She embraces him.

Cam. She hangs about his neck.
If she pertain to life let her speak too.

Pol. Ay, and make't manifest where she has liv'd,
Or how stolen from the dead.

Paul.   That she is living,
Were it but told you, should be hooted at   116
Like an old tale ; but it appears she lives,
Though yet she speak not.   Mark a little while.
Please you to interpose, fair madam ; kneel
And pray your mother's blessing.   Turn, good
     lady ;   120
Our Perdita is found.

Her.   You gods, look down
And from your sacred vials pour your graces
Upon my daughter's head ! Tell me, mine own,
Where hast thou been preserv'd ? where liv'd ? how
     found
Thy father's court ? for thou shalt hear that I,
Knowing by Paulina that the oracle   126
Gave hope thou wast in being, have preserv'd
Myself to see the issue.

Paul.   There's time enough for that ;
Lest they desire upon this push to trouble
Your joys with like relation.   Go together,   130
You precious winners all ; your exultation

*Cold - reserved - passionless. Holds
aloof from Leo. - not speaking to
him.*

Partake to every one. I, an old turtle,
Will wing me to some wither'd bough and there
My mate, that's never to be found again,
Lament till I am lost.

Leon.   O, peace, Paulina !   135
Thou shouldst a husband take by my consent,
As I by thine a wife ; this is a match,
And made between's by vows. Thou hast found
     mine ;
But how, is to be question'd ; for I saw her,   139
As I thought, dead, and have in vain said many
A prayer upon her grave. I'll not seek far —
For him, I partly know his mind — to find thee
An honourable husband. Come, Camillo,
And take her by the hand, whose worth and hon-
     esty
Is richly noted and here justified   145
By us, a pair of kings. Let's from this place.
What ! look upon my brother. Both your pardons,
That e'er I put between your holy looks
My ill suspicion. This your son-in-law
And son unto the King, whom heavens directing, 150
Is troth-plight to your daughter. Good Paulina,
Lead us from hence, where we may leisurely
Each one demand and answer to his part
Perform'd in this wide gap of time since first
We were dissever'd. Hastily lead away.   155
                           Exeunt.

6/30/84

Notes

Act First. Acts and scenes are marked in the Folio. Place directions are the additions of modern editors.

I. i. 30. hath. A singular form used for a plural, or an old form of the plural.

I. i. 33. vast. There has been found in this passage "a reference to a device, common in the title-pages of old books, of two hands extended from opposite clouds, and joined as in token of friendship over a wide waste of country."

I. i. 35. loves. The addition of an *s* at the end of a word, usually a substantive, is particularly frequent in F_1. Note that *it* refers to *loves* in line 37. Cf. *bents*, I. ii. 179.

I. i. 43. physics the subject. Keeps the people in a healthy condition. Cf. *Macbeth*, II. iii. 55: "The labor we delight in physics pain"; *Cymbeline*, III. ii. 34. *Subject* is here collective in sense. Cf. *Lear*, IV. vi. 110: "When I do stare, see how the subject shakes."

I. ii. 12. that may blow. Probably the hope that all is well at home suggests the fear of evil and accounts for the loosely connected clause introduced by *that*. Many critics consider *that* as equivalent to *Oh, that*.

I. ii. 41. Let him remain there a month beyond the limit fixed for departure. Gests were stopping places, and so *gest* came to mean the list of stopping places.

I. ii. 44. lady she. Some editors interpret these words

" a woman that is a lady," others substitute *should* for *she*, and still others connect the two by a hyphen. But *she* was constantly used as a noun, as in *Cymbeline*, I. iii. 29 : "The shes of Italy"; and in *Twelfth Night*, I. v. 259 : "Lady, you are the cruell'st she alive."

I. ii. 48. **to unsphere the stars.** For similar references to the Ptolemaic system see *A Midsummer-Night's Dream*, II. i. 7 : "Swifter than the moon's sphere"; II. i. 153; *Troilus and Cressida*, I. iii. 90.

I. ii. 53. **pay your fees.** In old English law, prisoners, whether guilty or not, were liable to pay fees on liberation.

I. ii. 60. **Come, I'll question you.** The recalling by the two kings of their childish experiences is one of the most charming parts of *Pandosto*.

I. ii. 74. **the imposition cleared.** This is generally taken to mean setting aside, or excepting, original sin. A better interpretation is : Even original sin, ours by inheritance, is cleared by our innocence.

I. ii. 104. **And clap thyself my love.** To clap, or strike hands, was in Shakespeare's time a common sign that a bargain was completed. Witness the expression, *Henry V*, V. ii. 133 : "And so clap hands and a bargain." It was, as here, frequently applied to troth-plighting.

I. ii. 113. **bounty, fertile bosom.** Hanmer's emendation of this to *bounty's fertile bosom* has been enerally followed.

I. ii. 117. This line is an Alexandrine.

I. ii. 118. **The mort o' the deer.** A prolonged note on the horn at the death of the deer.

I. ii. 132. **As o'er dy'd blacks.** This refers probably to black cloth so often dyed as to be rotten.

I. ii. 138. **Affection! thy intention stabs the centre.**
The simplest and most natural meaning of this difficult
passage is: Affection — love or amorous disposition —
thy force or intenseness goes straight to its aim.

I. ii. 140–146. Leontes argues that, as love, or lust,
works with what is unreal, it may also work with something
real. That it does, beyond allowance, he finds from his
own cuckoldom. *Communicat'st* is virtually identical
in meaning with *coactive* and *fellow'st*.

I. ii. 161. A proverbial expression for "will you be imposed upon?"

I. ii. 163. **happy man be's dole!** May his portion in
life be that of a happy man! A proverbial expression.

I. ii. 178. **i' the garden.** In *Pandosto* Egistus and
the queen are represented as meeting in the garden.
Shall's, Shall we. *Shall* was in Shakespeare's time occasionally used as an impersonal verb with an indirect
object. Cf. *Cymbeline*, IV. ii. 233 and V. v. 228.

I. ii. 201. **planet, that will strike.** For a similar belief
in planetary influence compare Gloucester's " The late
eclipses in the sun and moon portend no good to us," and
Edmund's comment on his father's reasoning, *Lear,*
I. ii. 112.

I. ii. 224. **thy conceit is soaking.** Thy intelligence is
absorbent.

I. ii. 227. **lower messes.** Persons of lower rank who
sat at the foot of the table.

I. ii. 260, 261. **Whereof the execution did cry out Against
the non-performance.** The use of the *non* in *non-performance* strengthening the negatives implied in " cry out
against " is a kind of double negative common in Shake-

speare. Cf. III. ii. 56–58; *Macbeth*, III. vi. 8; and *Cymbeline*, I. iv. 23, 24.

I. ii. 291. **pin and web.** In *Lear*, III. iv. 122, we learn that the foul fiend Flibbertigibbet " gives the web and the pin, squints the eye, and makes the hare-lip."

I. ii. 307. **her medal.** This has been changed by many editors to *his medal* or *a medal;* but *her medal* undoubtedly means a medal of her, which, according to the fashion of the time, would be worn around the neck on a ribbon.

I. ii. 313. **meaner form.** Lower rank.

I. ii. 329. **Is goads, thorns, nettles, tails of wasps.** " When counted on the fingers this grating, sibilant line lacks two syllables. To remedy this sad defect in a passionate utterance of Leontes, when, of all times, he should speak in irreproachable rhythm, various improvements have been suggested." — FURNESS.

I. ii. 357 ff. **If I could find example.** This passage has been supposed to be an allusion to the death of Mary Queen of Scots, intended in compliment to James I; but as Elizabeth flourished for many years after Mary's death, it more probably refers to James's escape from the Gowrie conspiracy.

I. ii. 372, 373. Turning his eyes in the opposite direction, and letting his lip fall contemptuously.

I. ii. 410–411. **or both yourself and me Cry lost.** It is all up with you and me.

I. ii. 412. **him.** He who is.

I. ii. 424. **Swear his thought over.** Try to overcome his thought by swearing.

I. ii. 458, 459. **and comfort . . . nothing.** May my

going away be a help and bring comfort to the queen, who is not rightly concerned in his suspicions.

II. i. 40. **A spider steeped.** It was formerly believed that spiders were venomous and that one might be poisoned by drinking the liquor in which they had been steeped. That they must be seen in order that the drink be fatal is perhaps also indicated in Middleton's *No Wit, No Help Like A Woman's*, II. i. 392–393:

> Even when my lip touch'd the contracting cup,
> Even then to see the spider?

II. i. 85, 86. Should use the same language to all ranks, omitting such distinctions as manners require.

II. i. 102. **The centre.** The world, the center of the Ptolemaic system.

II. i. 113, 114. With thoughts of such qualities as your charities shall instruct you, estimate me.

II. i. 143. **land-damn.** Perhaps, to make a hell on earth for him. There have been various emendations, and many efforts to explain the meaning of this word. Discoveries of survivals of the word in dialects have not been thoroughly authenticated.

II. i. 153. **As you feel doing thus.** The King is generally supposed to lay hold of the arm of Antigonus while speaking, and the phrase is equivalent to: As you feel *me* doing this and see *the instruments that feel, i.e.* the fingers. The omission of *me* after *feel* in l. 153 is characteristic of the compressed style of the play.

II. i. 166. **in skill.** In discernment; or, possibly, through cunning.

L

II. i. 176. **touch'd conjecture.** Roused suspicion.

II. i. 182. **dispatched in post.** In *Pandosto* the queen "fell down upon her knees" and implored the King to consult the oracle. In calling Delphi Delphos, and in making it an island, Shakespeare followed the novel. Cf. III. i. 2.

II. i. 185. **Of stuff'd sufficiency.** Whose capabilities are more than enough.

II. ii. 23. **on.** As a result of.

II. iii. 5, 6. **blank And level.** Mark and aim.

II. iii. 30. **free.** Free from stain.

II. iii. 53. **professes.** Possibly a misprint for *profess;* possibly Paulina intended to speak in the third person.

II. iii. 56. **comforting your evils.** Aiding your evil disposition.

II. iii. 91, 92. **beat . . . baits.** In Shakespeare's time these words were pronounced alike.

II. iii. 97. **So like you, 'tis the worse.** An old proverb quoted by Overbury in his character of *A Sargeant:* "the devill cals him his white sonne; he is so like him, that hee is the worse for it."

II. iii. 107. **yellow.** The color of jealousy.

II. iii. 160. **Lady Margery.** A name used in contempt but apparently chosen at random.

II. iii. 162. **So sure as this beard's gray.** The King, as he says this, is supposed to lay hold of Antigonus by the beard. Possibly *this* is a misprint for *his.*

II. iii. 178. **It.** *It* is here the old form of the possessive, used occasionally by Shakespeare.

II. iii. 182. **commend it strangely.** Commit it as a stranger.

III. ii. 50. **encounter so uncurrent.** Unwarranted behavior. **Strain'd,** gone too far.

III. ii. 82. My life is the aim of your unfounded dreamlike suspicions.

III. ii. 88. **like to itself.** As it ought to be.

III. ii. 107. **strength of limit.** Limited strength. For the construction, cf. *Hamlet*, IV. vi. 21, "thieves of mercy" = merciful thieves.

III. ii. 123. **flatness.** Downrightness, absoluteness.

III. ii. 185. **were but spices of it.** Were mere seasoning; gave but a taste of this madness.

III. ii. 187. **of a fool.** In folly, as a fool.

III. ii. 194. **shed water out of fire.** "Dropped tears from burning eyes."

III. iii. 2. **The deserts of Bohemia.** Shakespeare follows Greene in giving Bohemia a seacoast, an error that has provoked the discussion of critics from Ben Jonson on.

III. iii. 20. **some another.** Sometimes on the other.

III. iii. 47. **thy character.** The letters of Antigonus; cf. V. ii. 37.

III. iii. 64. **boiled brains.** Cf. Prospero's speech, *The Tempest*, V. i. 60.

III. iii. 69. **by the seaside, browsing of ivy.** The shepherd in *Pandosto* "wandered downe toward the sea cliffes, to see if perchaunce the sheepe was browsing on the sea Ivy, whereon they greatly doe feede."

IV. i. 1. s. d. **Time the chorus.** The chorus has been variously ascribed to Ben Jonson, to Chapman, to an unknown writer, and to Shakespeare himself. The idea of using Time as a chorus was possibly suggested by the sub-title of *Pandosto, the Triumph of Time*.

IV. i. 6. **The growth untried.** The progress unconsidered.

IV. ii. 4. **fifteen.** *Fifteen* in the Ff, and first changed to *sixteen* by Hanmer to correspond with the number in IV. i. 6 and other places in the play.

IV. ii. 41. **look upon his removedness.** Watch him in his absence.

IV. iii. 23. **When the kite builds, look to lesser linen.** This bird is said to carry off small articles of linen. "Look out for the kite and me too," says Autolycus.

IV. iii. 28. **silly cheat.** A cant term for petty thieving.

IV. iii. 47. **psalms to hornpipes.** The only Puritan among them sings psalms to the lively tunes to which hornpipes are danced.

IV. iii. 102, 103. **compass'd a motion.** Got possession of a puppet show.

IV. iii. 132. **Jog on, jog on.** The music of this song is, according to Chappell, found in *The Dancing Master* (1650–1698) and also in the *Fitzwilliam Virginal Book*, a manuscript which contains in the handwriting in which it is written the dates 1603, 1605, 1612.

IV. iv. 4. **the petty gods.** An echo of the classical *dii minores*.

IV. iv. 12. **Digest it with a custom.** Explain it away by pleading that it is a custom.

IV. iv. 14. **to show myself a glass.** Probably this means, as Malone interprets it, that the Prince in his "swain's wearing" has sworn to show her as in a glass how she as a shepherdess ought to have been attired. Cf. *Julius Cæsar*, I. ii. 68–70.

IV. iv. 17. **the difference forges dread.** The difference in our ranks creates fears.

IV. iv. 40. **Or I my life.** Less likely, forfeit my life, than change my way of living. Cf. ll. 459, 460.

IV. iv. 118. **Dis's wagon.** Pluto's chariot.

IV. iv. 134. **Whitsun pastorals.** Probably the Whitsun mysteries, the dramatic performances proper to the time.

IV. iv. 143–145. Your way of doing each act, unparalleled in every particular, crowns your present deeds, making all your acts queenly.

IV. iv. 199. **Whoop, do me no harm, good man.** The name of an old song.

IV. iv. 220. **Lawn as white as driven snow.** "The music for this song is found in Wilson's *Cheerfull Ayres or Ballads*, Oxford, 1660." It was composed by John Wilson, who as a boy may possibly have sung *Sigh no more, ladies,* in *Much Ado.*

IV. iv. 250. **Clamour.** Stop. Hanmer emended this reading to " Charm."

IV. iv. 279. **ballad of a fish.** In 1604 there was entered in the Stationers' Register a ballad entitled : " The most true and strange report of A monstrous fishe that appeared in the forme of A woman from her waist upward Seene in the Sea." It was very popular and is possibly here referred to by Shakespeare.

IV. iv. 333. **men of hair.** Men dressed in skins to represent satyrs. For the relation of this dance of Satyrs to the dance in Ben Jonson's *Oberon*, see *Introduction.*

IV. iv. 400. **Witnesses.** Here pronounced as two syllables.

IV. iv. 416. **Reason.** There is reason that.

IV. iv. 468. **Where no priest shovels in dust.** Till the *Review* of the Liturgy in 1552 it was the duty of the priest in saying the words "earth to earth" to cast earth upon the body. *Shovels* is here pronounced as a single syllable. Cf. the Scotch *shool*, shovel.

IV. iv. 548, 549. But as the unexpected discovery by Polixenes is responsible for what we wildly do.

IV. iv. 613. **was best in picture.** Looked most promising.

IV. iv. 744 ff. **It becomes none but tradesmen.** Johnson explains the meaning of this passage: " They are *paid* for lying, therefore they do not *give* us the lie, they *sell* it us." Explanation is hardly needed when Autolycus is merely amusing himself and perplexing his auditors by the nimbleness of his wit.

IV. iv. 750. **taken yourself with the manner.** Taken yourself in the fact; a legal phrase.

IV. iv. 779. **by the picking on's teeth.** Practised ostentatiously by men of fashion in Shakespeare's time. Cf. *King John*, I. i. 189–190; and *All's Well*, I. i. 171 and iii. 2, 8.

IV. iv. 824, 825. **Being something gently consider'd.** For a gentlemanly consideration.

IV. iv. 856. Autolycus is still looking for booty. Clothes were dried on the hedges.

V. i. 58–60. The reading in the text preserves substantially the Folio punctuation, which seems well considered. Emendations have been numerous, but unnecessary.

V. i. 142. **waits upon worn times.** Accompanies the approach of age.

V. ii. 33, 34. **were pregnant by circumstance.** Made plausible by circumstances. Cf. *Othello*, II. i. 239; *Antony and Cleopatra*, II. i. 45.

V. ii. 105. **Julio Romano.** Julio Romano, a famous painter, was born in 1492 and died in 1546. The appropriateness of the words of praise and the reference to the painter as the maker of Hermione's statue have been used in attempts to prove that Shakespeare had visited Italy.

V. ii. 177. **A tall fellow of thy hands.** An active fellow who will stand the test. Cf. *Merry Wives*, I. iv. 27.

Textual Variants

The text in the present edition is based upon the first Folio, and the following list records the more important variations from that version.

DRAMATIS PERSONÆ] The Names of the Actors F. *The bracketed names in this list are not given in F.*

I. i. 33. vast] F₁; Vast Sea F₂₋₄.

  ii. 70. no] F₂; F₁ *omits.*

    148. *many mod. edd. continue this line to* Pol.

    276. hobby-horse] Rowe; Holy-Horse Ff.

    337. forsealing] Anon. *conj.;* for sealing Ff.

II. i. 11. taught this] F₂₋₄; taught 'this F₁; taught you this Rowe.

    90. fedary] Dyce; federarie F.

 iii. 148. beseech] F₂₋₄; beseech' F₁; beseech you Rowe.

III. ii. 172. Through my [dark] F₂; Through my F₁; Thorough my Malone.

  i. 124. made] Theobald; mad Ff.

IV. iii. 10. [with heigh !] F₂; F₁ *omits.*

  iv. 160. out] Theobald; on 't Ff.

    438. shalt] Rowe; shalt never Ff.

    510. our] Theobald; her Ff.

    654. flay'd] Steevens; fled Ff.

    759. or touse] Dyce; at toaze F₁; or toaze F₂₋₄.

V. i. 60. Begin, "And] Capell *and* Long Ms.; And begin Ff.

 75, 76. *Paul.* I have done yet] Capell; I have done. *Paul.* Yet. Ff.

  ii. 99. swooned] Pope; swownded F₁.

 iii. 18. Lonely] Hanmer; Louely F₁; Lovely F₃₋₄.

Glossary

abide, make a temporary stay; IV. iii. 99.

abused, deceived, imposed on; II. i. 141.

acre, a distance of forty furlongs; I. ii. 96.

action, accusation, lawsuit; II. i. 121.

adheres, pertains, suits; IV. i. 28.

address yourself, apply yourself, prepare; IV. iv. 53.

affect, love; IV. iv. 430.

affection, instinct, passion; I. ii. 138: disposition; V. ii. 41.

affront, encounter, meet; V. i. 75.

allow'd, acknowledged, allowable; I. ii. 263.

allowing, approving; I. ii. 185.

amazedness, amazement, utter bewilderment; V. ii. 6.

ancient, old; IV. iv. 79.

ancientry, old people; III. iii. 63.

ape-bearer, one who leads about apes for exhibition, a strolling buffoon; IV. iii. 101.

apparent, heir-apparent, having next claim; I. ii. 177.

appoint, dress, equip; I. ii. 326; IV. iv. 602.

approbation, proof, confirmation; II. i. 177.

argument, subject-matter, theme; IV. i. 29.

as, as if; I. ii. 369; IV. i. 17; V. iii. 32.

aspect, the relative oppositions and influences of the planets, or heavenly bodies as seen from the earth; II. i. 107.

at, used with the name of country; I. ii. 39.

attach, arrest; V. i. 182.

attorneyed, performed by proxy; I. i. 30.

aunts, mistresses, strumpets; IV. iii. 11.

avoid, withdraw, depart; I. ii. 462.

barbarism, want of civility; II. i. 84.

barne, a child; III. iii. 71.

basilisk, a fabulous reptile whose look and breath were thought to be fatal; I. ii. 388.

bawcock, a term of endearment (always masculine) from Fr. *beau coq;* I. ii. 121.

bearing-cloth, the mantle or cloth with which a child was covered when it was carried to the church to be baptized; III. iii. 119.

bench'd, raised to authority; I. ii. 314.

bents, inclination, disposition; I. ii. 179.

bide, dwell upon, insist upon; I. ii. 242.

blank, the white spot in the center of a target; II. iii. 5.

blench, start aside, flinch, be inconstant; I. ii. 333.

blocks, blockheads; I. ii. 225.

blood, passion; I. ii. 73, 109.

boiled brains, hot-headed fellows; see note, III. iii. 64.

boot, avail; III. ii. 26.

boot, profit; IV. iv. 689: " Grace to b.," God help us; I. ii. 80.

borrow, borrowing; I. ii. 39.

bourn, boundary, limit; I. ii. 134.

brave, fine; IV. iv. 202.

break-neck, a fall in which the neck is broken, destruction; I. ii. 363.

bring, conduct, attend; IV. iii. 122.

bug, bugbear; III. ii. 93.

bugle, a glass bead, usually black; IV. iv. 224.

cadises, worsted tapes or ribbons; IV. iv. 208.

callat, a scold, a lewd woman; II. iii. 90.

carbonado'd, scored across and grilled; IV. iv. 268.

career, a short gallop at full speed; I. ii. 286.

carriage, conduct, management; III. i. 17.

case, a play on the two meanings, skin and condition; I. ii. 352; IV. iv. 843.

censure, judgment, opinion; II. i. 37.

centre, bull's eye; see note, I. ii. 138: the earth; see note, II. i. 102.

character, handwriting; V. ii. 38: identifying description; III. iii. 47.

charge, importance, value; IV. iv. 261.

child, girl (Devonshire dialect); III. iii. 72.

childness, childish ways; I. ii. 170.

circumstance, ceremony, customary formalities; V. i. 90: events, facts; V. ii. 34.

clamour, stop, silence; IV. iv. 250.

clap, clap hands, pledge faith; see note, I. ii. 104.

climate, try the climate, sojourn; V. i. 170.

clipping, embracing; V. ii. 59.

collop, piece of meat, part of a man's flesh, hence applied to children; I. ii. 137.

colour, pretext, excuse; IV. iv. 565.

comfort, *vb.* aid, strengthen; see note, II. iii. 56.

comforts, what furnishes enjoyment and produces satisfaction, consolation; IV. iv. 567.

commend, assure of, deliver; II. ii. 36: commit; see note, II. iii. 182.

commission, allowance; I. ii. 144.

commodity, advantage, convenience; III. ii. 94.

communicate, work together with; see note, I. ii. 140.

conceit, intelligence; I. ii. 224: apprehension, imagination; III. ii. 145.

concerns, imports; III. ii. 87.

content, satisfaction; V. iii. 11.

contract, marriage, marriage contract; V. i. 204: betrothal; IV. iv. 427.

cop'st with, hast to do with; IV. iv. 434.

counters, small pieces of metal formerly used in counting or reckoning; IV. iii. 38.

cozened, cheated; IV. iv. 254.

cozeners, cheats, impostors; IV. iv. 256.

crack, flaw; I. ii. 322.

credent, credible; I. ii. 142.

curious, requiring care; IV. iv. 524.

curst, savage, fierce; III. iii. 135.

Cypress, crape, probably so called because made on the island of Cyprus; IV. iv. 221.

dear, devoted, heartfelt; II. iii. 150.

dibble, an implement for piercing holes in the ground for seeds or young plants; IV. iv. 100.

die, a game played with dice, gaming; IV. iii. 27.

dildos, a word much used in the refrains of ballads, the refrain of a song; IV. iv. 195.

discase, undress; IV. iv. 646.

discontenting, discontented; IV. iv. 542.

discover, disclose, reveal; II. i. 50; III. i. 20; IV. iv. 741.

discovery, disclosure; I. ii. 441.

disliken, disguise; IV. iv. 665.

dispute, discuss, reason upon; IV. iv. 410.

distinguishment, "observation of difference"; II. i. 86.

doctrine, teaching; I. ii. 70.

dole, portion, share; I. ii. 163.

doxy, mistress, paramour (a cant word); IV. iii. 2.

dread, apprehension; IV. iv. 17.

eggs for money, see note, I. ii. 161.

encounter, behavior; III. ii. 50: meeting, interview; I. i. 29.

estate, affairs; IV. iv. 410: "unspeakable estate," great possessions; IV. ii. 46.

evils, evil dispositions, diseases; see note, II. iii. **56.**

excrement, beard, hair; IV. iv. **733.**

fact, evil deed, crime; III. ii. **86.**

fading, a burden in old songs; IV. iv. **195.**

fail, failure; II. iii. **170;** V. i. **27.**

fancy, inclination, love; IV. iv. **492.**

far, farther, the old form of the comparative of *far;* IV. iv. **441.**

fardel, pack; IV. iv. **727.**

favour, look, appearance; V. ii. **54.**

fearful, timorous, full of fear; I. ii. **250.**

featly, nimbly, neatly; IV. iv. **176.**

fedary, confederate, accomplice; II. i. **90.**

feeding, pasture land; IV. iv. **169.**

fellows, peers, equals; II. iii. **143.**

fixure, fixed position; V. iii. **67.**

flap-dragoned, swallowed it like a flap-dragon; a flap-dragon is a small body, as a raisin, set on fire and floating on liquor, to be swallowed while burning; III. iii. **100.**

flaunts, anything displayed, finery; IV. iv. **23.**

flower-de-luce, fleur-de-lys; it is uncertain whether Shakespeare here means an iris or a lily; IV. iv. **127.**

fools, a term of affection; II. i. **118.**

for, because; III. i. **4;** IV. iv. **86.**

force (of), of necessity; IV. iv. **433.**

forced, false; II. iii. **78:** far-fetched, unnatural; IV. iv. **41.**

for-sealing, stopping; I. ii. **337.**

fram'd, deliberately arranged; V. i. **91.**

franklins, freeholders, yeomen; V. ii. **173.**

fraught, loaded, charged; IV. iv. **524.**

free, accessible; II. i. **194:** innocent; II. iii. **30:** voluntary, willing; II. ii. **44;** IV. iv. **558.**

gallimaufry, a hotch-potch, jumble, originally a dish made by hashing up remnants of food; IV. iv. 335.

gentry, noble birth, courtesy; I. ii. 393.

germane, akin; IV. iv. 801.

gest, list of stages of a royal journey or progress; see note, I. ii. 41.

gillyvors, gillyflower, a name for the carnation or a species of it; originally a clove, and hence applied to the clove-scented pink; IV. iv. 82.

good deed, in very deed, indeed; I. ii. 42.

gorge, throat; II. i. 44.

gossips, sponsors at baptism, the word in this sense being both masculine and feminine; II. iii. 41.

grace, favor, distinction; III. ii. 48; IV. iv. 805.

graceful, full of grace, religious; V. i. 171.

gracious, favorable; III. i. 22: holy virtuous; IV. ii. 31.

gust, taste, perceive; I. ii. 219.

hammer, ponder; II. ii. 49.

handfast, custody; IV. iv. 794.

harlot, a base or lewd person of either sex; II. iii. 4.

have at, used idiomatically for *let us begin;* IV. iv. 302.

having, possessions, estate; IV. iv. 739.

heat, to run a heat over, as in a race; I. ii. 96.

heard, listened to, hearkened to; II. i. 115.

heavings, deep sighs; II. iii. 35: cf. " These sighs; these profound heaves," *Hamlet,* IV. i. 1.

heavy, serious, sorrowful; III. iii. 115.

hefts, heaving efforts, retchings; II. i. 45.

hent, take hold of; IV. iii. 133.

hobby-horse, used figuratively for a loose woman; I. ii. 276.

home, in earnest; I. ii. 248: fully; V. iii. 4.

honest, virtuous, chaste; II. i. 68.

hoxes, hocks, hamstrings; I. ii. 244.

I' fecks, in faith; I. ii. 120.

immodest, immoderate; III. ii. 103.

importance, import, signification; V. ii. **20**

imposition, penalty; see note, I. ii. 74.

incidency, liability to happen; I. ii. 403.

industriously, deliberately; I. ii. 256.

inkles, a kind of tape or braid; IV. iv. **208.**

insinuate, ingratiate; IV. iv. 758.

intelligencing, tale-telling; II. iii. 68.

intelligent, giving information; I. ii. 378.

intention, intensity, concentration; see note, **I. ii. 138.**

jar, tick; I. ii. 43.

jewel, a personal ornament of precious stones and metal; V. ii. 36.

justified, avouched; V. iii. 145.

kiln-hole, the fire-hole of a kiln, the fireplace used in making malt, long a gossiping place in the Midland counties of England; IV. iv. 247.

land-damn, see note, II. i. 143

let, allow to remain; I. ii. 41.

level, aim, range; III. ii. 82.

list, choose, please; IV. i. **26**: attend, listen; **IV. iv.** 551.

limit, see note, III. ii. 107.

lively, life-like, to the life; V. iii. **19.**

lonely, alone; V. iii. 18.

longs, belongs; III. ii. 104.

loss, exposure, desertion; II. iii. **192.**

loud, tempestuous; III. iii. 11.

lozel, scoundrel, ne'er-do-well; II. iii. **109.**

lunes, mad freaks, lunacies; II. ii. 30.

made up to, pointed to; II. i. 179.

maliciously, malignantly; I. ii. 321.

manner (with the), in the fact; see note, IV. iv. 750.

mankind, masculine, virago-like; II. iii. 67.

marigold, probably the garden marigold, *calendula offi-cinalis;* IV. iv. 105.

mark, object of mark, pattern; IV. iv. 8.

material, full of matter; I. ii. 216.

mean, means; IV. iv. 89.

means, tenors, the intermediate part between treble and tenor; IV. iii. 46.

measure, regulated, graceful motion; IV. iv. 755.

medal, see note, I. ii. 307.

medicine, physician; IV. iv. 597. Cf. *Macbeth*, V. ii. 27, *All's Well*, II. i. 75.

meet, fit, proper; II. ii. 46.

mere, absolute, entire; III. ii. 142, 145.

mess, originally persons sitting together at table; a party of four, a group of people; IV. iv. 11: lower messes, persons of inferior rank; see note, I. ii. 227.

milliner, "formerly a man who dealt in women's wear"; IV. iv. 192.

minded, reminded; III. ii. 226.

missingly, regretfully or from missing him; IV. ii. 35.

moe, more, always used with a plural noun; I. ii. 8; V. ii. 137.

moiety, portion; II. iii. 8: half; III. ii. 40; IV. iv. 841.

mort, the note sounded on the horn at the death of the deer; see note, I. ii. 118.

motion, a puppet-show; IV. iii. 103.

nay-ward, contradiction; II. i. 64.

neb, beak; I. ii. 183.

next, shortest, most direct; III. iii. **129.**

note, 'notice, observation; I. i. 40; I. ii. 2: mark, sign; I. ii. 287: distinction; IV. ii. 48: list; IV. iii. 49.

o'erween, have the presumption; IV. ii. 9.

of, on; III. iii. 69: some of; IV. iv. 217.

offic'd, appointed to or placed in office; I. ii. 172.

on, in consequence of; II. ii. 23: of · I. ii. 206; II. i. 169; IV. iv. 548.

out, in error, wrong; II. i. 72.

overture, disclosure; II. i. 172.

owe, own; III. ii. 39.

oxlips, a kind of cowslips; IV. iv. 125.

pale, paleness; IV. iii. 4.

pantler, the servant who had charge of the pantry; IV. iv. 56.

part, depart; I. ii. 10: divide; I. ii. 18.

partake, impart, communicate; V. iii. 132.

Partlet, the name of the hen in Chaucer's *Nonne Preestes Tale;* II. iii. 75.

pash, head; I. ii. 128.

passage, process; III. ii. 91.

passing, surpassingly; IV. iv. 294.

pattern, match; III. ii. 37.

peer, appear; IV. iii. 1; IV. iv. 3.

perfect, sure, certain; III. iii. 1.

pettitoes, pigs' feet; IV. iv. 618.

pinch'd, made ridiculous, or galled; II. i. 51.

pin and web, cataract of the eye; see note, I. ii. 291.

place, dwelling place, station, or a combination of both; I. ii. 448: rank; II. i. 83.

plackets, the openings in skirts or petticoats; IV. iv. 245.

points, tagged laces, often used to fasten the clothes together (with a pun); IV. iv. 206.

M

poking-sticks, rods used for ironing the plaits of ruffs; IV. iv. 228.

pomander, a perfume ball worn to prevent infection in time of plague, or as an ornament; IV. iv. 608.

practice, treachery, plot, artifice; III. ii. 168.

pregnant, made plausible, evident; V. ii. 33.

preposterous, " clown's blunder for *prosperous* "; V. ii. 158.

present, instant, immediate; II. iii. 184; III. iii. 4.

pretense, intention, purpose; III. ii. 18.

prig, thief (a cant term still used as slang); IV. iii. 108.

professors else, followers of other religions; V. i. 108.

profit, proficiency; IV. ii. 21.

proper, one's own; II. iii. 140.

prosperous, propitious; II. iii. 189.

pugging, thievish (a cant term); IV. iii. 7.

purblind, entirely blind or partially blind; I. ii. 228.

purchas'd, obtained, gained; IV. iii. 27.

push, occasion; V. iii. 129.

put forth, bud, shoot out; I. ii. 254.

putter-on, instigator; II. i. 141.

put to, be unchaste; I. ii. 277.

qualify, provide with qualities; see note, II. i. 113: moderate; IV. iv. 542.

question, matter of doubt; I. ii. 324: conversation; IV. ii. 55: examination, trial; V. i. 198.

quick, alive; IV. iv. 132.

quoifs, caps, hoods; IV. iv. 226.

race, root; IV. iii. 50.

raise, rouse; II. i. 198.

rash, sudden, quick; I. ii. 319.

rear'd, roused; I. ii. 72.

regard, look; I. ii. 390.

relish, feel, perceive; II. i. 167: to be pleasing, grateful to; V. ii. 133.

remember, remind; III. ii. 231.

removed, remote; V. ii. 116.

removedness, retirement; IV. ii. 41.

repair, restoration; V. i. 31.

replenish'd, complete; II. i. 79.

require, deserve, ask or claim as of right; II. iii. 190; III. ii. 64.

resolve you, prepare; V. iii. 86.

respecting, considering; V. i. 35.

rheums, colds, influenzas; IV. iv. 409.

ripe, urgent, pressing; I. ii. 332.

rover, archer, applied to a frolicsome child; I. ii. 176.

sad, serious, earnest; II. i. 25; IV. iv. 316.

saltiers, leapers, acrobats, not a blunder for *satyrs*; IV. iv. 334.

savour, smell, odor; IV. iv. 75.

scape, escapade; III. iii. 73, 75.

self-born, same; IV. i. 8.

severals, individuals; I. ii. 226.

shoots, horns, here of a cuckold; I. ii. 128.

shrew, beshrew, curse; I. ii. 281.

shrewdly, wickedly, used as a general intensive; V. i. 102.

silly, see note, IV. iii. 28.

since, when; V. i. 219.

singularities, peculiarities, rarities; V. iii. 12.

sir, gentleman, lord; I. ii. 212; IV. iii. 74.

skill, cunning; II. i. 166: cause, reason; IV. iv. 152.

sleeve-hand, wristband, cuff; IV. iv. 211.

sneaping, nipping; I. ii. 13.

so-forth, *i.e.* a cuckold; I. ii. 218.

solely, alone; II. iii. 17.

sooth, truth; IV. iv. 160.

so that, provided that, if; II. i. 9.

sped, prospered, thriven; I. ii. 389.

speed, prosper; III. iii. 46: fortune, event; II. iii. 199; III. ii. 146.

springe, snare; IV. iii. 36.

square, the embroidered bosom of a smock or other garment; IV. iv. 212.

squar'd, ruled; III. iii. 41: adjusted, accommodated; V. i. 52.

squash, an unripe peascod; I. ii. 160.

squire, square, measure, rule; IV. iv. 348.

standing, time of existence; I. ii. 431.

straight, straightway, immediately; II. i. 70.

strangely, like a stranger; II. iii. 182.

strike, blast, exert a malign influence upon; I. ii. 201.

subject, people, subjects; see note, I. i. 43.

success, succession; I. ii. 394.

suddenly, at once; II. iii. 200.

table-book, memorandum book; IV. iv. 609.

take, captivate, fascinate; III. ii. 38.

take in, conquer, subdue; IV. iv. 587.

tall, active; see note, V. ii. 177, 179.

tardied, retarded; III. ii. 163.

tawdry-lace, a rustic necklace, ribbon, or braid. The name is said to be corrupted from St. Audrey or St. Ethelreda, on whose day a fair was held at the Isle of Ely, where toys of all sorts were sold and a kind of cheap necklace known as tawdry-lace; IV. iv. 253

tell, count; IV. iv. 185.

tender, show, introduce; IV. iv. 826.

that, Oh, that (?), see note, I. ii. 12: so that; I. i. 32: if; I. ii. 84, 85: that, to whom; II. i. 92.

thought, idea, opinion; I. ii. 424.

three-man song-men, singers of catches in three parts; IV. iii. 44.

three-pile, richest kind of velvet; IV. iii. 14.

tincture, color; III. ii. 206.

tods, yields a tod, 28 lb. of wool; IV. iii. 33.

touse, pull, draw out; IV. iv. 759.

trick, toy, trifle, knickknack; II. i. 51.

troll-my-dames, Fr. *trou-madame;* a kind of bagatelle, or an old game something like bagatelle; IV. iii. 92.

unbraided, sterling, untarnished, not faded like the usual peddlers' ware; IV. iv. 204.

undergo, endure, sustain, undertake; IV. iv. 553.

uneasy, difficult; IV. ii. 56.

unfurnish, deprive of necessaries of any kind; V. i. 123.

unintelligent, unconscious; I. i. 16.

unrolled, struck off the rolls; IV. iii. 130.

use, spending, interest; III. i. 14.

utter, come to pass, circulate; IV. iv. 330.

vast, "great and desolate expanse of sea or land"; see note, I. i. 33.

vice, screw, impel; I. ii. 416.

villain, rogue (jocosely or affectionately); I. ii. 136.

virginalling, playing with the fingers as on the virginal, a kind of piano; I. ii. 125.

visitation, visit; I. i. 7; IV. iv. 565; V. i. 91.

vulgars, the common people; II. i. 94.

wafting, turning; I. ii. 372.

walk, withdraw, retire; I. ii. 172.

wanton, frisky; I. ii. 126: sport, play; II. i. 18.

warden, a pear, used chiefly for baking; IV. iii. 48.

warp, change, change for the worse; I. ii. 365.

wearing, dress, apparel; IV. iv. 9.

welkin, heavenly, sky-blue; I. ii. 136.

well, happy in heaven; V. i. 30.

whiles, while, as long as; I. ii. 197; V. i. 189.

whistle off, send off, a term used in falconry; IV. iv. 248.

whoo-bub, hubbub, outcry; IV. iv. 627.

wild, rash; II. i. 182; IV. iv. 576.

with, by; IV. iii. 27; V. ii. 69.

withal, with it; II. i. 153.

without-door, external; II. i. 69.

woman-tired, henpecked, from *tyre,* a term used in falconry and meaning to tear with the beak; II. iii. 74.

worship, honor, dignity; I. ii. 314.

wotting, knowing; III. ii. 77.

Printed in the United States of America.